У ВОЛОС Е~~~~~~~~~~~~~~А –

КОЖА ПРИНИМАЕТ РЕШЕНИЕ О ВЫБОРЕ ПОЛОВОГО ПАРТНЕРА

СЛОИ КОЖИ

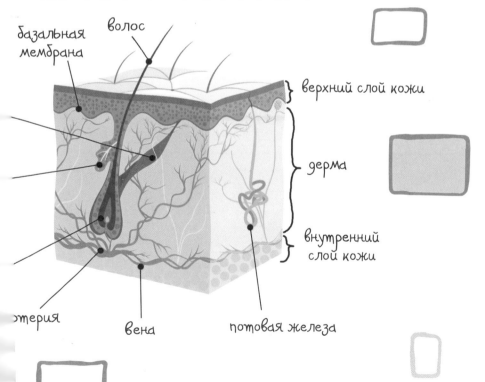

базальная мембрана

волос

верхний слой кожи

дерма

внутренний слой кожи

~~терия

вена

потовая железа

Йаэль Адлер · доктор медицины

ЧТО СКРЫВАЕТ
КОЖА

2 КВАДРАТНЫХ МЕТРА, КОТОРЫЕ ДИКТУЮТ, КАК НАМ ЖИТЬ

Москва
2018

УДК 612.79
ББК 28.706
А31

Dr. Med. Yael Adler
HAUT NAH
ALLES ÜBER UNSER GRÖSSTES ORGAN

© 2016 Droemer Verlag
Ein Imprint der Verlagsgruppe
Droemer Knaur GmbH & Co. KG, München

Перевод с немецкого языка

Адлер, Йаэль.

А31   Что скрывает кожа. 2 квадратных метра, которые диктуют, как нам жить / Йаэль Адлер ; [пер. с нем. Т. Юриновой]. — Москва : Издательство «Э», 2018. — 352 с. : ил. — (Сенсация в медицине).

ISBN 978-5-699-93449-2

Человеческая кожа — удивительный орган, самый крупный из всех, что у нас есть. Ее площадь почти два квадратных метра! Кожа — это наша антенна. Она может передавать и принимать сигналы и дает пищу нашим чувствам. Это объект чувственных желаний, пленительный сосуд, в который заключена наша жизнь, и в то же время — гигантская среда обитания бактерий, грибков, вирусов и паразитов.

Немногие знают, что же такое кожа на самом деле, как она функционирует и как много берет на себя жизненно важных для нас задач. Эта книга призвана помочь лучше понять нашу кожу, а таким образом и самих себя. Вы проникнетесь и всей кожей почувствуете, как это увлекательно!

Внимание! Информация, содержащаяся в книге, не может служить заменой консультации врача. Перед совершением любых рекомендуемых действий необходимо проконсультироваться со специалистом.

УДК 612.79
ББК 28.706

ISBN 978-5-699-93449-2

ПРЕДИСЛОВИЕ ОТ НАУЧНОГО РЕЦЕНЗЕНТА

Мы живем в мире высоких технологий, информация окружает нас повсюду: в Интернете, на улицах города и дома. И наша задача состоит в том, чтобы среди всего этого изобилия уметь вычленять именно качественный материал, который будет полезен нам, нашим семьям и окружению.

Согласившись на роль научного редактора, я даже и не предполагала, насколько полезным окажется прочтение книги доктора медицинских наук Йаэль Адлер. По иронии судьбы, познакомиться с ней мне посчастливилось именно в Германии, во время отпуска у моей мамы. Книга будет интересна всем: простой и в то же время научный язык, снабженный долей юмора и иронии, не оставит равнодушным ни взрослого, ни подростка; ни врача, ни человека, далекого от медицины; ни женщину, ни мужчину.

Автор описывает ситуации, с которыми я не раз сталкивалась и на своих приемах, вспоминая все эти истории, улыбалась и смеялась. Это лишний раз доказывает, насколько книга близка людям разных стран.

В книге доступным языком описывается строение кожи, наиболее важные дерматологические заболевания и косметологические проблемы. Большая роль отдана здоровому образу жизни и мерам профилактики болезней.

Уверена, каждый найдет здесь что-то полезное для себя, ведь кожа, помимо того что самый крупный орган человеческого тела, еще и целый мир, который мы понемногу начинаем узнавать.

Читайте и наслаждайтесь!

Ксения Самоделкина,
врач-косметолог, дерматовенеролог,
лучший косметолог 2016 года по рейтингу ВАО Москвы

5

Посвящается Ноа и Лиаму

ОГЛАВЛЕНИЕ

Часть I
ПОДЗЕМНАЯ ПАРКОВКА, или СЛОИ НАШЕЙ КОЖИ

Часть II
КОЖА НА ЖИЗНЕННОМ ПУТИ

Часть III
ЭКСКУРСИЯ К ГЕНИТАЛИЯМ

Часть IV
КОЖА ЗНАЕТ, ЧТО ТЫ ЕШЬ

Часть V
ЗЕРКАЛО ДУШИ

ВВЕДЕНИЕ.
СЧИТЫВАЕМ СЛЕДЫ НА КОЖЕ

Ее площадь почти два квадратных метра, и она покрывает все, что мы носим в себе. Кожа – это наша связь с внешним миром. Наша антенна. Она может передавать и принимать сигналы, и она же дает пищу нашим чувствам. Она объект чувственных желаний, наш пограничный слой, пленительный сосуд, в который заключена наша жизнь, и в то же время она гигантская среда обитания бактерий, грибков, вирусов и паразитов.

Язык, на котором мы говорим, и его пословицы свидетельствуют о том, насколько кожа важна для нас. Бывают дни, когда человек чувствует себя **не в своей шкуре**, порой он **вылезает из кожи**. В работе нужна **толстая кожа**; а у кого сложности с восприятием критики, того зовут **тонкокожим**. Завидев большого паука, один скажет: «У меня не чешется», — то есть ему все равно, а другой от страха побледнеет (это тоже про кожу), у него мороз по коже пробежит, и он в ужасе убежит, спасая свою шкуру. И все же немногие знают, что же такое на самом деле кожа, как она функционирует и как много берет на себя жизненно важных для нас задач.

Прежде всего кожа **защищает нас от опасных возбудителей болезней, токсинов и аллергенов**; она как кирпичная стена с кислотным покрытием. В то же время она, будто своего рода естественный климат-контроль, **предохраняет нас от перегрева, переохлаждения, от избыточного испарения влаги и таким образом от обезвоживания**.

Чтобы защищать нас от всех этих опасностей, кожа находится в постоянном контакте с нашим внешним миром: она

измеряет температуру, выводит наружу (из организма) **всевозможные жидкости и продукты секреции, вбирает в себя свет и обращает его в тепло.** Помимо этого с помощью чувствительных клеток, волосков и рецепторов (а их на кончиках наших пальцев около 2500 на квадратный сантиметр) она **исследует для нас внешнюю среду и предметы:** ветрено ли на улице, холодно или сухо или каков предмет на ощупь: гладкий или шершавый, мягкий или твердый, острый или тупой.

Но это еще далеко не все. Посредством кожи мы вступаем в контакт не только с окружающей средой, но и с другими людьми. *Известно ли вам, что послания, поступающие к нам от кожи, играют решающую роль при выборе партнера?* У всех

Согласно новейшим исследованиям, кожа может даже нюхать и слышать!

людей кожа на вкус разная, и именно нюансы запаха привлекают подходящего нам человека. Ведь природа стремится к тому, чтобы наши наследственные гены скрещивались наилучшим образом, чтобы мы производили на свет здоровое и выносливое потомство. Ведь когда встречаются два различных типа кожи, то в случае произведения потомства это обещает благоприятное скрещивание генов. И здесь скрывается даже некий политический смысл: кожа не знает расизма, она ищет генетически разнообразные входные данные.

Можно спорить о том, что является самым крупным сексуальным органом человека: мозг, поскольку он рисует картинки и фантазии и создает влечение, или же кожа, которую мы ощущаем во время любви, на которую мы смотрим, наслаждаясь, и которая заметно меняется во время секса. Без обнаженной кожи нет возбуждения. Без кожи нет влечения. Не бывает телесных прикосновений без контакта кожи. От сладострастных мыслей у нас по коже бегут мурашки. Даже фетиши связаны с соответствующими символами: лак, кожа и мех… все это эротические заменители человеческой кожи!

 Ученые сделали вывод, что запах играет одну из ведущих ролей при выборе полового партнера. Это связано с состоянием вегетативной нервной системы, которая регулирует потоотделение и вид микрофлоры кожи.

Вы могли уже для себя отметить, что, занимаясь темой кожи, приходится сталкиваться с вещами, о которых не принято говорить открыто. Так, для многих людей обнаженность — будь то зримые интимные части тела и невидимое глазу чувство стыда — является табу; не принято также обсуждать дурной запах, исходящий порой от кожи, целлюлит, другие дефекты, выделения и прочие изъяны. Короче говоря, многое, о чем мы неохотно говорим или, возможно, считаем неприятным, связано с кожей: перхоть, ушная сера, прыщи, жир, пот, грибок и тому подобное.

И на тему венерических заболеваний тоже часто предпочитают не распространяться, прежде всего когда речь идет о том, где такую болезнь подхватили. Кожные врачи всегда одновременно венерологи (само слово «венерология» происходит от Венеры, богини любви). Она не только заражает нас страстью, но и инфицирует сифилисом, гонореей, кондиломами, герпесом, гепатитом или СПИДом — все это болезни, которые либо большей частью проявляются на нашей коже, либо с нее распространяются по нашему организму.

Для нас, кожных врачей, все это не является чем-то противным, мы даже находим это увлекательным. Ведь мы думаем и анализируем посредством чувств: мы наблюдаем, скоблим, нажимаем и нюхаем. Потому что характеристики, консистенция и запах кожной болезни помогают нам разоблачить злодея, вызвавшего проблему с кожей.

Старшее поколение кожных врачей даже нашло весьма красноречивые и звучные названия для неприглядных и в общем-то мучительных для нас состояний кожи. Так, прыщи, пятна, гнойники и корки у новорожденных объединяются общим понятием «цветение кожи»; кровяную сеточку на голени, возникающую вследствие варикозного расширения вен, мы называем «purpura jaune d'ocre» (пурпура цвета желтой охры) — по-французски это звучит так элегантно! Красные венозные утолщения для нас «вишневая ангиома», сосудистый невус — «винное пятно», а светло-коричневые печеночные пятна — это «пятна от кофе с молоком».

А кожу, потрескавшуюся от сухости, мы называем экземой «кракле». Ведь в этом случае кожа действительно немного похожа на потрескавшуюся, отслоившуюся краску на фресках Микеланджело на сводах Сикстинской капеллы в Риме. Помните эту картину об истории сотворения мира? Обнаженный

мускулистый Адам, протянувший руку к богу, чтобы принять от него жизненную энергию…

Среди всех органов тела человека самым крупным является кожа.

Наши коллеги, хирурги или терапевты, порой посмеиваются над кожными врачами, обзывая нас поверхностными медиками. Разумеется, совершенно несправедливо. Ведь наша деятельность имеет глубокий смысл, так же как и кожа. Она взаимодействует не только с окружающей средой и с другими людьми, но и с нашим внутренним миром. Она активно общается с нервной и иммунной системами человека. Внешний вид нашей кожи во многом зависит от того, что происходит внутри нас: и от того, как мы питаемся, и от того, что у нас с психикой.

Кожа — это зеркало души, экран, на котором можно наблюдать происходящее в глубинах нашей души на уровне подсознания. Как заядлые техники-криминалисты, мы увлеченно ищем на коже улики. Иногда следы ведут нас в самые глубины тела. И там мы неожиданно узнаем, что следы на коже свидетельствуют о психологических проблемах, о стрессе, об отсутствии душевного равновесия или же рассказывают о наших органах и привычках питания.

Морщины говорят о печалях и радостях, шрамы — о ранах, скованная ботоксом мимика — о страхе перед старостью, гусиная кожа — о страхе или удовольствии, а прыщи — о чрезмерном потреблении молока, сахара или мучных продуктов. Ожирение ведет к появлению инфекций в складках кожи, а сухость или потливость кожи порой свидетельствует о проблемах с щитовидной железой. Кожа как огромный архив, полный следов и подсказок, явных или скрытых. И тот, кто научится считывать эти следы, удивится тому, как часто видимые знаки приводят нас к знанию о невидимом.

Человеческая кожа — это удивительный орган, самый крупный из всех, что есть у человека. Это чудо! Данная книга призвана помочь лучше понять нашу кожу, а таким образом и самих себя. Давайте вместе исследуем это чудо, и вы проникнетесь, всей кожей почувствуете, как это увлекательно.

ЧАСТЬ I

ПОДЗЕМНАЯ ПАРКОВКА, или СЛОИ НАШЕЙ КОЖИ

Представьте себе нашу кожу как трехэтажное здание. Здание, которое, однако, уходит не в высоту, а под землю, как подземный гараж. Снаружи мы видим крышу подземного гаража — это **роговой слой кожи**. Крыша освещается солнцем. Давайте представим, что она сделана из очень прочного прозрачного материала, пусть это будет матовое стекло, ведь некоторая часть ультрафиолетовых лучей проникает на первый подземный этаж, **эпидермис**, и даже на минус второй — в **дерму**. На третьем подземном этаже довольно сумрачно. И вот чем примечателен этот подземный гараж: на каждом его этаже, в каждом слое кожи можно обнаружить характерные улики и следы, которые могут много рассказать о состоянии нашего организма.

Так что не будем терять больше времени и начнем экскурсию по зданию нашей кожи.

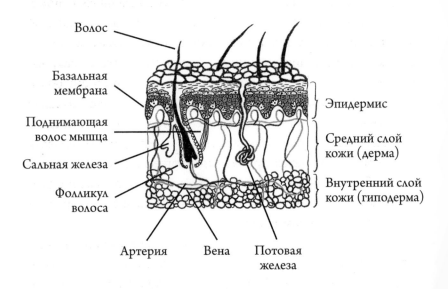

Слои кожи — три этажа

Глава 1

ПЕРВЫЙ ПОДЗЕМНЫЙ ЭТАЖ. ЭПИДЕРМИС, или ЖИТЬ, ЧТОБЫ УМЕРЕТЬ

Здесь находится так называемый *эпидермис*. *Epi* по-гречески означает «над». *Dermis* тоже происходит из греческого и означает «кожа». Поэтому эпидермис называют также верхним слоем кожи. Это тот слой кожи, который мы можем непосредственно видеть и ощущать. Обычно он толщиной всего 0,05–0,1 миллиметра, и при этом он единственный и поистине героический носитель защитного барьера и кислотной мантии. Но из-за продолжительных избыточных нагрузок вследствие давления эпидермис может утолщаться, как, например, на стопах, где образуются мозоли толщиной более двух миллиметров. Верхний слой кожи выполняет важные защитные функции, направленные наружу и внутрь, предотвращает воздействие химических и прочих вредных веществ и аллергенов, борется против биологических атак со стороны возбудителей всех видов и оказывает сопротивление всевозможным механическим воздействиям, подобно защитной пленке на мобильном телефоне.

Если рассматривать эпидермис через лупу, можно различить тонкие линии, расходящиеся по всем направлениям и образовывающие подобие геометрических фигур: решетки, трапеции, прочие многогранники. Этот особенный кожный рисунок называется также **кожным полем**, поскольку картинка немного похожа на то, что можно наблюдать с воздуха, пролетая над сельской местностью с лугами, полями и пашнями.

Однако если смотреть на эпидермис в разрезе, мы увидим: кожное поле — это вовсе не плоская равнина, а скорее даже холмистая местность. Высокие плато перемежаются с отвесными хребтами.

В долинах растут волосы, вершины хребтов венчают потовые железы. Сальные железы тоже находятся в области кожного поля. Их устья хорошо различимы на лице. Речь идет о порах.

Структура кожного поля лучше всего распознается на спине, на суставах пальцев и на сгибах локтей. И только на наших ладонях и стопах другой кожный рисунок. Мы, врачи, называем его **гребешковой кожей**. По поверхности ладони параллельно друг другу проходят многочисленные маленькие бороздки, словно на только что распаханном поле. Эти бороздки создают индивидуальный рельеф, у каждого человека он свой. Эта уникальность помогает идентифицировать людей, например, с помощью всем известных отпечатков пальцев.

Каждые три–четыре недели эпидермис обновляется.

Но в чем же смысл особого вида эпидермиса на руках и на стопах? Ответ прост: гребешковая кожа, что на ладонях и стопах, прочнее, чем кожное поле. Это большое преимущество при ходьбе, хватании, ощупывании. Кроме того, там нет волосков и сальных желез. Зато больше потовых желез.

Матушка Природа о нас позаботилась — пот обеспечивает лучшее сцепление кожи с поверхностью, а значит, потными ногами человек мог быстрее убежать, встретив на пути медведя. Нашим предкам это давало преимущества для выживания. А если им затем еще надо было взобраться на дерево, то потные руки были в помощь — лучше сцепление со стволом.

«Фу! — подумаете вы. — Потные руки и ноги! Как же это неприятно...» Но эволюция задумала это не просто так.

Как бы странно это ни звучало, но наше тело и наша кожа все еще находятся в суровом каменном веке, где в любой момент нам могут угрожать дикие звери. То, что мы променяли степи на городские джунгли — это не предусмотренное природой самоуправство!

НАДЕЖНАЯ СТЕНА: ЗАЩИТНЫЙ БАРЬЕР КОЖИ

Пожалуй, самая важная задача эпидермиса — охранять нас от вторжений извне. Для этой цели эпидермис создает прочный защитный слой, так называемый **защитный барьер**.

Из чего складывается этот барьер?

Давайте подробнее остановимся на строении эпидермиса. **Он состоит из четырех различных клеточных слоев:**

- слой «зародышевых клеток» (базальный, или зачатковый, слой);
- слой «ростковых клеток» (шиповатый слой);
- слой «взрослых клеток» (зернистый);
- и наконец, слой «мертвых клеток» (роговой).

Все клетки эпидермиса начинают свою жизнь в детском слое. В течение четырех недель они обращаются в другие типы клеток, вплоть до собственно барьерного слоя на самом верху. Таким образом, клетки эпидермиса в течение своей жизни перемещаются снизу наверх, то есть изнутри наружу.

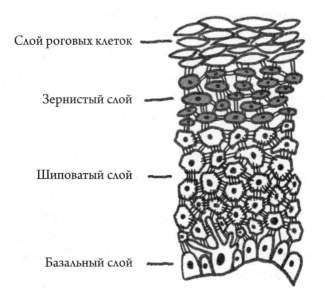

Слой роговых клеток

Зернистый слой

Шиповатый слой

Базальный слой

Эпидермис, четыре клеточных слоя

Но все по порядку: слой — носитель нулевого уровня представляет собой волнистую прочную мембрану, на ней рядком весело располагаются клетки-детки. На первом этапе они созревают до подросткового возраста — до юных подрастающих клеток, так называемых юных кератиноцитов. С давних времен лабораторные исследователи, прежде чем рассматривать клетки под микроскопом, предварительно кладут ткани для стабилизации в формалин[1]. Клетки при этом сжимаются и повисают, увязанные между собой тонкими жесткими отростками. Это придает им игольчатый вид, они становятся похожи на помесь морской звезды с морским ежом.

---

[1]   Наиболее распространенный тип фиксирующего раствора, применяемый для лабораторных исследований. — *Примеч. ред.*

У шиповатых клеток довольно важная задача: они производят механически прочный белок кератин, известный как роговая структура. Поэтому на профессиональном жаргоне шиповатые клетки называют также *шиповатыми эпидермоцитами*. Из роговых клеток состоят не только волосы и ногти, они также важны, как мы сейчас увидим, для надежного защитного барьера кожи.

Но пока что клетки созревают дальше, и в третьей фазе своей жизни они становятся зернистыми клетками. В нашем сравнении они будут соответствовать работоспособным взрослым. Теперь клетки эпидермиса достигли максимума своей продуктивности и производят маленькие шарики, под завязку наполняя их жиром, кератином и другими белками. А выполнив эту свою профессиональную задачу, они делают решающий шаг к построению стены. Как они это делают? Умирая. Но нет оснований печалиться.

Эпидермис обеспечивает барьерную (защитную) функцию кожи.

Когда клетки зернистого слоя отмирают, они превращаются в клетки рогового слоя и таким образом выстраивают барьер от внешней среды. Мертвые клетки отличаются тем, что они теряют свое ядро. Без ядра клетка не может функционировать, не может приводить в действие обмен веществ, не может созревать дальше, потому что в ядре клетки заключена вся ДНК человека, весь его наследственный материал. ДНК управляет всей жизнью в клетках, в организме. В роговом слое клеточные ядра вообще не просматриваются, здесь все умерло…

 Роговой слой отличается упругостью, он плохо проводит тепло и электричество, предохраняет кожу от внешних воздействий: холода, влаги, травмы, жара и др.

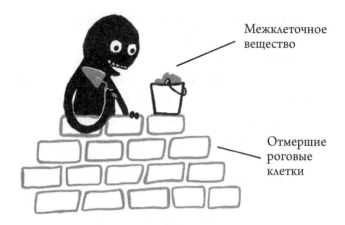

Межклеточное вещество

Отмершие роговые клетки

Кирпично-известковая модель

Под микроскопом можно увидеть, что отмершие клетки выглядят как маленькие кирпичики. Хоть они и миниатюрные, но очень прочные, потому что состоят из твердого кератина. Эти маленькие прочные роговые клетки связаны субстанцией, похожей на цементный раствор. Она не только связывает кирпичики между собой, но и предотвращает проникновение чужеродных тел через отверстия между кирпичиками. Поэтому мы, дерматологи, называем эту конструкцию кирпично-известковой моделью.

Цемент состоит из содержимого шариков, что были заключены в зернистых клетках. Когда зернистые клетки отмирают и превращаются в роговой слой, шарики вытряхивают свое достояние: белки и полноценные жиры. Они знакомы вам по рекламным роликам про косметические средства с ценными керамидами (церамидами). Такие кремы призваны имитировать барьерные жиры нашей кожи. Прежде чем вы теперь поспешите в ближайший магазин косметики, одно предупреждение: до сих пор ни одному ученому, не говоря уже о производителях косметики, не удалось один к одному воспроизвести это чудо. Его на самом деле может создать только человеческий организм.

Но что происходит, если кожный барьер все же поврежден и в нем появляются прорехи? Тогда чужеродные вторженцы — вызывающие аллергию вещества, возбудители болезней, химические продукты — пробираются через щели в стене и цементе и попадают в глубь нашей кожи. Кроме того, ткани теряют способность сохранять влагу, и она слишком быстро и в больших количествах попадает в окружающую среду.

Из-за этого наша кожа высыхает и выглядит неровной и морщинистой. Где не хватает жира и влаги, там кожа становится шершавой, сморщенной и даже часто бывает, что начинает чесаться. Если нам не повезет, результатом станет коварная сухая экзема с трещинами кракле, а если нам крупно не повезет, ее увенчает еще и сильная аллергия. Вы уже поняли, что нашим высшим приоритетом должно стать сохранение барьерной функции мертвого рогового слоя или, по крайней мере, его починка в случае нарушений. Как это лучше всего делать, вы узнаете позже.

ШЕЛУШЕНИЕ

Знаете ли вы, что такое следовые собаки? Это специально обученные собаки, которые ищут пропавших людей. Как им удается искать человека по следу? Они улавливают запах потерянных кожных чешуек. Если бы я сейчас стояла перед вами и задала вопрос, действительно ли я теряю в этот момент кожные чешуйки, скорее всего, вы ответили бы отрицательно, поскольку на моей смуглой коже нет никаких зримых следов этого процесса. Но факт остается фактом: все мы постоянно теряем мельчайшие роговые чешуйки, которые нам больше не нужны и которые таким образом освобождают место вновь поступающим мертвым роговым клеткам.

По разным прикидкам исследователей, вместе это дает, по крайней мере, до десяти граммов в день.

Что именно здесь происходит?

Так вот, наши роговые клетки прожили наполненную жизнь, сначала они в течение четырех недель созревали, затем успешно отмерли, еще какое-то время держались на нашем теле в виде маленьких камушков в стене защитного барьера и, наконец, одна за другой отделились от нас. Если все хорошо, они падают незаметно и тихо, невидимые человеческому глазу.

В общей сложности каждый из нас теряет примерно по 40 000 кожных чешуек в минуту!

Но, увы, наступает момент, когда кожные чешуйки становятся заметными! Тогда мы оказываемся в неловком положении, потому что это считается непривлекательным и даже неэстетичным. Воротник весь в перхоти — знак того, что что-то не в порядке. Иногда клетки подступают слишком напористо и быстро, и выглядит это неприглядно.

В суматохе, когда клетки постоянно растут и умирают, может случиться такое, что еще живые шиповатые клетки просто перескакивают зернистую фазу и попадают напрямую в роговой слой. Это можно сравнить с тем, как некоторые юноши, бывает, перескакивают подростковый период. Ведь подростковая фаза нужна для того, чтобы созреть, освободиться от опеки родителей и повзрослеть. Если у *кератиноцитов* не было времени для созревания, они так и не научились быть самостоятельными и отшелушиваться благопристойным образом. А для кожного защитного барьера это плохо, потому что клетки с ядром не подходят для роли кирпичиков. И цемент эти клетки еще не произвели. У них даже не было времени спокойно отмереть, и они продолжают цепляться за своего попутчика. Вот поэтому они и не могут тихо и тайно осыпаться, а отшелушиваются комками. При этом они забирают и своих корешей, хотят те того или нет. Визуально чешуйку мы можем распознать, только если в ней около 1000 приклеенных друг к другу клеток.

Шелушение возникает прежде всего из-за воспаления эпидермиса, которое называют экземой. Любое легкое воспаление эпидермиса ведет к ускоренному отшелушиванию клеток, поскольку организм хочет от чего-то отделаться: от раздражителя, от аллергена, от микроба или сухости. И кожа полагает, что она быстрее избавится от этого бремени, если ускорит процесс преобразования клеток: при экземе и псориазе клетки продвигаются сквозь эпидермис всего пять дней, а не четыре недели. Так что если мы можем глазом увидеть чешуйки, то мы имеем дело с мало-мальски болезненным состоянием, которое либо когда-нибудь само урегулируется, либо потребует вмешательства врача.

Наряду с сухими, аллергическими и раздраженными экземами бывают еще и себорейные экземы с жирными чешуйками: если поступает слишком много кожного сала, дрожжевые грибки в порах могут сильно размножиться, ведь они любят сало и пожирают его. Продукты жизнедеятельности такого грибка раздражают кожу. Она реагирует всегда безыскусно, и вы уже понимаете, как: шелушением.

Грибок, по счастью, не заразен, он живет в порах каждого из нас и становится агрессивен лишь тогда, когда получает слишком много кожного сала. При этом у него очаровательное название, похожее на имя дракона из сказки — *Malassezia furfur*. Чтобы обуздать Фурфура, находчивые дерматологи должны сначала проверить, сухие чешуйки или мокрые. Для этого врачи сравнивают цвет и свойства: белые и сыпучие называются сухой перхотью, желтые и липкие — жирной перхотью. Если эти последние растереть между пальцами, они оставляют маслянистую пленку.

Мужчины особенно подвержены себорейной экземе (себорейному дерматиту). Часто, приходя на прием, они поначалу упрямятся, когда я говорю:

— Это *не* сухая экзема, а, наоборот, жирная.

— Нет! Доктор, у меня на самом деле очень сухая кожа, — клянутся и божатся они. — Она всегда шелушится справа и слева от носа, на голове и в бровях, а иногда даже в ушах!

— И что вы предпринимаете?

— Ну, я беру у своей жены баночку с кремом, знаете этот обогащенный крем для зрелой кожи после 40. Я его намазываю на сухие места, и на следующее утро шелушения нет!

Я добавляю в том же духе:

— Ну а покраснение, естественно, остается…

Ведь причина-то — увеличенный приток кожного сала — остается. Жирная, или же *себорейная*, экзема возникает там, где сальные железы крупные и, соответственно, где много секрета сальных желез: это голова, уши и Т-зона, то есть лоб, брови и область носа. По образу *diarrhö* (понос), *seborrhö* означает «понос продуктов сальной секреции», где *sebum* — это сало, а *-rrhö* — поток.

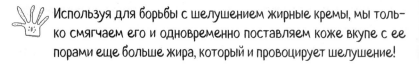 Используя для борьбы с шелушением жирные кремы, мы только смягчаем его и одновременно поставляем коже вкупе с ее порами еще больше жира, который и провоцирует шелушение!

Жирному крему *Malassezia furfur* только рад, кожа еще сильнее воспаляется, даже если шелушение под воздействием крема на пару часов и проходит! Жирный крем здесь как раз не к месту. Ибо, как уже говорилось, не все, что шелушится, сухо. Дерматолог в этом случае посоветует противовоспалительную и противогрибковую терапию с применением шампуней, обезжиренных или нежирных гелей, а в особо серьезных случаях избыточную секрецию сальных желез можно сдержать с помощью таблеток.

КИСЛОТНАЯ МАНТИЯ И МИКРОБИОМ

Красивая ухоженная женщина длинными ногтями поглаживает себя по бархатистой свежей коже. За кадром приторный голос вещает о мыле, которое бережно ухаживает за природной кислотной защитной оболочкой вашей кожи. Но способно ли на это мыло? И вообще, что это такое — кислотная мантия?

 Поверхность кожи покрыта воднолипидной кислотной мантией, или мантией Маркионини, состоящей из смеси кожного сала и пота, в которую добавлены органические кислоты — молочная, лимонная и другие, образованные в результате биохимических процессов, протекающих в эпидермисе.

Если вы будете искать ответ не в рекламе, а зададите этот вопрос химику-лаборанту, то он вам ответит, что у кислоты очень низкий показатель pH, примерно 1–2 (для сравнения, у щелочи этот показатель составляет от 11 до 14). Нейтральным считается показатель pH в 7 единиц. Такое значение показывает вода.

Чтобы вы лучше могли себе представить: электролит в батарейке (а он страшно агрессивный и в высшей степени опасный) имеет pH-показатель ниже единицы; любопытно, что вслед за ним идет желудочная кислота с pH-показателем от 1 до 1,5. Наш желудок удивительным образом неуязвим для этих агрессивных свойств, потому что от воздействия кислоты его защищает слизистый слой и вырабатываемая желчь. В лимонном соке pH-показатель составляет 2,4; следом идет уксус с показателем 2,5. Далее вагина — ее показатель 3,8–4,5. Поверхность кожи человека имеет показатель от 4,7 до 5,5. Слюна человека с показателем 6,5–7,4 уже слабощелочная, в мыльном растворе pH от 9 до 11, а классическая «мать всех щелочей» — раствор едкого натра — показывает значение pH ровно 14.

Так что мы видим: наша кожа хоть и не агрессивно кислотная, но все же довольно-таки кислая. Многие кислоты на нашей коже — это конечные продукты обмена веществ, продукты распада роговых чешуек, кожного сала, ну а также и отходы нашего пота. В нем содержатся молочные и прочие

На каждом человеке живет гигантское количество бактерий, примерно в тысячу раз превышающее численность всего человечества.

«фруктовые» кислоты, подобные тем, что мы знаем по продукции косметической индустрии — по кремам, обещающим легкий кислотный пилинг. Кислоты находятся на роговом слое, то есть на нашей кирпичной стенке, и не только понижают там показатель pH, но и естественным образом связывают воду и таким образом собирают влагу для верхнего слоя кожи. Поэтому их называют также natural moisturizing factors (NMF) — натуральными увлажняющими факторами. Опять-таки нечто, что косметическая промышленность отчаянно пытается имитировать, предлагая нам увлажняющий крем.

Значение pH имеет такую большую важность для кожи из-за обитающих на ней микроорганизмов. Наша кожа, по сути говоря, это пешеходная улица. Здесь гуляют, любезничают, празднуют или милуются, и здесь же происходят уличные бои.

Конкурирующие банды и кланы вирусов, грибков, клещей и сотен, если не тысяч, видов бактерий находятся в постоянном движении, борются за контроль над территорией. Это и есть микробиом.

Человеческий микробиом возник много миллионов лет назад и представляет собой общность всех микроорганизмов на нашем теле и внутри его: на коже, во рту, в области гениталий и в анальной области, а также в кишечнике. Только каждая четвертая клетка человеческого организма — человеческая; остальные же, то есть 75 процентов всех клеток — это гости, населяющие все внешние и внутренние поверхности нашего тела.

Микроорганизмы кишечника уже довольно хорошо изучены, но наука все больше признает, что кожа в этом смысле порой оставляет кишечник далеко позади. Как правило, обитатели микробиома не наносят вреда человеку, поскольку их кланы обоюдно друг друга контролируют и не допускают, чтобы какой-то один из них захватил власть. Кожа для микробиома выступает в роли хозяина, а кислоты заботятся о благоприятном климате и хорошем состоянии «грунта» этой «пешеходной зоны».

Кожа предоставляет место для миллионов и миллионов гостей на квадратный сантиметр, краткосрочно или же на долгий срок. В благодарность микробиом выступает в роли привратника. Иначе нам под кожу пробиралось бы намного больше непрошеных гостей, чем бы нам хотелось.

 Микробиом продуцирует защитное оружие против вредных пришельцев. В тесном взаимодействии с другими человеческими защитными веществами он играет ведущую роль в защите нашего организма и даже выступает в роли инструктора для иммунной системы. Поразительно, не правда ли?

Без микробиома мы были бы немощной кучкой беззащитных клеток. Помимо этого, кланы микроорганизмов заботятся о том, чтобы наша иммунная система боролась именно и только против вредных пришельцев, но не против тех оседлых кланов, что имеют вид на жительство.

Так что нам необходим наш микробиом! И исправно действующая кислотная защитная мантия создает оптимальную питательную среду для благонамеренных микрогостей. Однако всяческими гигиеническими мерами, уходом за телом, медикаментами, одеждой, прививками, средствами

В погоне за чистотой важна умеренность, иначе вместе с грязью мы окончательно победим и собственный иммунитет.

дезинфекции, антибиотиками, питанием, ультрафиолетовым излучением и многим другим — всем этим мы то и дело опрометчиво вмешиваемся в основы существования микробиома и, моя руки, косвенно наносим себе ущерб: убиваем важные микроорганизмы. К слову сказать, растущее число кесаревых сечений тоже является помехой для развития здоровых микробиом на детской коже, ибо в этом случае ей не хватает важных бактерий из вагины матери — первый подарок мамочки своему чаду во благо его иммунной системы. Современные достижения, как бы хороши и спасительны они ни были, оставляют лазейку для болезней...

КОЖНЫЕ СКЛАДКИ

Разумеется, кожа обтягивает все складки нашего тела. Для эпидермиса это особые места, поскольку в этих темных, не проветриваемых воздухом нишах селятся многочисленные микроорганизмы. В подмышках, в складке между ягодицами, в паховой области, под грудью, а иногда, в зависимости от количества жировых отложений, также в складках живота и даже на спине — во всех этих местах особенно благоприятные условия для возбудителей болезней: там влажно, тепло и мало света. В этой укромной атмосфере компостной кучи они бесцеремонно живут и размножаются.

Что же там происходит?

Поскольку в складках участки кожи плотно прилегают друг к другу, туда редко проникает воздух, и влага оттуда испаряется с трудом, это как если бы кожа была покрыта пластиковой пленкой. Влага застаивается, и, как это бывает на попке под памперсом, быстро происходит нарушение кожного барьера. Собирающиеся в складках влага и пот скапливаются и превращаются в раздражающее вещество собственного приготовления. Дрожжевые грибки, например *Candida albicans*, которые вызывают такую известную грибковую инфекцию, как молочница, и другие бактерии, любители телесных складок, находят здесь идеальную питательную среду.

И, что еще хуже, многочисленные пахучие железы, особенно в области подмышек, ягодиц и гениталий, изменяют показатель pH кожи в сторону щелочи. Обычно на коже этот показатель кислый (примерно pH 5).

Они выходят в волосяные фолликулы и испаряют в окружающую среду феромоны, выступающие в роли сексуальных аттрактантов[1].

Пахучие железы (апокриновые потовые железы) развиваются лишь во время подростковой гормональной перестройки. Продукты их секреции — это немного вязкие мо-

---

[1] Выделяемые вещества, привлекающие окружающих людей. — *Примеч. ред.*

локообразные слабощелочные выделения. Пахучие железы приводятся в действие такой неспокойной частью нашей вегетативной нервной системы, как симпатическая. Если вы боитесь собак и от одного вида собаки испытываете стресс, то вы неосознанно стимулируете эти железы, и по закону подлости именно в этот момент собака начинает интересоваться вашим запахом. И именно из-за этих желез собаки ведут себя столь невежливо, что при знакомстве с человеком хотят в первую очередь обнюхать у него область между ногами. Их привлекает интенсивный запах.

Трение кожи о кожу имеет еще один аспект, делающий кожные складки привлекательными для многих возбудителей болезней, бактерий и грибков. Там легко возникают опрелости, то есть механический износ и так уже нарушенного барьерного слоя.

Пахучие железы — это особый вид потовых желез, это наши природные флаконы с парфюмом.

Логически понятно, что раздражениям и инфекциям в складках особенно способствуют обильное потоотделение и избыточный вес, ведь при нем площадь трущихся поверхностей больше и кожные складки глубже.

Чрезмерное намыливание кожных складок щелочными средствами еще больше ухудшает баланс pH, вплоть до критических показаний в 8–9 единиц. В результате разрастаются колонии нежелательных бактерий, которые с удовольствием питаются выделениями потовых и пахучих желез. Возникает нежелательный побочный эффект — неприятный приторный запах тела.

А еще, кстати, есть складка за ухом, ее часто недооценивают. Когда я училась на врача, один из моих наставников-медиков имел привычку скрести пальцами у себя за ухом в моменты, когда был погружен в свои мысли. Соскребанные частицы кожи он затем растирал между пальцами, а потом с удовольствием их нюхал. Меня это всякий раз отвлекало от содержания разговора, внимательно слушать было практически невозможно. Я буквально чувствовала приторный запах грибковых культур. В конце делового разговора он обычно сердечно жал мне руку. Пальцами с прилипшей к ним смесью кожного сала и пота...

Не буду останавливаться на картинках, что вставали перед моим мысленным взором, скажу лишь о том, что этот эпизод наглядно свидетельствует о том, что человек может получать удовольствие от собственных выделений и секреций и связанных с ними запахов. Нам это кажется противным и отталкивающим в других, однако сами мы можем находить это приятным и расслабляющим или, как говорят психоаналитики, аутоэротически стимулирующим. Да, мы получаем удовольствие от «игр с самим собой». Возможно, здесь примешивается оттенок гордости за столь замечательное производное собственного организма.

С точки зрения психоаналитики, удовольствие от собственных секретов, запахов или даже откровенной вони объясняется, в частности, пережитком анальной фазы детского сексуального развития, когда возникала гордость за свою кучку.

Viva la diva, или Проблемы шикарной попки

При упоминании об анальной складке у людей возникают самые разные ассоциации, никакая другая не вызывает такого разнообразия. Одним приходит на ум дефекация, другие думают о гигиене, иные — об анусе как о сексуальном органе. Кожа вокруг ануса чувствительная и нежная, и, благодаря большому количеству соответствующих нервных волокон, она является эрогенной зоной.

И в то же время обильная бактериальная флора, большое количество пахучих и потовых желез, трение кожи о кожу при движении, меры гигиены в этой области — все это делает анальную складку местом, требующим осторожного и деликатного обращения.

Вряд ли есть какая-то другая часть тела, где совмещаются такие резкие контрасты: красивая попка — это безусловная завлекалочка как для женщин, так и для мужчин, она же может служить триггером сексуального вожделения. Мы связываем ее с эротикой; упругие мужские ягодицы ассоциируем с хорошей потенцией, а женственную округлость —

Складка между ягодицами — это примадонна среди всех прочих кожных складок.

с плодородным тазом. Но есть нюансы, о которых мы не столь охотно говорим. Например, когда от этого места неприятно пахнет или когда там чешется.

Дурной запах для нас вообще имеет функцию тревожного оповещения. Почуяв вонь, мы склонны искать укрытие от нее. Зловоние сигнализирует об опасности для личности и рода. Там, где тяжелый дух, там потенциально есть риск заболеваний. Как архаическое существо, человек тут же переключается в режим самозащиты: он начинает дышать поверхностно или задерживает дыхание, иногда даже стремится убежать. Если мы зашли, скажем, в лифт, где кто-то до нас выпустил газы, это может стать настоящим кошмаром для нашего обоняния. Любопытно, что наши собственные запахи являются при этом исключением.

Как уже было сказано выше, эстетика и эротика такой части тела, как попка, находятся в резком контрасте со всем остальным, что мы с ней связываем. Практически каждый человек хоть раз в жизни испытывает зуд в заднем проходе, но едва ли кто об этом говорит: запретная тема про запретную складку. Причины анального зуда могут быть самые разные. Самая чувствительная из всех кожных складок бурно реагирует на любые воздействия. Кожа в анальной области настолько нежная, что любые повреждения, будь то агрессивное мытье, повреждения во время секса, трение во время занятий спортом, вкупе с потовыделением и волосяным покровом внутри складки, очень быстро вызывают зуд.

Наиболее частой причиной является отнюдь не немытая задница, как многие предполагают, а вовсе наоборот — попа, замученная слишком интенсивным намыливанием. И когда там чешется, человек думает, будто складка между ягодицами требует тщательного мытья, мол, «она же наверняка грязная». И мы начинаем третировать и так уже измученную кожу еще бо́льшим количеством щелочного мыла. А потом еще премного отчаиваемся и досадуем, что, невзирая на намыливание и оттирание, запах остается. И снова как следует намыливаем, затем еще и ароматической салфеткой отполируем — все тщетно.

Никакие гигиенические средства мира не помогут вам отделаться от этого свойственного заднему проходу запаха! Его причина не в грязи и не в остатках стула, он вызван вашими же собственными пахучими железами. Так что вы должны принимать его как естественный. Кстати, то же самое относится и к запаху в области гениталий.

Интенсивное намыливание попы потому ведет к зуду, что остатки мыла легко скапливаются в анальном отверстии. Его еще называют розочкой, потому что сфинктер — сжимающая задний проход мышца — своими многочисленными мелкими складками чем-то напоминает цветок розы. В этих тонких складках, маркирующих переход к слизистой оболочке анального канала, может собираться всякая всячина, например остатки мыла, которые в этом деликатном месте оказывают токсическое воздействие. Быстро возникает зудящая анальная экзема. Еще более интенсивное мытье, усиление зуда — вот он, следующий этап порочного круга.

И все же в случае анального зуда рекомендуется пройти обследование на предмет других причин. Наряду с такими болезнями, как чешуйчатый лишай и нейродермит в ягодичной

Причина анального зуда
в излишней стерильности.

складке, нарушителем спокойствия может быть и геморрой. От него страдает каждый третий. Геморрой — это расширенные вены в анусе, сразу за мышцей заднего прохода. Вообще-то они призваны уплотнять отверстие, подобно надувной прокладке в форме кольца, с тем чтобы предотвращать просачивание каловых масс или слизистых выделений. Если же эти вены растянуты и уподобляются мятым трубкам, то закрывающий механизм дает протечку, и из отверстия проступают мини-частицы влаги. Накапливаясь в сфинктере и в анальной складке, они раздражают кожу и так же приводят к зудящей анальной экземе.

Червяк внутри,
или Живая причина зуда

А теперь интимный вопрос: **у вас когда-нибудь были глисты?** Они тоже могут создавать проблемы в области заднего прохода. Пренеприятное обстоятельство, вызывающее исключительно сильный зуд. Чаще всего глистов подхватывают в детском саду. Белые глисты достигают толщины лишь в один миллиметр и длины немногим больше сантиметра. Они проникают в организм через кожный контакт, немытые продукты, через белье или же просто через пыль с личинками, которую мы можем вдохнуть. От заднего прохода зараженного человека такая пыль может попасть ему на палец и оттуда путешествовать дальше. Пыль с личинками заразна в течение целых трех недель. Поэтому банальная рекомендация для детей (и взрослых тоже!) мыть руки после посещения уборной действительно очень важна, ведь личинки глистов остаются на пальцах после того, как вы подтерлись. После попадания в организм личинкам нужно от одной до четырех недель, чтобы созреть до поистине роскошных экземпляров. Женские особи этих тварей выходят ночами из кишечника в конец прямой кишки и откладывают там до 15 000 личинок зараз. Ползающие червячки еще как ощутимы, щекотно не на шутку. Почешешь задний проход — и личинки окажутся под ногтями или на пижаме, на простыне, на матрасе… Порочный круг.

Но бывает, что последствия проявляются не только зудом в области заднего прохода. У девочек из-за глистов может возникнуть настоящая вагинальная инфекция с выделениями; у пораженных глистами детей часто наблюдаются возбудимость, тошнота, отсутствие аппетита, потеря веса, сложности с концентрацией, плохое самочувствие и бледность. Не всякий дефицит внимания — это сразу СДВГ[1]; иногда это всего лишь червяк внутри. Если вы хотите проверить, не глисты ли причина проблем, то есть такой очень ценный эксперимент, который можно проделать утром в кругу семьи, сразу после подъема и до первого посещения уборной: возьмите кусок скотча, наклейте его на задний проход подозреваемого в глистах, а затем медленно отклейте ленту. В идеальном случае на

---

[1] СДВГ — синдром дефицита внимания и гиперактивности. — *Примеч. пер.*

ней останутся личинки глистов, а может, и целые червяки. Теперь этот кусок скотча быстро под детский микроскоп, и вот вам фильм ужасов к завтраку.

Естественная защита для кожных складок

Вот вам несколько важных советов для проведения акции «Здоровые кожные складки»:

Пользуйтесь кислыми (не щелочными) синтетически произведенными моющими средствами. От классического мыла они отличаются тем, что процесс их производства позволяет установить нейтральный для кожи уровень pH в 5,5 единицы.

Воздухопроницаемые хлопковые трусы, которые мягко и свободно сидят на ягодицах, создают эффект естественного дренажа для мест контакта кожи с кожей. Стринги же создают дополнительное трение. Если у вас большая грудь, поможет воздухопроницаемый упругий бюстгальтер, благодаря которому груди не соприкасаются; в качестве альтернативы женщина может прокладывать между грудями марлевый компресс. Избегайте нижнего белья из синтетических материалов: такое белье провоцирует потоотделение и не терпит горячей стирки.

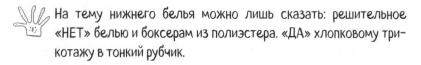 На тему нижнего белья можно лишь сказать: решительное «НЕТ» белью и боксерам из полиэстера. «ДА» хлопковому трикотажу в тонкий рубчик.

Одежда из синтетики вообще быстрее пропахивает застарелым потом, потому что искусственные ткани можно стирать только при низких температурах, а такой стирки недостаточно для радикального избавления от живучих бактерий. Даже после химчистки бальное платье вскоре начинает пахнуть: стоит лишь снова пропотеть во время танцев, и остатки былых бальных ночей напомнят о себе. То же относится и к хваленой спортивной термоодежде.

Обрабатывать уязвимые места цинковой пастой — это хорошо зарекомендовавший себя совет кожных врачей. Некоторые препараты содержат также противогрибковые средства для противодействия размножению докучливых дрожжевых грибков. Частицы цинка, содержащиеся в пасте, оказывают противовоспалительное действие и поглощают избыточную влагу. Лучшая цинковая паста — это та, которая не впитывается сразу, а остается на коже белым слоем и видна даже через пару часов после нанесения.

И зная, что это самый сложный для выполнения совет, все же скажу: чем больше жировых отложений, тем глубже кожные складки — так что худейте!

ЦВЕТА КОЖИ

Вы когда-нибудь задавались вопросом, почему ваша кожа отличается по цвету от кожи других людей на этой планете? Собственно из-за чего кожа бывает красной, коричневой, желтой, оранжевой, розовой или белой? И что такое все эти пегие родимые пятна и веснушки?

Ответы на эти вопросы мы находим, с одной стороны, в верхнем слое кожи. Здесь располагаются пигментные клетки, которые наделяют нас определенной окраской: от светлой до темной. С другой стороны, на цвет кожи влияют такие факторы, как кровообращение, происходящее во втором подземном этаже, в дерме. Подумайте о тех случаях, когда вы на короткое время заливаетесь краской стыда или краснеете от перегрева во время занятий спортом, вспомните о покрасневших щеках во время секса или при повышенной температуре, а еще бывает постоянное покраснение, когда расширены многочисленные мелкие сосуды в коже.

Многие полагают, что расширенные сосудики — это лопнувшие сосудики. На самом деле эластичные волокна сосудистых стенок просто растянуты и больше не в состоянии туго сжимать сосуд, из-за чего он становится заметным и похож на оплетку кабеля. Бледность, в свою очередь, может вызываться недостаточным кровообращением или же недостатком красного пигмента крови.

 Изменение цвета кожи может быть первым и единственным предвестником болезни, которая еще никак себя не проявляет.

Но в палитре у кожи есть и другие цветовые оттенки, которые могут рассказать о разных вещах. В цветовом спектре кожи есть даже синий. Этот оттенок расскажет нам о том, что из-за холода в коже уменьшилось кровообращение. Цвет может также указывать на недостаток кислорода в крови, что случается, например, при тяжелых легочных болезнях или тромбозе, когда бедная кислородом кровь застаивается и не может быстро транспортироваться обратно к сердцу. Вены кажутся синими, и это нормально, потому что они несут бедную кислородом кровь на переработку в легкие. Если синий оттенок нездоровый, медики говорят о цианозе — слово имеет греческое происхождение

В цветовой палитре кожи есть разные цвета. Даже синий!

и означает «синий». Если кожа стала черной, значит, кровь осадилась, а в худшем случае отмерли ткани. Это печальное событие медики называют некрозом.

О заболевании печени расскажет желтуха; в этом случае печень не справляется с переработкой желтого желчного пигмента, и он откладывается в тканях, в коже и глазах.

Морковный оттенок оранжевого — это, напротив, здоровый цвет; он проявляется, если пить много морковного сока, содержащего естественный краситель бета-каротин. Суточная потребность в нем составляет 2–4 мг. Если в течение трех недель ежедневно потреблять по 30 мг бета-каротина, то получишь кожу светло-оранжевого оттенка. Этого эффекта можно достичь, если каждый день съедать по полкило морковки (сырой или в виде свежевыжатого сока) или принимать купленные в аптеке капсулы. Такое легкое окрашивание улучшает защитные свойства кожи против солнечных лучей; если кто-то страдает от аллергии на солнце, то

Подкрашенный морковкой человек может оставаться на солнце без солнцезащитного крема до одного часа, а не 10–20 минут.

целенаправленный прием бета-каротина перед предстоящим отпуском может оказать терапевтическое противодействие. А если вам нравится привлекать взгляды окружающих на пляже, с таким оттенком кожи вам все карты в руки: участникам одного исследования показали фотографии разных лиц и попросили определить, какой цвет кожи кажется наиболее привлекательным. В результате выяснилось, что светло-оранжевые каротиновые лица пользовались бо́льшим успехом, чем лица, темно-коричневые от загара.

Благодаря такому морковному загару мы можем в два-три раза дольше оставаться на солнце и не сгорим.

Еще один прекрасный побочный эффект: бета-каротин — это самый важный предшественник витамина А в продуктах питания и перерабатывается в нашем организме именно в этот самый витамин (поэтому его еще называют провитамином А). Витамин А очень полезен для глаз и для зрения, его недостаток угрожает, в частности, куриной слепотой. Коже и слизистым оболочкам также нужен витамин А, ибо он способствует росту клеток, предотвращает повреждения и улучшает защитные функции кожи. Достаточное с медицинской точки зрения количество витамина А можно получить, съедая одну-две морковки в день. Одновременно употребленная капля пищевого растительного масла улучшает усвоение витамина А кишечником.

Помимо моркови, бета-каротин встречается и во многих других овощах и фруктах, например в шпинате, листовой капусте, паприке, батате и свекле, а также во фруктах оранжевого цвета: в хурме, абрикосах, облепихе, нектаринах и манго. Чуть более эффективен еще один каротин, называемый ликопином. Он считается превосходным средством борьбы против свободных радикалов, сохраняет молодость и защищает нас от рака, в связи с чем аптеки предлагают капсулы ликопина в качестве пищевых добавок. Они, однако, намного дороже, чем тюбик томатной пасты: в помидорах много ликопина, а пасту делают из них, значит, и ликопина в пасте много.

Эндогенный зонтик от солнца

Цвет кожи может рассказать кое-что и о нашем генетико-географическом происхождении. Он подсказывает, в каких широтах нам с нашей кожей будет вольготнее, где мы, возможно, будем иметь преимущества для выживания или, наоборот, где нам жить лучше не стоит.

 Цвет кожи зависит от характера расположения поверхностных сосудов и наличия пигмента меланина.

За цвет кожи отвечает один важный вид клеток в эпидермисе. Здесь располагаются наши пигментные клетки, так называемые меланоциты. Это мятежные клетки из эмбриональных тканей, они происходят из нервного гребня, который они, однако, покидают уже на стадии развития эмбриона. В то время как все прочие клетки подобного происхождения становятся клетками нервной системы, эти мятежные странники мигрируют в кожу.

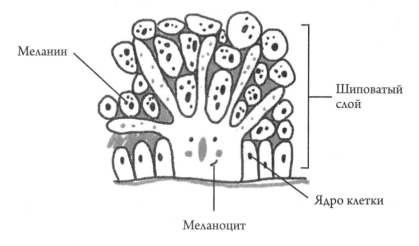

Меланоциты, передающие меланин

Меланоциты выглядят как перчатки, основанием они упираются в базальную мембрану, а вокруг них море зародышевых клеток. Непосредственно под базальной мембраной они могут скапливаться, и таким образом получаются пигментные включения — родимые пятна. Будто помня о своем скитальческом прошлом, они всю свою жизнь остаются очень подвижными. Иногда меланоциты вырождаются в *злокачественные меланомы*, их называют еще черным раком кожи, который, увы, быстро дает метастазы и может кочевать повсюду; именно раковые клетки имеют это роковое свойство — тягу к перемене мест. По непонятным причинам, такие метастазы немецкие медики называют «дочки-опухоли» — это определение смягчает суть, но несколько недружелюбно по отношению к девочкам.

На каждые десять-двенадцать зародышевых клеток приходится по одному меланоциту. В цифрах это означает примерно от 900 до 1500 меланоцитов на квадратный миллиметр. На лице их даже до 2000, в области гениталий — до 2400, а на стопах и ладонях, наоборот, всего от 100 до 200 меланоцитов на квадратный миллиметр. Перчатка-меланоцит своими пальчиками передает крошечные пигментные шарики с красителем меланином дальше в клетки эпидермиса. Один-единственный меланоцит может накормить меланином от 30 до 40 кератиноцитов. Стоит появиться солнышку, как они начинают работать и окрашивают нашу кожу загаром.

Кстати, у темнокожих людей то же количество меланоцитов, что и у светлокожих. Но каждый из этих меланоцитов производит до 600 пигментных шариков, то есть во много раз больше, чем меланоцит белокожего человека, производящий всего от двух до двенадцати шариков. К тому же у темнокожих людей пигментные шарики больше размером. Оттенок нашей кожи: смуглый или светлый — зависит от коэффициента количества пигментов меланина в коже. Их различают два вида: черно-коричневый эумеланин и желто-красный феомеланин. Различия в цвете кожи, волос и глаз зависят от того, какой из видов преобладает.

Наличие веснушек означает, что в организме не хватает меланина.

Меланин — это своего рода не имеющий себе равных солнцезащитный крем, поскольку он может абсорбировать световые волны любой длины. При этом эумеланин — люксовый пигмент, он превосходно защищает от ультрафиолета; феомеланин же послабее и выполняет свою задачу ни шатко ни валко. У светлокожих и рыжих преобладает феомеланин, поэтому они очень восприимчивы к солнцу. Однако в северных районах, где солнца мало, это преобладание феомеланина является безусловным преимуществом для выживания. Благодаря ему кожа более проницаема для тех немногих ультрафиолетовых лучей, что балуют людей в северных широтах, потому что лишь так можно обеспечить выработку достаточного количества витамина D. А под южным солнцем преобладание феомеланина становится отрицательным моментом. Светлокожие недостаточно защищены от больших доз ультрафиолета, он угрожает им образованием морщин и развитием рака кожи.

В темной коже помимо того заложены условия защиты от вызываемого ультрафиолетом расщепления фолиевой кислоты в условиях солнечного излучения на экваторе. При недостатке фолиевой кислоты снижается количество сперматозоидов и повышается риск дефектов развития плода. Так что цвет кожи, соответствующий индексу ультрафиолета в регионе проживания, обеспечивает выживание рода. Меланин, к слову, защищает также от инфракрасного излучения. Это та часть солнечного света, которая греет и находится в спектре длинных волн. Поэтому организм темнокожего человека не так быстро перегревается, как организм светлокожего. А вот обладатели бело-розового типа кожи особенно тяжело переносят жару и яркие солнечные лучи. Многие поэтому интуитивно избегают принятия солнечных ванн.

Пигментация — бурые пятна на лице и в области гениталий

У некоторых женщин во время беременности или же вследствие применения противозачаточных средств: таблеток или спиралей с гормонами — летом появляются большие бурые пятна на лице. Дело в том, что меланоциты восприимчивы к гормонам. Увеличение количества женского гормона в сочетании с солнечным светом вызывает пятна, называемые *мелазмой*. В этом случае рекомендуется применять средства с очень сильной степенью защиты от солнца, прекратить прием таблеток, удалить спираль или дождаться рождения ребенка. Если пятна очень стойкие, можно применять отбеливающие кремы или лазерные процедуры.

Поскольку меланоциты чувствительны к гормонам, кожа в области гениталий и анальной области намного темнее, чем кожа в других местах. Потемнение проявляется лишь в подростковом возрасте и связано с тем, что половые гормоны стимулируют меланоциты. Осветленные изображения анальной области и гениталий — не в последнюю очередь это поветрие господствует в порноиндустрии — создают впечатление этакой розовенькой дитячьей генито-анальной области. Все ли отдают себе в этом отчет?

 Истинные мужественность и женственность имеют окраску. И чем старше становится человек, тем более пестро выглядит кожа.

Ко мне на прием часто приходят пациенты, которых беспокоят с косметической точки зрения бурые пятна на лице. В обиходе их называют старческими пятнами. Моя свекровь долгие годы уже вспоминает, до какой степени она была возмущена, когда услышала от врача, что у нее старческие пятна (а ей тогда было лишь сорок с небольшим). Мы должны учиться на ошибках коллег. Поэтому я называю эти бурые пятна просто солнечными, ведь они не что иное, как именно солнечные — результат многолетнего облучения солнечными лучами и былых солнечных ожогов. Старческие пятна — это реакция протеста со стороны кожи, они показывают: все ваши лимиты облучения ультрафиолетом давно перекрыты.

Наряду с возрастными пятнами, которые, раз появившись на коже, больше не меняют своего цвета, есть еще другие пятна, которые летом становятся темнее, а зимой светлее. Как вы, наверное, уже догадались, это веснушки. Они обусловлены генетически и украшают лицо, руки или все тело особенно чувствительных к солнцу людей с типом кожи, как у рыжей Пеппи Длинныйчулок или у Бориса Беккера. Но и у темноволосых и смуглых людей тоже иногда бывают веснушки.

Меланин может не только придавать цвет коже и покрывать ее загаром, исполняя таким образом роль своего рода эндогенного зонтика от солнца, защищающего наследственный материал и клетки от солнечного излучения. Меланин также может окрашивать доброкачественные наросты на коже, как, например, *себорейные кератоакантомы*, в народе их называют старческими бородавками — тактичный врач постарается обойти и это определение и пробурчит что-нибудь про «роговые наросты». Как и старческие пятна, старческие бородавки могут появиться уже начиная с 35 лет. При этом с течением времени они растут. В некоторых случаях они могут допекать не на шутку. Наросты отпадают при вытирании после душа и иногда выглядят пугающе опасными. Но в отличие от родимых пятен они никогда не вырождаются.

Наша меланиновая тушь порой протекает; после воспалений, ран, ожогов или после того, как вы выдавили прыщ, меланин может просачиваться с поверхности кожи в более глубокие слои, этажом ниже — в дерму.

Иногда можно заполучить бурые пятна, если нанести парфюм находясь на солнце, чаще всего на шее, поскольку некоторые ароматические вещества вызывают фототоксические воспаления кожи, то есть чрезмерный солнечный ожог с последующей окраской в коричневый цвет.

Вследствие такой гиперпигментации, наступающей после воспалительного процесса, темное пятно будет на протяжении месяцев досадным образом напоминать о давно зажившем прыще. Причина в том, что просочившийся пигмент быстро не восстанавливается. Работы по расчистке проходят медленно. И здесь мы касаемся уже тех событий, которые происходят на пограничной зоне между этажами нашего кожного здания.

Глава 2
МЕЖДУ ЭТАЖАМИ

И вот мы покидаем первый подземный этаж, то есть верхний слой кожи, и двигаемся в направлении второго — или минус второго — **к дерме**. Но давайте сделаем здесь короткую остановку и рассмотрим волнообразное перекрытие между этими двумя этажами, которое одновременно и разделяет, и соединяет этажи. Ведь здесь происходит кое-что интересное.

РОДИМЫЕ ПЯТНА

На медицинском языке это перекрытие между этажами называется базальной мембраной. Здесь мы находим, в частности, родственников меланоцитов — клетки родимых пятен и невусные клетки. Родимое пятно — это гнездообразное скопление меланоцитов или невоцитов. Последние — это шарообразные и ленивые клетки, этакие никчемные варианты меланоцитов. Ленивые, потому что они ничего не делают, и никто не понимает, зачем их природа вообще создала. В сущности говоря, людям они не нужны.

Скопления клеток родимых пятен часто залегают вплотную под базальной мембраной, но могут располагаться и над ней. Те, что находятся на поверхности, имеют светло-коричневый окрас, их более глубоко залегающие родственники кажутся сизыми, а пограничные — бурые. Крупные светло-коричневые варианты дерматологи называют пятнами цвета «кофе с молоком». Это лентиго. Родимые пятна цветом напоминают печень, но в остальном никакого отношения к этому органу не имеют.

Многие из них возникают или же проявляются лишь в течение жизни. Они годами прячутся в глубине ткани, пока в какой-то момент не проявятся; как правило, это происходит в

возрасте примерно до 30 лет. Пара-другая лентиго могут выступить и во время беременности. А в старшем возрасте некоторые из них снова погружаются в глубины тканей. Вообще-то родинки — это врожденные печеночные пятна.

На коже человека может быть 30—100 родинок, а у некоторых их количество может достигать 400.

Родимые пятна — это доброкачественные новообразования, но они могут перерождаться в черный рак кожи (меланому). К сожалению, иногда перерожденные меланоциты рассыпаны в лимфатических узлах, в глазах, в кишечнике или внутренних органах, из-за чего в очень редких случаях черный рак кожи может возникать вне кожи.

ПУЗЫРИ, РАНЫ И РУБЦЫ

С некоторой долей фантазии мы можем представить себе строение базальной мембраны — прослойки между первым и вторым подземными этажами — в виде картонки наподобие той, в которой продаются яйца. Благодаря волнистой конструкции верхний слой кожи и пролегающая под ней дерма прочнее сцепляются друг с другом. Таким образом исключается случайное смещение. Этот эффект мы можем ощутимо представить себе, когда втискиваемся в узкие джинсы, носим тесные туфли или же когда нам делают массаж спины. Без подобного сцепления верхний слой кожи тут же начал бы пузыриться.

Однако у этой мембраны есть слабое звено. Для медиков она *Locus minoris resisentiae* — место наименьшего сопротивления. К сожалению, на проблемных местах легко образуются пузыри, как, например, в классическом случае, когда вы надеваете натирающие туфли на босу ногу. Пузырь — это полое пространство, которое образуется между двумя слоями кожи: эпидермисом и дермой — и наполняется лимфой. А из-за большого количества пролегающих там нервных сосудов пузыри изрядно болезненны, особенно когда пузырь вскроется и покажется его обнаженное дно.

Хотя покрытие пузыря состоит из эпидермиса со всеми его слоями, оно все же тонкое и легко рвется. Когда пузырь сильно наливается или открывается, сенсоры чувствительных нервных волокон сигнализируют тревогу. Организм должен быть проинформирован, что здесь что-то не в порядке, что возникла пробоина, куда могут пробраться бактерии, и что возможно разрастание очага поражения. Чтобы пузырь не расширялся по площади, иногда имеет смысл ослабить давление.

Если вы хотите сами взяться за дело, то, пожалуйста, будьте осторожны: чтобы уменьшить риск попадания бактерий, кожу пузыря нужно тщательно продезинфицировать, а затем аккуратно проколоть раскаленной иголкой или стерильной канюлей из аптеки. Уменьшив давление, оставьте крышку пузыря на том же месте, как своего рода естественный биологический пластырь, либо аккуратно натяните его снова на поврежденное место и прикройте дезинфицирующей мазью или дополнительным пластырем от пузырей. И то же самое, если «крышка» из эпидермиса не выдержала давления и пузырь раскрылся сам по себе.

Кстати об открытых пузырях: есть такой старый миф, будто нужно обеспечивать доступ воздуха к ранам. При пузырях (целых или в особенности с сорванным покрытием), ссадинах и ожогах предпочтительнее все же обрабатывать рану современными средствами, поскольку это дает возможность использовать эндогенные лечебные средства из лимфы. Так что до свидания, струпья, и да здравствует влажная обработка раны! Современные средства для лечения ран — это гидроколлоидные повязки, гидрогелиевые накладки, альгинатные или полиуретановые пенистые повязки. Их можно назвать «временными заменителями кожи». Струпья в этом случае не возникают, и это хорошо, потому что корочки струпьев жесткие и колючие, это отмершие ткани, и они тормозят процесс заживления. Корочка блокирует подход новых клеток с краев раны. Обычный пластырь тоже не очень хорошее решение.

И напротив, **влажная и в то же время воздухопроницаемая среда на месте раны благоприятствует образованию свежих здоровых клеток эпидермиса.** Место раны вы можете себе представить как маленькое растение, нуждающееся в уходе. Оно ведь тоже быстрее и благополучнее растет в теплице — во влажном и теплом биотопе, куда поступает достаточно кислорода и биологических удобрений. Современные накладки на раны пропускают кислород, но препятствуют поступлению бактерий. В то же время собирающаяся там природная влага действует как суперудобрение. Это мощное средство из самого организма состоит из иммунных клеток, нейротрансмиттеров (сигнальных веществ), протеинов и ферментов. Все они способствуют бурному росту свежих кожных клеток.

 Всего одна сигаретная затяжка убивает бесчисленное множество новых кожных клеток! Поэтому курение существенно затрудняет процесс заживления ран.

Дерзкие корочки

Мы, дерматологи, в своей работе в высшей степени руководствуемся чувствами. Мы смотрим, нюхаем и осязаем. При этом кожные корки имеют особенные свойства на глаз и на ощупь.

Раз мы заговорили на тему ран, позвольте мне на этом месте предложить вам затронуть тему корочек, или, как многие их называют, **струпьев**.

Корки образуются из высохших продуктов секреции, местами выступающих из нашей кожи. Цвет корки выдает, какая проблема может за ней скрываться: черно-красные корки — это свернувшаяся кровь, они являются следствием ран с кровотечением. Светло-желтые корки говорят о засохших тканевых жидкостях (сукровица, лимфа), проступающих из маленьких или больших пузырей на коже. Такие же корки бывают при мокнущей экземе, то есть при воспалениях верхнего слоя кожи. Оранжевые или медово-желтые корки указывают на инфекционное, бактериальное заражение. Они из засохшего гноя, вызванного чрезвычайно заразными бактериями (стрептококками или стафилококками), их еще называют струпчатым лишаем.

Черно-серой корка будет в случае отмирания тканей. Эти корки иногда распространяют запах тления и являются выражением тяжелого заболевания. Подобные некрозы могут наступать при воспалениях сосудов (ангиит), закупорке (окклюзии) сосудов или при глубоко проникшем опоясывающем лишае.

Если же это отдельные корочки и они бело-желтого цвета, значит, к светлым раневым отделяемым примешалось какое-то количество отмерших клеток, из-за чего дерматологи называют такие корки пластинчатыми.

Такие разные шрамы

Некоторые люди обретают известность, невзирая на свои шрамы или же благодаря им. Например, актер Юрген Прочнов красив, успешен, диагноз — постугревые рубцы. Или вот эти пресловутые рубцы — шрамы вследствие намеренно причиненных резаных ран. Они до сих пор украшают щеки некоторых «старых господ», состоявших в годы своей учебы членами каких-нибудь студенческих корпораций[1]. В период до Второй мировой войны такой рубец был отличительным знаком бывшего студента. Декоративные шрамы украшают кожу некоторых первобытных народов, и среди городских хиппи скарифицирование (или шрамирование) также долгое время оставалось в моде.

Почти у каждого из нас есть где-нибудь шрам, возникший вследствие глубокого прыща, ветряной оспы, несчастного случая, ожогов или хирургических швов. В большинстве своем они не нарушают внешнего вида. Но бывают и такие, что все же уродуют, с первого взгляда бросаются в глаза или ежедневно напоминают пострадавшему о пережитом, если они возникли вследствие травматических событий. В этих случаях шрамы становятся для человека обузой.

Рубец возникает, когда поврежден значительный отрезок базальной мембраны. Место утерянного эпидермиса заполняет малопригодная низкокачественная заменяющая ткань. И шрам поначалу красного цвета. Это из-за разросшихся кровеносных сосудов, через которые, как на подъезде к стройке, поступает строительный материал. Впоследствии шрам бледнеет, из красного становится розовым, а в конце концов по

---

[1] Так в Германии раньше называли членов студенческих корпоративных братств на заключительных этапах членства. — *Примеч. пер.*

окончании строительных работ становится белым, твердым и неэластичным. В нем нет потовых и сальных желез, нет волосяных фолликул и пигментных клеток. А значит, он не загорает и остается лысым. И все же он надежно закрывает рану.

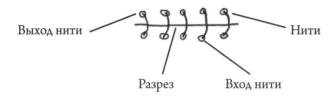

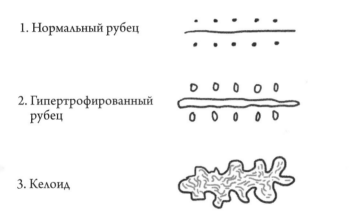

Три вида шрамов

Поверхностная ссадина жутко болезненна, потому что открыты чувствительные нервные окончания. А они уж очень рьяно относятся к своей функции системы раннего предупреждения и в стремлении предотвратить нечто худшее бьют в набат по мелочам. Но такие раны всегда заживают без шрамов.

Если ссадина глубже и на дне раны уже наблюдаются маленькие кровоточащие точки, то процесс заживления может и не обойтись без образования шрама, потому что здесь уже повреждена базальная мембрана. Стало быть, мы заглянули уже этажом ниже, мы видим непосредственно кровеносные сосуды дермы. **Чем больше повреждена базальная мембрана, тем больше риск возникновения шрама.** Ну а если образовалась действительно глубокая дырка, то есть снят верхний слой кожи — базальная мембрана, то шрам неизбежен, это уж как пить дать. Соответствующую память вы унесете с собой домой после операции, потому что скальпель хирурга разрежет длинный отрезок базальной мембраны.

Возникший рубец огорчает, если он заметен косметически или сковывает подвижность суставов, если он чешется или болит, тянет, твердый и неэластичный. Иногда рубцы утолщаются и поднимаются в форме желвака над изначальной линией пореза. Дерматологи называют такие объемные трехмерные рубцы избыточно разросшимися, или гипертрофическими.

Но если рубец разрастается еще шире, даже шире изначальных границ раны, то речь идет уже об опухолевом келоидном рубце. Хотя подобный келоид — это не злокачественная опухоль, но он красный, толстый, подвержен воспалениям и иногда чешется, потому что нервные волокна в нем перепутаны и даже участвуют в воспалительном процессе. Внутри рубца происходит хаотическое перепроизводство преимущественно одного определенного вида волокон, однако без соответствующей утилизации. Это как массовое производство без покупательского спроса. Управляют всем этим безобразием сверхактивные и честолюбивые нейротрансмиттеры воспаления, они нагружают себя ненужной работой без всякой на то нужды.

Природа явно забавляется, когда она забавно вспучивает проколотые в ушах дырки, делая их похожими на толстые красные помпоны. Подобные келоидные рубцы также часто появляются после ожогов, при глубоком акне и на груди, особенно у женщин. Сила собственного веса оказывает усиленную тягу на кожу груди, которая, в свою очередь, тянет и рану; шрамы на это реагируют изрядным раздражением. То же происходит с рубцами на суставах и на костных выступах, где кожа натягивается при каждом движении. Ткани, отвечающие за заживление раны, здесь в десятки раз активнее, чем на других участках тела.

Склонность к образованию келоидных рубцов обусловлена генетически.

Тот, кто после травмы заинтересован в благоприятном процессе рубцевания, может — при условии, что шрам больше не мокнет, — в течение нескольких недель или месяцев наносить силиконовый крем или накладывать силиконовый пластырь. Рубцу под силиконом комфортно и спокойно, поскольку он полагает, будто над ним уже здоровый слой. Рубец накапливает влагу под воздухопроницаемым силиконом, он там окружен нежной заботой.

Массажи помогают противодействовать укорачиванию рубцов в районе суставов, как только рубец становится более или менее стабильным; как правило, это происходит примерно через четыре недели. Белые рубцы можно прикрыть перманентным макияжем или татуировкой.

При стойких келоидах врачи часто прописывают эластичные диафрагмы или делают инъекции кортизола, чтобы рубец сократился. Применяются также лазеры, горячие иголки, холод (вплоть до минус 196 градусов по Цельсию), даже мягкое рентгеновское излучение. В каждом конкретном случае на позиции выставляют тяжелую артиллерию. Чего при этом по возможности следует избегать, так это оперировать келоиды, по меньшей мере тогда, когда они являются результатом хирургического вмешательства. Потому что в таких случаях они возвращаются, как пришельцы.

РАСТЯЖКИ НА КОЖЕ

Помню, как в нежном 16-летнем возрасте с большим интересом рассматривала себя на пляже. Кожа немного подернулась бежевым загаром, однако на моих не шибко изящных икрах показались вертикальные, местами расходящиеся друг от друга белые линии, загар к ним не прилипал, и они напоминали снимки дельты Нила с воздуха. Какое-то время я была заинтригована этими причудливыми узорами на коже, но быстро отвлеклась на что-то другое и забыла про странные полосы.

Забыла до тех пор, пока, спустя годы, когда уже работала дерматологом, ко мне на прием не начали стройными рядами являться девушки подросткового возраста. Робкие. Несчастные. Напуганные. Они, объективно красивые, здоровые молодые женщины, больше никогда не смогут носить короткие юбки и больше никогда не осмелятся пойти на пляж, потому что у них один «слишком большой» изъян: растяжки на коже.

И тут я вспомнила о дельте Нила на своих икрах, к которой между тем прибавилась парочка «молний» на бедрах. Мне никогда бы не пришло в голову отказываться из-за этого от пляжа или вообще воспринимать их как какую-то помеху. Времена, что ли, раньше другие были, когда женщины еще могли безнаказанно носить на себе полосы и целлюлит, а фотошопа, давшего новое определение красоте, еще не существовало? Или я просто воспринимала свое тело совсем иначе, нежели эти небесные создания? Неужели они думали, что недостойны любви и восхищения, если не будут идеальными и безупречными?

С высоты своего возраста и женского опыта — а на данный момент я говорю с вами как частное лицо — я могу теперь точно сказать, что **мужчинам искренне и абсолютно все равно, видны там растяжки или нет.** Более того, как правило, они там вообще ничего не замечают. В конце концов, они могут даже не обратить внимания на новую прическу или на новые туфли. Главное, чтобы это была женщина. Главное — подходящий человек. Главное — тело, которое привлекает как произведение искусства, пусть там даже где-то есть какие-то странности.

У некоторых женщин в последние дни беременности появляются растяжки на животе. И многие гордые отцы очень любят перетянутый, окрашенный под бурундука живот своей жены хотя бы из-за того, что она там вынашивает их общих детей.

Что касается растяжек, то на самом деле окружающий мир относится к ним большей частью благосклонно, доброжелательно, корректно и без всякой дискриминации. Большинство людей не придают значения растяжкам на коже у других и никакой помехой их вообще не считают. Но жертв растяжек это, как правило, не утешает, они сильно страдают из-за этого мнимого изъяна.

Растяжки, как и прочие причуды природы, на первый взгляд бесполезны, но это абсолютно нормальное явление. Вам когда-нибудь приходило в голову, почему человек носит на своей голове справа и слева нечто смешное и бросающееся в глаза — какие-то мягкие и волнистые раковины из хряща, их еще называют ушами? И почему над глазами лохматые волоски, именуемые бровями, или зачем нужны роговые лопатки на пальцах ног — ногти? Да, и не забудьте про пупок! Эта подозрительная дырка в середине живота, иногда она круглая, иногда узким разрезом, с кожными складками внутри, как виноградная улитка; после перерезания пуповины она больше не нужна ни для чего, кроме как собирания в себя ворсинок. Некоторым пупок служит для разведения противных комков, сваленных из роговых, сальных и бактериальных масс. Ну, пожалуй, и все, на что он способен.

Природа напридумывала всякой всячины, иногда со смыслом, иногда и без; возможно, в ходе эволюции некоторые из этих творений просто частично пережили себя. Но никому не приходит в голову считать их изъянами. Может быть, в ходе дальнейшей эволюции в следующую очередь исчезнут ногти на ногах. Там больше не нужны когти, ведь нам больше нет необходимости куда-то лазать.

А вот растяжки на коже на самом деле имеют глубокий смысл: наше тело растет в длину и в ширину. Рост в длину происходит в первые 16–18 лет нашей жизни, для роста в ширину границ нет. Из-за активности женских гормонов, эстрогенов, в подростковом возрасте у женщин быстро округляются живот, груди, ноги и попа. Звучит как краткое описание гимнастики для проблемных зон, а на самом деле это не что иное, как полное описание такого явления, как женщина. Наша кожа добросовестно растет вместе с телом, она делает все, чтобы держать нас в форме. При этом, благодаря эластичным волокнам в дерме, на втором подземном уровне нашего гаража, она чрезвычайно прочная и подвижная, и тянется, как костюм со стретчем. Но, как и в производстве одежды, у кожи тоже есть различные производители, то бишь наши родители, которые передали нам по наследству определенную степень эластичности кожи.

Так что будет ли наша кожа тянуться, как уютный домашний костюм, или у нее будут свойства рафинированной, но неэластичной пиджачной ткани, зависит от полученного наследства.

 Растяжки не опасны. Кроме косметического дефекта, растяжки не несут никакого вреда для здоровья. Как и не свидетельствуют о плохом состоянии оного.

Иногда кожа местами растягивается, и тогда ей требуется своего рода стабилизирующий шов. Когда вы за короткий срок сильно накачали икроножную мышцу, когда из-за увеличения молочных желез во время беременности материнская грудь вдруг меняет размер с B на D или когда непомерно растет объем живота, потому что будущий ребенок или жировая спайка требуют больше места, тогда волокна дермы все дальше расползаются друг от друга, пока в какой-то момент не перерастянутся и не порвутся. Чтобы залатать место разрыва в сетке соединительной ткани и надежно стабилизировать пострадавший участок, дерма в спешке продуцирует заменяющие швы из волокон. Эти «подземные» тяговые швы просматриваются через верхний слой кожи, которая, в свою очередь, тоже растянута и потому стала тоньше. Недавно образовавшаяся растяжка часто бывает красного цвета, что знакомо нам по другим видам повреждений с образованием шрамов. Однако мы покраснений зачастую не замечаем, а лишь удивляемся, увидев однажды на своей коже новую дельту Нила, успевшую между тем давно уже побелеть, как старый опытный рубец.

Отвесно расположенные полосы указывают на то, что кожа растянулась в стороны; вертикальные полосы сигнализируют о чрезмерном росте в длину. Некоторым людям не везет, что у них много растяжек, широких красных и лиловых полос, а кожа между ними дряблая и свисает, как сдувшийся воздушный шарик. Переход от некритичного состояния в пределах нормы к постановке диагноза постепенен.

Растяжки красного цвета могут быть вызваны длительным приемом кортизона либо болезнью под названием «синдром Кушинга», при которой надпочечная железа производит избыточное количество кортизола (Cortisol). Избыток эндогенного кортизола делает нашу кожу тонкой и хрупкой, так что она быстрее образует растяжки. Поэтому при ярко выраженных состояниях имеет смысл пройти исследование на предмет уровня кортизола в крови.

Для предотвращения растяжек можно кое-что предпринимать, например, во время беременности растягивать кожу щипковым массажем. Делается это так: берется жирный крем или мазь; в аптеке могут добавить туда немного оливкового масла, но ни в коем случае нельзя применять для массажа масло в чистом виде, потому что оно будет вступать в связь с ценными жирами нашего защитного барьера, вымывать их и высушивать кожу. Не то что жирный крем. Окуните пальцы в баночку с кремом, а затем большим и указательным пальцами, смазанными кремом, захватите маленький кусок жира на животе или бедрах. Сдавите складку, приподнимите ее немножко вверх и снова отпустите; затем беритесь за следующее место. Это можно делать на всех участках тела, подверженных растяжкам. Чтобы поставлять коже достаточное количество строительного материала для эластичных волокон, в крови должно хватать питательных микроэлементов. Ваш лечащий врач может помочь вам определить их уровень и при необходимости их подправить, посоветовав какие-либо изменения в привычках питания или пищевые добавки.

Существуют также медицинские способы улучшить внешний вид растяжек, хотя полностью убрать их не получится. Здесь в ход идут игольчатые ролики (дермароллеры), есть также тепловые способы с золотыми иголками и лазером. Прогревом разрушают глубинные белковые структуры рубцов.

Применяя прогрев лазером, можно разбить красные кровеносные сосуды. Но если кожа уже очень дряблая и обвислая, дело может поправить только хирург: он просто отрежет избыток кожи и снова скрепит кожу скобами уже в расправленном состоянии. Впрочем, полосатый узор все равно будет виден, небольших улучшений в этом смысле можно добиться постепенно, месяцами и годами длительных процедур.

Глава 3
ВТОРОЙ ПОДЗЕМНЫЙ ЭТАЖ: ДЕРМА

На минус втором уровне нашего гаража находится дерма, по-латыни *Dermis*. Мы с ней уже познакомились, когда говорили о рубцах и растяжках. Благодаря дерме наша кожа не только очень прочна, но и эластична. Кроме того, здесь находится система климат-контроля нашей кожи, впрочем, она играет важную роль и для всего организма. Дерму пронизывает гигантская сеть сосудов, наподобие проводов для подогрева пола; именно они, а конкретнее кровообращение в дерме, и регулируют теплоотдачу тела. Если требуется тело остудить, то потовые железы выведут влагу на поверхность кожи и обеспечат ее охлаждение через испарение. Если нужно согреть, то кожа переведет кровообращение на пониженную нагрузку и отведет тепло в глубины организма. Ну и, наконец, что немаловажно, в дерме находится важный наблюдательный пост нашей иммунной системы.

ЦЕНТРАЛЬНЫЙ ПОСТ СЛУЖБ БЕЗОПАСНОСТИ, РАЗВЕДКИ, СБОРА ДАННЫХ И ШПИОНАЖА

В отличие от тонкого эпидермиса, дерма имеет толщину почти два миллиметра, что придает нашей коже стабильность, ведь в дерме огромное количество волокон соединительных тканей. Это прочные, чрезвычайно устойчивые к разрыву белковые волокна. Вокруг них маленькими спиралями располагаются эластичные перекрывающие волокна; они позволяют коже возвращаться в исходную позицию всякий раз после того, как кожу заденут или растянут. К сожалению, с течением жизни кожа дряхлеет. С одной стороны, это связано с естественным процессом старения. Но с другой стороны, и с тем, что мы сами форсируем этот процесс, подвергая кожу ускоряющим старение факторам: находимся на солнце, посещаем солярий, курим, испытываем стресс, мало спим, неправильно питаемся и ведем малоподвижный образ жизни, из-за всего этого наши перекрывающие волокна быстро погибают.

Я часто вижу пациентов раздетыми и всегда удивляюсь огромной возрастной разнице кожи лица и ягодиц.

Если вам за 35, а тем более если вы уже в пенсионном возрасте, всмотритесь в свое лицо и сравните его со своими ягодицами. В течение жизни ваше мягкое место, скорее всего, видело мало солнца (ну если только вы не увлекаетесь нудизмом и не злоупотребляете солярием). Если вы к тому же не дымите как паровоз, то на собственных ягодицах вы увидите следы естественного старения кожи. А вот лицо ваше с самого рождения регулярно находится на воздухе, где подвергается ультрафиолетовому излучению. По нему вы можете получить представление о том, что такое фотостарение.

На ягодицах даже у старых людей кожа, как правило, довольно гладкая, без пятен и морщин. А вот лицо нередко уже после тридцати лет покрыто мелкими морщинами, позднее появляются еще и коричневые пятна, красные сеточки, складки; обвисшие, а порой даже откровенно висящие участки кожи. **У того, кто с подросткового возраста не вылезает из солярия, кожа уже в тридцать лет может выглядеть как кожаный ботинок.** Такая кожа существенно теряет в эластичности, она негибкая и утолщенная. В первую очередь это заметно по тонкой коже нижних век. Там она очень нежная, и разрушительные ультрафиолетовые лучи солнца и солярия проникают в нее глубже, чем в другие места.

 Если вы хотите проверить, насколько еще эластична ваша кожа под глазами, проделайте следующий эксперимент (хотя, следует признать, он довольно безжалостный): оттяните нижнее веко вниз так, чтобы показался белок глазного яблока. А затем быстро отпустите. Ну и? Веко тут же возвращается на место и плотно прилегает к глазу? Тогда поздравляю, у вас еще все в порядке! Если же это происходит не сразу, а тем паче с задержкой в две или более секунды, тогда вы, вероятно, стали жертвой одного из ускоряющих старение факторов.

Наряду с функцией стабилизации температуры тела дерма выполняет еще массу задач: она снабжает кожу кислородом и питательными веществами, передает важную информацию нашему мозгу и поддерживает нашу иммунную систему.

Капилляры и надувные манжеты

Вам случалось когда-нибудь содрать кожу? Если да, то тогда вы могли наблюдать белый грубый слой с крошечными красными точками. Это и есть надрезанная, вскрытая дерма. Волнистые участки под базальной мембраной лежат открытыми, вместе с мельчайшими кровеносными сосудами — капиллярами. Представьте себе это в виде сети из разветвленных садовых шлангов.

Диаметр капилляров от пяти до десяти микрометров (десять микрометров соответствуют 0,01 мм); для сравнения, волос в среднем имеет диаметр 80 микрометров.

Некоторые из них полностью заполнены кровью, в других же крови меньше. Управляют всем этим хозяйством маленькие надувные подушки, они облегают сосуды наподобие манжет и таким образом регулируют количество жидкости в этих «шлангах». Манжеты открываются — кровь свободно и в достаточном количестве течет по сосудам. А надуваясь до своего полного объема, манжеты сужают проход в следующий «шланг» и препятствуют поступлению туда крови.

Самые мелкие из этих шлангов — капилляры. Капилляры соединяют подающие «шланги» — артерии — с выводящими «шлангами» — венами.

Артерии поставляют свежую светло-красную, обогащенную кислородом кровь из легких через сердце во все органы и в кожу. А затем капилляры транспортируют ее по отвесным петлям наверх в направлении эпидермиса и через мельчайшие отверстия выделяют в верхний слой кожи воду, кислород и питательные вещества: аминокислоты, микроэлементы, нейротрансмиттеры и витамины. Взамен они забирают и отводят оттуда двуокись углерода (углекислый газ) и продукты химического распада внутриклеточного обмена. Это как в стиральной машине, куда заливается чистая вода, а грязная в конце цикла сливается. Затем отработанная кровь попадает через вены к легким и к сердцу, где она вновь обогащается кислородом, а вредные остатки обезвреживаются печенью и почками.

Однако в некоторых ситуациях организму важнее защитить себя от холода или жары, чем заниматься питанием клеток кожи. Дело в том, что внутренняя температура тела должна всегда составлять примерно от 36,8 до 37 градусов по Цельсию, иначе у всего организма будут проблемы, органы не смогут правильно работать. Когда на улице очень жарко, нам грозит перегрев, когда холодно — переохлаждение. Поэтому мы должны быстро включить нашу эндогенную климатическую установку и в жару отдавать тепло, а в холод его экономить.

Для этого **у нас в дерме есть маленькие термометры** в виде особых нервных волокон, которые в зависимости от температуры передают соответственно убыстренные или замедленные импульсы через нервные волокна и спинной мозг в головной мозг. Мы можем чувствовать температуру через контакт с твердыми предметами, с воздухом или жидкостями: горячая сауна, холодная вода, теплое тело близкого человека, горячий ветер пустыни или теплые инфракрасные лучи солнечного света. У мозга есть термостат, он находится в гипоталамусе — центре управления температурой, сексом, кровообращением, едой, питьем и суточными ритмами. Он измеряет температуру поступающей крови и одновременно получает температурные сигналы от организма, в том числе и от кожи, а затем дает системе кровоснабжения кожи указание о необходимом количестве тепла.

Кожа зимой

Если в атмосфере холодно, то «манжеты» на капиллярах надуваются так сильно, что кровоток по капиллярам почти останавливается. Кровоснабжение кожи сокращается, поскольку кровь должна быть незамедлительно отведена назад, в глубины организма. Иначе есть опасность, что на поверхности тела она будет отдавать слишком много тепла, а температура тела, соответственно, значительно понизится.

Получается, что в холод кожа меньше снабжается кислородом. Какое-то время она хорошо это переносит. Однако при экстремальном холоде выступающие части тела: нос, пальцы на руках и на ногах, а также уши — подвергаются немалой опасности.

 Холодовое повреждение кожи наступает не только при минусовых температурах. Обморозиться можно уже при умеренных температурах в районе четырех градусов по Цельсию; такой нормальной температуры домашнего холодильника достаточно для существенного сокращения кровоснабжения кожи. Кожа воспаляется и набухает.

В принципе кожа вполне может приспосабливаться к холоду. Зимой она становится несколько суше, потому что теряет больше влаги в условиях отапливаемых помещений и сухости воздуха на улице. Не всегда нужно немедленно хвататься за крем, ну разве что если почувствуете, что кожа сама не справляется.

Если вы нанесли на кожу увлажняющий крем перед выходом на улицу, а там трескучий мороз, то вы рискуете обморозиться. Впрочем, обморозиться можно даже и при вышеупомянутых четырех градусах. Этому способствует высокое содержание влаги в креме.

Увлажняющие кремы следует наносить только вечерами перед сном и только в том случае, если это действительно необходимо.

Последствия могут ощущаться неделями: кожа затвердевает, что ужасно больно, появляются лилово-красные пятна и отеки в тканях. Так что, если в составе указана вода, или aqua, наносите такой крем по возможности только дома или когда тепло. **При холодных погодных условиях лучше жирная мазь, не содержащая воду.**

Я сознательно написала здесь слово «мазь». Ведь в кремах обычно содержится много воды, а в мазях ее почти нет.

Есть еще одна очень важная причина сухости кожи в холодное время года. У нас всего два источника кожного жира: жир рогового слоя и кожное сало сальных желез. Сальных желез много на голове, в ушах и на лице, причем на лице прежде всего в так называемой Т-зоне: лоб, нос, подбородок. Бедные несчастные губы содержат очень мало сальных желез и в экстренных случаях пользуются жиром из близрасположенных. Кожное сало ведет себя как сливочное масло. Когда тепло, сало по каплям выделяется из пор. И точно так же, как масло, которое при комнатных температурах хорошо размазывается, эти капельки распределяются по лицу, как по бутерброду. А вот при температурах домашнего холодильника кожное сало твердое. Зимой оно распределяется хуже, кожа высыхает, и прежде всего страдают губы: они больше не получают сала, а потому сохнут и трескаются. Если вы к тому же еще постоянно облизываете губы влажным языком, то пиши пропало, ибо тогда на губах еще меньше жира, поэтому и обморозить их намного проще.

Говорят, будто в холоде сальные железы перестают работать, но это не так. Сальные железы находятся все же глубоко в дерме, и производственный процесс там беспрепятственно продолжается. Об этом свидетельствует хотя бы тот факт, что акне зимой само по себе не проходит, равно как и себорейная экзема, а она возникает из-за повышенного выделения кожного сала. Наоборот, и акне, и экзема зимой как раз процветают, потому что нет солнца с его оказывающими противовоспалительное воздействие лучами. Ультрафиолетовое излучение способно во многих случаях играть роль кортизонового крема и купировать кожные воспаления. Этот эффект используют на Мертвом море и в медицинских кабинах с ультрафиолетовым светом, где лечат нейродермит и псориаз.

Лихорадочное кровоснабжение

При высоких температурах, например в сауне, терморецепторы сигнализируют: «Внимание! Опасность перегрева!», парасимпатическая нервная система активизируется, шлюзы-манжеты открываются, и кровь устремляется по сосудам в коже. Поэтому в жару мы краснеем, а после сауны на ногах часто возникают красные узоры в круглую сетку. Таким образом наше тело отдает тепло в окружающую среду, и одновременно активизируются потовые железы, создавая на поверхности кожи эффект охлаждения от испарения.

Кровоснабжение кожи усиливается не только от внешних температур, но и при внутренних воспалительных процессах. Это нужно для того, чтобы в горячую кризисную точку доставлялось больше клеток иммунной системы и антител. В результате воспаления выбрасываются нейротрансмиттеры, которые и передают сигнал о необходимости усиления кровоснабжения.

По кровоизлияниям в области головы опытные криминалисты и судебные медики могут определить, как была задушена жертва.

К сожалению, не всякие красные точки или зоны на коже столь же безобидны, как те, что возникают после сауны. Ведь иногда причина в выделениях крови: например, если вы аллергик и с вами случилась такая неприятность, как сильно токсичный укус насекомого, то аллергическая реакция приведет к внезапному образованию дырок в сосудах и кровь в небольших количествах может просочиться в дерму.

Еще один пример — сильная рвота, вы головой вниз, и в голове возникает сильное давление, что тоже чревато подобными кровоизлияниями. Точечные кровоизлияния могут быть также сигналом тяжелого сосудистого воспаления, иммунной реакции или реакции на вирус, повлекшей повреждение сосудов, венозный застой в ногах или какую-либо иную форму избыточного давления.

 Если вы обнаружили на своем теле покраснение и хотите выяснить, что это: безобидное усиление кровоснабжения или опасные выделения крови из сосудов, вы можете поступить так: возьмите прозрачное стекло и плотно прижмите его к покрасневшему месту на коже. Если покраснение отступит, то речь идет об усиленном кровоснабжении. Если оно не уходит, значит, выступила кровь, и вам стоит обратиться к врачу.

Лимфа — шпионская служба иммунной системы

Наряду с системой кровеносных сосудов (они играют роль эндогенной климатической установки) в дерме находится большая сеть лимфатических сверхтонких сосудов. Это шпионская сеть иммунной системы, которая при необходимости посылает разведывательные войска или откомандировывает срочные спецотряды.

Лимфа — это мутная желтоватая жидкость, она подается кровеносными сосудами и транспортирует по тканям белые кровяные тельца — боевые единицы нашего иммунитета, призванные противостоять врагу. Возбудители болезней подвергаются задержанию непосредственно на месте вторжения, т.е. на месте раны, и препровождаются на посты управления. Там, в лимфатических узлах, фагоциты и клетки-«убийцы» при помощи специальных боеприпасов — антител — пускают вражеских захватчиков в расход. Для обороны против врага мобилизуются целые армии лимфоцитов, их цель — как можно быстрее уничтожать новых подступающих захватчиков или же выводить их из строя уже на подходах к воротам инфекции.

Лимфатические узлы, формой напоминающие фасолины, разбросаны по всему организму. Есть несколько крупных глубоко залегающих расположений плюс большое количество подкожных лимфоузлов. Когда лимфоузлы активизированы, человек может их почувствовать; в такие моменты они несколько увеличены и часто бывают болезненными. Хорошо прощупываются лимфоузлы за ушами, иногда в области подмышек. Кто бреет волосы в интимной зоне, тот может через микротравмы занести в ткань бактерии; паховые лимфоузлы их тут же уничтожают. В такие моменты паховые узлы легко прощупываются.

Доброкачественные лимфоузлы сохраняют свою фасолевидную форму, и их можно двигать пальцами туда-сюда.

Случается, что в лимфатические узлы проникают странствующие раковые клетки; узлы фильтруют лимфу, так что злокачественные клетки могут там зависнуть, закрепиться и размножиться. Рассеянные раковые клетки и, конечно же, рак лимфатических желез обычно заметно увеличивают размер лимфоузлов. Поэтому многие, нащупав увеличенный узел, начинают беспокоиться.

Если увеличение лимфоузла не спадает дольше трех недель, надо обязательно показаться врачу.

На самом деле реактивное увеличение лимфатического узла — это дело хорошее. Ведь оно показывает, что организм дал здоровую ответную реакцию.

А вот раковые узлы, в отличие от здоровых, чаще имеют круглую форму, они не твердые и нечувствительны при нажатии, они, скорее, большие, мягкие и безболезненные.

МОЗГ НАШЕЙ КОЖИ: НЕРВЫ, ЗАЩИТНЫЕ РЕФЛЕКСЫ, БОЛЬ И ЭРЕКЦИЯ ВОЛОС

Принцип действия детектора лжи — это наглядное свидетельство связи между кожей и нервной системой. Лгущий испытывает стресс. Даже если его лицо выражает безучастие и невинность, от стресса и страха он все же немного пропотеет, и это в момент изменит проводящую способность его кожи. Попался, голубчик!

Эта функциональная связь закладывается уже на эмбриональном этапе: кожа и нервная система развиваются из схожих клеточных слоев. Для новорожденного уже с самых первых минут жизни важен осязаемый контакт с окружающим миром.

 В XIII веке кайзер Фридрих II проделал ужасный эксперимент: младенцев-сирот только кормили и мыли, но полностью лишали человеческого участия. Все они умирали от недостатка чувства защищенности, любви и кожного контакта. Сегодня мы знаем, как важен такой контакт для младенцев. К примеру, недоношенные дети лучше развиваются, если их не держать все время в инкубационном аппарате, а время от времени прикладывать к обнаженной коже родителей.

Почему так приятно, когда тебя гладят? Почему, если тихонько щекотать спину, по коже бегут мурашки? Почему легкое царапание или щипки, даже если они чуть болезненны, доставляют столько удовольствия?

Ответ таков: **в нашей коже есть немного мозга.** Большей частью он расположен на минус втором этаже, в дерме. Подслушивание, выведывание данных, передача сведений — все эти задачи выполняют нервные клетки, нервные волокна и нейротрансмиттеры — конструктивные элементы нашей нервной системы.

Нервная система состоит из центральной и периферической частей. Периферическая нервная система подразделяется на произвольную и непроизвольную вегетативную нервную систему. Эта последняя настолько непроизвольна (она неподвластна даже нашей воле), что ее еще называют автономной нервной системой (АНС). Она продолжает работать, даже когда человек в коме, управляя его дыханием, кровообращением, пищеварением, ритмами сна, потовыделением, диаметром зрачков, половыми органами и обменом веществ. В автономной нервной системе три компонента: симпатикус, парасимпатикус и нервная система внутренностных органов (в стенке желудочно-кишечного тракта). Симпатикус и парасимпатикус по сути антагонисты. Для симпатикуса важны достижения и темп, он круглые сутки начеку и всегда готов к бегству. Парасимпатикус, напротив, сторонник спокойствия: он за отдых, переваривание, расслабление.

В целом наша нервная система немного смахивает на коммутируемую схему. Нервные волокна — это электропроводка; центральная нервная система, наш мозг и спинной мозг — это коммутационный пункт. Спинной мозг вы можете себе представить в виде информационной магистрали, которая обеспечивает коммуникацию между мозгом и наружными постами: кожей и другими органами, мышцами, суставами, костями. В роли службы обеспечения всех этих постов, включая кожу, выступает периферийная нервная система.

Многими нашими действиями мозг управляет активно и осознанно, и многие ощущения мы также регистрируем сознательно. Умышленные движения рук или ног — это результат принятого мозгом решения. Наш коммутационный пункт что-то решает и посылает соответствующее предписание исполнительным органам. Скажем, если мы намерены пожать кому-то руку, ибо мозг счел это в данный момент вежливым и уместным, то мы открытым жестом протягиваем руку и пожимаем руку находящегося напротив нас человека.

Энергичным или деликатным будет рукопожатие, зависит от того, какое впечатление мы хотим произвести. Хорошо ли, правильно ли действует рука, об этом мозг, в свою очередь, судит по тому, комфортным ли получилось рукопожатие (то есть не доставило ли боли), хорошо ли это выглядело и, разумеется, достигнут ли желаемый эффект. Эту информацию он получает из разведданных, добытых сенсорами и замерными устройствами органов чувств, к которым в значительной степени относится и кожа.

Сенсоры есть повсюду в коже; благодаря маленьким чувствительным рецепторам она получает всевозможные данные из окружающей среды, отмечая раздражения, вызванные прикосновениями, нажатием, вибрацией, температурой и болью. При рукопожатии, например, мы чувствуем давление руки, которую пожимаем. Мы чувствуем вибрацию движения, мы чувствуем руку собеседника: сухая ли она, потная ли, липкая, холодная или теплая. Посредством разветвленной сети расположенных в дерме нервных волокон кожа передает всю эту информацию дальше — в центральную нервную систему. Там информация перерабатывается, и обратно в организм и кожу отсылаются реактивные импульсы. Когда мозг решает, что пожимать руку уже хватит, он кладет конец этому действию, отдавая приказ: «Миссия выполнена».

Итак, кожа и мозг состоят в очень тесном взаимодействии, сознательном и бессознательном. Наша вегетативная нервная система регулирует также расширение и сужение кровеносных сосудов в коже, поднимает волоски (эффект «гусиной кожи») и активирует наши потовые железы... и это лишь несколько примеров.

Но иногда у нас нет времени подключать большой мозг, ибо путь туда довольно долог. Пока он получит информацию и соответствующим образом среагирует, может оказаться уже поздно. Для этих случаев есть защитные рефлексы. Ими управляет непосредственно спинной мозг, ибо это намного быстрее. Защитные рефлексы вступают в силу, например, когда мы подавились: тут срабатывает кашлевой рефлекс, ну а при худших обстоятельствах может быть и рвотный. Или, скажем, в глаз угрожает попасть мошка — активируется мигательный рефлекс.

Наша кожа не могла бы находиться во всеоружии, не будь у нее на службе своего собственного очень важного защитного рефлекса — реакции отступления. Этот рефлекс срабатывает в жару и при боли. **Боль выполняет очень важную для нашего организма сигнальную функцию.** Кожа может почувствовать боль, вызванную жарой, холодом, травмой, кислотой, щелочью, давлением, растяжением, воспалением или ядами. Наши рецепторы боли не очень-то легко возбудимы, нужен довольно-таки сильный раздражитель, чтобы они сработали. Чувствительность рецепторов управляется находящимися в тканях нейротрансмиттерами: они ее регулируют и настраивают, то есть производят своего рода тюнинг.

Когда на коже, в зубе или где-то еще в организме возникает воспаление, климат в тканях меняется в сторону кислотного, и в организм вбрасывается огромное количество нейротрансмиттеров. Это понижает наш болевой порог, то есть мы становимся еще восприимчивее к боли. Бывает, что болит все тело до кончиков волос, мы чувствуем боль в голове и ломоту в суставах. Во избежание дальнейшего ущерба организм призывает нас к постельному режиму и напоминает нам выделить время для лечения.

Стоит находящимся в коже сенсорам боли учуять опасность, как они в мгновение ока посылают предупреждения центральной нервной системе: «Внимание! На левом бедре боль!» или «Осторожно! Правой ладони грозит ожог!» Реакция наступает незамедлительно — мы отдергиваем руку, отскакиваем в сторону, увертываемся. Такая рефлекторная реакция происходит без вовлечения сознания. Срочное донесение о боли и опасности уже на уровне спинного мозга вызывает исключительно быструю реакцию отступления. И только потом информация достигает мозга, который может задуматься о дальнейших превентивных мерах и о том, как избежать опасности.

Когда речь идет о боли, тут вмешивается еще и психика.

Существует вполне реальная болевая память, хранящая прежний опыт. Человеку, долгое время переносившему сильные боли, будет достаточно сравнительно несильной боли, чтобы объявить мобилизацию по полной программе. Поэтому врачи, специализирующиеся на противоболевой терапии, рекомендуют не тянуть с приемом болеутоляющих средств до тех пор, пока иначе уже никак, а уже превентивно принять небольшую дозу лекарства, чтобы организм не получил нового опыта болевых ощущений. Так можно снизить риск того, что человек будет становиться все более восприимчивым к боли, прибегать ко

Психика оценивает боль по своей собственной шкале, в зависимости от того, какой опыт она уже приобрела в течение жизни.

все более мощным медицинским средствам, чтобы вообще хоть как-то унять боль.

Таким образом, пережитая боль, как телесная, так и душевная, оставляют своего рода невидимый шрам на нашей психике, **боль ослабляет наш организм.** При проработке болевых ощущений учитываются, в частности, уроки детства: чему человек научился у родителей, бабушек, дедушек или в детском саду. Была ли боль связана со страхом? Или под девизом «Настоящий индеец не ведает боли» от ребенка требовали, чтобы он ее скорее игнорировал? Очень важно, как внешний мир реагировал на детскую боль, получал ли ребенок после того, как столкнулся с болью, больше внимания, утешения и любви, чем в прочих эмоциональных диспозициях и ситуациях.

Врач часто становится свидетелем, как один и тот же болевой раздражитель, например инъекция, вызывает у пациентов совершенно разные реакции. Это зависит от типа характера: стоик, герой, комок нервов, истерик, мазохист, трусишка, а также от происхождения (в каждом обществе своя культура боли) и от индивидуальной отметки показателя уровня стресса. Терпимость к боли разнится очень существенно.

 Иногда именно сильные на вид мужчины с накачанными мышцами, татуировками и пирсингом оказываются особенно чувствительными к боли и могут потерять сознание всего лишь от укола шприцем.

Некоторым достаточно увидеть канюлю, чтобы запаниковать. Перед внутренним взором прокручиваются кадры, человек напряжен и ждет коварного укола. Вот сейчас, сейчас будет больно. Тут врач может прибегнуть к небольшой уловке: причинив себе боль, человек машинально трет или массирует больное место. На профессиональном языке это называют «друк-анестезией», то есть анестезией нажатием. Эффект от давления и трения на коже перекрывает раздражитель боли. И тогда боль ощущается не так сильно.

Я использую этот факт, когда делаю прививку или внутримышечный укол. Поскольку я предварительно немного защемляю между пальцами соответствующий участок кожи, то сам укол уже почти не ощущается, и пациенту кажется, будто у меня истинный талант делать уколы.

Чувство осязания

В случае серьезной угрозы, например когда угрожает боль, в действие вступают быстро проводящие нервные волокна, через которые информация мгновенно попадает в центральную нервную систему. В менее экстренных обстоятельствах нервной системе не нужно столь рьяно браться за дело, ибо она располагает временем, чтобы спокойно и обоснованно доложить мозгу о свойствах раздражителя. Поэтому для передачи информации о прикосновениях, нажатии, вибрации, температуре и прочих менее острых болевых ощущениях задействуются не столь высокоскоростные нервные волокна.

Для потоков информации от кожи к мозгу медленно означает скорость от 0,5 до 2 метров в секунду, а мгновенно — это примерно 90 метров в секунду. Для того чтобы вообще зарегистрировать раздражитель, всюду в коже на каждом этаже нашего кожного здания, подобно щупальцам, расположены бесчисленные свободные **нервные окончания**. В некоторых местах их до 200 на квадратный сантиметр. Они измеряют болевые температурные раздражения (те, что вызываются температурами выше 45 градусов или ниже 10 градусов по Цельсию), механические или химические воздействия, а также все прочее, с чем столкнутся. Они заметят, что ремень сегодня опять порядком жмет, и зарегистрируют такие своеобразные вещи, как состояние волос после расчесывания или после того как ветер растрепал прическу. При этом щупальца регистрируют особенности позиции волос в корневых влагалищах и передают информацию о том, как это выглядит на нашей голове.

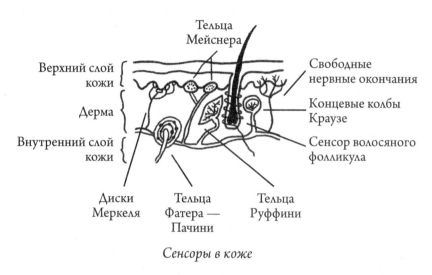

Сенсоры в коже

Сегодня известно, что наряду со своими стандартными нейротрансмиттерами входящие нервные окончания выбрасывают и передают в ткани пару видов дополнительных веществ. Эти вещества живут своего рода незаметной собственной жизнью. Они, как двойные агенты, ведут параллельную деятельность, например, запускают воспалительный процесс в тканях. Они баламутят иммунную систему, мобилизуют фагоциты, лейкоциты и вынуждают мастоциты (тучные клетки) выбрасывать дополнительные вещества: гистамин и субстанцию Р, вызывающие зуд, жжение и отеки. Еще далеко не все сигнальные вещества известны и исследованы, но многие кожные болезни вызываются именно такой нервной активностью и поддерживаются соответствующими воспалениями.

Наряду с этими «щупальцами» — нервными окончаниями — в коже есть еще целый ряд различных измерительных сенсоров. Привязанные к нервным волокнам, они залегают в тканях, как маленькие баллончики на ножках.

У них эффектные имена, ну прямо агенты секретной миссии:

Таблица 1

Тип рецептора	Функция	Расположение
Диски Меркеля	Давление, прикосновение	Нижняя часть верхнего слоя кожи (эпидермиса)
Тельца Мейснера	Давление, прикосновение, тонкое осязание (осязание в кончиках пальцев)	Верхняя часть дермы
Тельца Руффини	Растяжение	Средняя часть дермы
Свободные нервные окончания	Прикосновение, температура, боль	Верхний слой кожи (эпидермис), вся дерма
Пластинчатые тельца Фатера — Пачини	Вибрация	Внутренний слой кожи (гиподерма)

Наш мозг хранит изображение кожи, и оно подобно отражению нашего организма в кривом зеркале. Участкам, где проходит большое количество нервов, мозг отводит много места, но почти не отражает слабо иннервированные участки. Если это искаженное изображение, хранящееся в коре головного мозга, воспроизвести в виде человека, то у него были бы огромные руки с гигантскими пальцами и чудовищные по размерам губы. Ведь именно губы и пальцы осязают особенно интенсивно.

Мы часто используем выражение «чувствовать кончиками пальцев», и не зря: там 2500 рецепторов на один квадратный сантиметр.

Этого фрика, существующего в нашем головном мозгу, медики назвали латинским словом Homunculus, что означает «человечек».

 В Средние века, когда люди только начали размышлять об алхимическом или химико-медицинском сотворении искусственной жизни, гомункулус начал свою «карьеру» как своего рода научный демон. Пройдя через стадии различных культурных и литературных значений, в 50-е годы XX века он наконец обрел новую славу в прикладных нейронауках: он стал метафорой, обозначающей корреляцию различных частей тела к определенным зонам в мозге человека.

Гормоны: садомазохизм и миролюбие

Бывает боль, которая не вызывает у человека негативных ощущений. Уже в юные годы мы сталкиваемся с ситуациями, когда она даже кажется нам приятной. Дети обожают друг друга пытать, щипать, кусать, мять, и драться друг с другом они тоже любят. При этом они часто доходят до болевой границы, а иногда и немного переступают ее. И во взрослом возрасте игра с этой границей не теряет своей прелести.

В человеческом мозгу центр боли и центр удовольствия соседствуют. Внешние раздражители обрабатываются обеими зонами мозга.

Чувствуя боль, организм выбрасывает гормон бегства и стресса адреналин плюс еще подавляющие боль вещества опиоиды, они заглушают боль и вызывают эйфорию. Этот эффект можно проследить и в сексе: оргазм затрагивает границу удовольствия и боли, одновременно происходит выброс опиоидов, которые из-за своего воздействия попутно обладают потенциалом подсаживать на секс, как на наркотик.

Зигмунд Фрейд долго размышлял над тем, как можно объяснить удовольствие от боли, ведь по сути боль несет сигнальную функцию. Но, очевидно, эта функция срабатывает только в нашем рациональном мышлении. А бессознательное ведает только интенсивность чувства и, согласно Фрейду, не различает, хорошее это чувство или плохое. В основе похоти, которую человек активно ищет всю свою жизнь, лежит достижение интенсивности чувства, а значит, похоть может что-то извлекать и из боли. Бессознательное не дает оценок, это делает мораль, когда она встревает со своим «Ты что, спятил? Это же больно, ты не можешь на самом деле этого хотеть».

Психоаналитики убеждены также в том, что истинное удовольствие может возникать только из преодоления неудовольствия, и здесь тоже содержится вероятное объяснение причин, почему боль может быть и ужасной, и прекрасной. Кто-то здесь возразит, мол, оргазм же совершенно безболезнен. Разумеется, наука не может диктовать человеку, как ему чувствовать. Да и психоаналитик тоже. Здесь вспоминается эпизод из фильма Вуди Аллена «Манхэттен», где женщина во время вечеринки говорит своей подруге: «Недавно я испытала оргазм, но доктор сказал, что он был неправильный».

В плане достижения удовольствия конкуренцию прекрасной или ужасной боли составляют приятные прикосновения, поглаживания, почесывания и массажи. Это все вещи, которые мы воспринимаем своей кожей. Они вызывают всевозможные позитивные ощущения. При этом в гипофизе выбрасывается гормон нежности и привязанности — окситоцин. О том, что за этим кроется, вы сейчас узнаете.

Окситоцин издавна известен как гормон, выделяемый организмом матери во время кормления ребенка. Окситоцин способствует сокращению мышечных волокон у молочных желез, и тогда прибывает молоко. Попутный эффект — окситоцин делает мать нежной, терпеливой и крепко привязывает ее к ребенку. Еще одна достаточно известная функция этого гормона — запуск механизма родовых схваток. Секс незадолго до срока родов может провоцировать родовые схватки, поскольку секс влечет за собой выброс окситоцина как у женщины, так и у мужчины.

Недавно были отслежены и другие эффекты: окситоцин является антидепрессантом, который, будучи используемым в виде спрея для носа, повышает настроение в случае послеродовой депрессии.

Во время секса окситоцин помогает мужчине достичь оргазма, его выброс привязывает партнеров друг к другу, поэтому он считается также гормоном верности.

Он повышает привлекательность партнеров, помогает улаживать разногласия, действует против стресса, поскольку разрушает кортизол, а также он делает человека счастливым и раскрепощенным. Прикосновения, поглаживания, поцелуи и секс поддерживают высокий уровень окситоцина. Если пара переживает эмоциональное отчуждение, то целенаправленная телесная близость может повысить уровень окситоцина, снова разжечь огонь любви там, где это еще возможно.

И здесь мы подходим к одной дилемме нашего общества: **на свете слишком много людей, испытывающих дефицит прикосновений.** Это и отдельно живущие холостяки, и незамужние женщины, и одинокие старики, а в некоторых регионах телесные контакты ограничиваются религиозными убеждениями. Недостаток приятных прикосновений к нашей коже ведет к дефициту выброса окситоцина, а тем самым к стрессу, страхам и разладу межличностных отношений.

Таким образом, несколько устарелые, но все еще подкупающе милые лозунги типа «Make love, not war» или «Петтинг вместо першингов» однозначно имеют неврологическую, миролюбивую и полезную для здоровья подоплеку. Итак, чего вы еще ждете?

Чешется!

Зуд — это близкий родственник боли. Однако эти чувственные восприятия существенно различаются в одном пункте: боль приводит в действие рефлекс к бегству, а зуд вызывает буквально насильственную тягу.

Когда к врачу приходит пациент со вшами или чесоточными клещами, вся команда тут же непроизвольно начинает чесаться, при том что никакой гад не смог бы так быстро перепрыгнуть. Причиной может быть своего рода архаическое зеркальное поведение. Когда-то в давние времена, если кому-то приспичило почесаться в обществе, то остальные тоже сразу начинали чесаться. Это защитная реакция, ибо, почесавшись, можно хотя бы в какой-то мере удалить с себя подхваченных паразитов.

Однако если чесать зудящее место, неприятные ощущения будут только усиливаться. Под внешним воздействием тканевые мастоциты (тучные клетки) в дерме высвобождают еще больше вызывающего зуд гистамина. Но почему иначе не получается и почему мы делаем нечто контрпродуктивное?

Одновременное возникновение неприятного ощущения (чешется!) и позыва чесаться, чтобы от этого неприятного ощущения избавиться, является предметом психологических исследований. Согласно одному из психоаналитических объяснений этого механизма, нам в некоторые моменты просто слабо противостоять искушению почесаться. Зная, что мы себе этим вредим, мы все же вчесываем бактерии в кожу, травмируя себя и причиняя себе боль. В этом есть определенная доля мазохизма, в различной степени заложенного в каждом человеке. Но в чесании скрываются и аспекты удовольствия. Здесь будет в тему одна не слишком веселая шутка: «Что может быть прекраснее оргазма? Грибок стопы! Он чешется дольше».

Многие кожные болезни сопровождаются зудом. Информацию в мозг передают не сверхбыстрые нервные волокна, а медленные, не покрытые изолирующим слоем волокна. Предположительно есть еще отдельные нервные волокна, отвечающие только за проведение ощущения зуда.

Боль или температура могут приглушать зуд. Альтернативные ощущения, создаваемые нажатием, укалыванием, теплом или холодом, — это отвлекающий фактор для нервных волокон. Такой же эффект достигается с помощью капсаицина, его делают из растения паприки, и он вызывает сильное жжение. Капсаицин ведет к выбросу субстанции P. Этот эффект используют в терапевтических целях, применяя крем с капсаицином против зудящих кожных заболеваний, а также против болей после опоясывающего лишая. Действующее вещество капсаицин многим знакомо также по кремам или пластырям против болезненных мышечных спазмов. Жжет адски, но, вызывая жжение, капсаицин способствует усилению локального кровообращения и обмену веществ, что вызывает ощущение тепла, уменьшает боль и воспаление, а также отвлекает от зуда.

Зуд бывает разным и передается в центральную нервную систему разными нейротрансмиттерами. Зуд может ощущаться по-всякому, начиная от щекотки, жжения, рези и вплоть до глухой боли. Насколько различны передающие вещества, настолько разнится и реакция человека на зуд. Пациенты с нейродермитом трут пораженное место, при укусе комара или контактной экземе чешут; при зуде, вызванном нарушениями обмена веществ, то есть при диабете и заболеваниях печени или почек, ковыряют ногтем вплоть до дырки в коже; в последнем случае ощутимое облегчение наступает только тогда, когда выступит кровь. При крапивнице хочется это место охладить, при трихорексисе — осторожно потереть.

Обращение с зудящей кожей основывается на архаической потребности ногтями выцарапать из кожи вызывающих зуд паразитов.

Был у меня такой исключительный случай. Ко мне на прием с жалобой на сильный зуд пришла главный редактор одного отраслевого журнала. Она перепробовала массу средств лечения: кортизон, противопаразитные средства, кремы для ухода за кожей. И ничто ей не помогало. Женщина принесла маленькие баночки с насекомыми и крошками, которые она нашла на себе или в своей кровати. Она полагала, что стала жертвой этих зверенышей, и потому у нее такой сильный зуд. Но в этом зверинце были не гнусные паразиты, а простые мухи и жуки. А крошки были действительно крошками: кусочками корок, перхотью и частицами грязи. То есть всем тем, что можно найти в любой квартире.

Мне на память спонтанно пришла болезнь, называемая **маниакальным дерматозоонозом**. Это психо-дерматологическое заболевание, при котором пациент страдает от мнимого поражения вредителями. Но редакторша все-таки не производила впечатление человека, страдающего от бредового самовнушения. Поскольку на коже не было никаких следов заболевания, которое могло бы объяснить зуд, я стала выяснять, не скрывается ли за этим аллергия, проблемы с обменом веществ или опухоль.

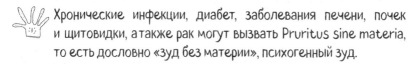 Хронические инфекции, диабет, заболевания печени, почек и щитовидки, а также рак могут вызвать Pruritus sine materia, то есть дословно «зуд без материи», психогенный зуд.

Для верности я послала ее к врачу-радиологу. Результат был как гром среди ясного неба: оказалось, что у женщины очень редкий вид рака: так называемая саркома, которая перекинулась от брюшной полости к легким. Вот в чем была истинная причина жалоб. Дело было в «паранеопластическом» зуде, его вызывают злокачественные новообразования, опухоли или лимфомы (рак лимфатической системы). На болезнь наложилась мания по поводу паразитов, все это продолжалось полтора года, и возможность постановки раннего диагноза была упущена. После операции и химической терапии пациентке оставалось от силы полтора года. Потом она умерла.

Кожа подслушивает

От холода, а также при нежном дуновении на кожу или поглаживании у нас бывает гусиная кожа. Кстати, вообще-то этот феномен дерматологи называют *фолликулярным гиперкератозом*, а еще эрекцией волос. При этом волосы, которые вообще-то всажены в кожу под наклоном, принимают вертикальное положение, а облегающие их слои кожи вздыбливаются бугорком. Это получается, возможно, из-за того, что в глубине каждой волосяной сумки есть тяговая мышца. Эти мышцы управляются вегетативной нервной системой, то есть мы не можем на них влиять сознательно.

Гусиной коже сопутствует легкое ощущение холода, небольшой озноб по всему телу. Объясняется он тем, что при гусиной коже общая поверхность кожи несколько увеличивается, таким образом отдается больше тепла и пота, и в результате испарения мы чувствуем понижение температуры.

Гусиная кожа от холода — это пережиток доисторических времен. Когда, скажем, на нашей руке выпрямляются маленькие волоски, мы словно взъерошиваем свою шерсть. Как в термосе, где вакуум между двумя стенками сосуда защищает от потери тепла, так и немного подогретый воздух, замкнутый в шерсти, должен предохранять нас от охлаждения.

Выпрямление волос на шее, тот самый феномен, когда волосы встают дыбом, в принципе происходит по той же схеме, но суть в ином: так же, как и у наших собратьев из животного мира, это взъерошивание призвано придавать нам устрашающий вид, чтобы мы казались больше и сильнее.

 Исследователи размышляют над тем, не соответствуют ли некоторые звуки типа скрипа мела по доске или царапания ногтем по пенопласту частотам, напоминающим крики звериных детенышей, потерявших маму. Или не является ли резкий скрежет столовых приборов по фарфору сигналом об опасности с точки зрения эволюции? Короче говоря, что мы точно знаем, так это то, что звуки оказывают большое влияние на нашу душу и нашу кожу.

Однако еще не совсем изучено, почему нас пробирает эмоциональный озноб и волосы встают дыбом в некоторые эмоциональные моменты, например, когда мы смотрим фильм о любви или слушаем берущую за душу музыку. В любом случае это еще раз говорит о происхождении кожи и нервной системы из общего зародышевого пласта эмбрионального периода.

И еще кое-что обнаружили ученые. **Наша кожа может даже слышать, по крайней мере, если говорить о покрытых волосами лодыжках.** Если с ними разговаривать, они могут воспринимать колебания воздуха, которые мягко стимулируют кожу и волосы. Участники исследования, несмотря на то что их снабдили абсолютно звуконепроницаемыми наушниками, могли идентифицировать звуки, обращенные к их

Гусиную кожу дерматологи также называют эрекцией волос.

лодыжкам. И другие участки тела, например, шея и руки, тоже участвовали в так называемом аэротактильном прослушивании. И — внимание — небритые ноги слышат лучше бритых. Это давало преимущество слушателям-мужчинам. Здесь непременно последует несколько сексистский вопрос о том, а не станут ли женщины лучше слышать своих мужчин, если не будут депилировать ноги? Или, наоборот, кто-то задастся вопросом, почему небритые мужчины глухи к просьбам своих жен типа помыть посуду.

ЖЕЛЕЗЫ И ИХ СЕКРЕТЫ: ОБ АТТРАКТАНТАХ, ПОТЕ, КОЗЯВКАХ И О ТОМ, КАК ПАХНЕТ И НЮХАЕТ КОЖА

Не знаю, как лично вы отнеслись бы к рассказам своих родителей об их сексуальной жизни. Для некоторых это кошмар, другие терпят, а третьи, вероятно, отнесутся позитивно, ведь они все же продукт этой любви. Но если в вашем присутствии на такую скользкую тему разглагольствуют друзья родителей, то чувствуешь себя довольно странно. Будто вновь оказываешься в роли ребенка своих родителей, хотя на самом деле давно уже из этой роли вырос.

Вот что произошло однажды во время праздничного ужина у моих родителей: подруга матери говорила о том, что нет ничего прекраснее запаха мужчины во время любовных утех. Мои родители не знали, куда спрятать глаза; думаю, такой неловкости не возникло бы, не будь за столом меня, их дочери. Замерев и затаив дыхание, я наблюдала за собравшимся обществом. Нельзя было не заметить, что у каждого из собравшихся в голове прокручивался свой маленький киноролик. Разумеется, каждый представлял себе сексуальный запах своей половинки, причем эти половинки сидели тут же за столом.

Индивидуальный запах тела каждого человека определяют кожные железы и их отделяемое, а также питаемые этим отделяемым популяции микроорганизмов и продукты их метаболизма.

Различают два вида желез: классические потовые железы и их разновидность — пахучие (апокриновые) железы. Первые явно в большинстве.

Они находятся глубоко в дерме и похожи на клубки. Выводные протоки этих желез выходят на поверхность кожи.

Желез особенно много на ступнях (700 штук на квадратный сантиметр) и под мышками (примерно 150 на квадратный сантиметр). На спине их меньше, всего 64 на квадратный сантиметр. У спортсменов они больше размером, чем у тех, кто не дружит со спортом.

При необходимости потовые железы производят до десяти литров пота в день. Но норма всего лишь от 100 до 200 миллилитров. Если вы теперь спросите, зачем нужно выпивать ежедневно не менее 1,5 литра воды, отвечу: дополнительно мы теряем большое количество воды со стулом и мочой, с дыханием, а также вследствие невидимого испарения с поверхности кожи.

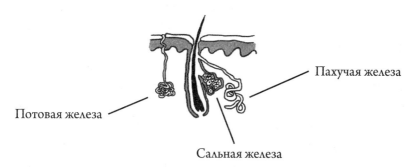

Потовая железа

Пахучая железа

Сальная железа

Три вида желез

Кстати, потовые и пахучие железы приводятся в действие тем же нейротрансмиттером, что управляет и мышцами, — ацетилхолином, поэтому и железы, и мышцы можно парализовать ботулиническим токсином.

Жара, стресс, лишний вес, а также страсть и другие чувства могут активировать деятельность потовых желез через посредничество сигнальных веществ. Вследствие стресса руки и ноги потеют, а значит, становятся цепкими, ведь наше первобытное тело отождествляет стресс

В общей сложности у человека почти три миллиона потовых желез, они располагаются в коже повсюду, кроме губ и полового члена.

с опасностью нападения, так что организм предусмотрительно увлажняет руки и ноги, чтобы мы не поскользнулись, убегая от дикого прожорливого зверя. Пот на 99 процентов состоит из воды, отжатой из нашей крови. Пот способствует поддержанию кислого pH-баланса кожи и кислотной защитной мантии, а также помогает регулировать температуру. Испаряясь с поверхности кожи, он охлаждает нас.

В поту также содержатся остаточные частицы крови: хлористый натрий, калий, аммоний, молочная кислота, мочевина, аминокислоты, белки, глюкоза, нейротрансмиттеры, ферменты, а также остатки медикаментов и вирусы.

Чрезмерная потливость тела или его отдельных частей — это явление нездоровое, и называется оно *гипергидрозом*. Тут нужно обязательно разбираться, нет ли какого-то заболевания щитовидной железы, нет ли диабета, рака, воспалительных процессов или инфекции. Если вы настолько сильно потеете ночью, что вам приходится менять пижаму, то это тоже серьезное предупреждение.

Теоретически пот заразен, и при тесном контакте возможна передача гепатита B.

Против сильной потливости в первую очередь применяются содержащие хлорид алюминия антиперсперанты, они сужают выводные протоки потовых желез. По поводу содержащих алюминий дезодорантов то и дело возникают дискуссии, потому что таким образом алюминий может через кожу попасть в организм, что повышает риск деменции и даже рака. Но на самом деле исправно действующий кожный барьер — это довольно надежная стена, она не пропустит существенных количеств алюминия. Пока еще не известно, сколько именно алюминия поступает через кожу, но можно предположить, что свежевыбритую кожу преодолеть несколько легче, ведь ее защитный барьер ослаблен. Алюминий — это природный элемент, он третий по частоте встречаемости элемент земной коры, так что фактически мы ежедневно употребляем его в значительно бóльших количествах вместе с едой и питьевой водой. Пищевая фольга и лотки для гриля также выделяют алюминий, особенно при контакте с кисло-соленой едой.

Алюминий встречается во многих косметических средствах, в солнцезащитных кремах, зубных пастах и губных помадах, а также в прививочных препаратах и желудочных таблетках.

Означает ли это, что они влекут за собой бо́льшую угрозу деменции или рака груди, чем антиперсперанты, пока еще не выяснено. Так или иначе, эти блокираторы пота — великое благо для тех, кто сильно потеет. Также против гипергидроза применяют таблетки, воздействующие на вегетативную нервную систему, инъекции ботулотоксина в потеющие участки кожи, терапию слабым током и проточной водой, откачивание потовых желез. Практикуемый до сих пор такой метод борьбы против потения, как оперативная блокада нервных стволов, к сожалению, чреват серьезными побочными последствиями, ведь в ходе этой операции прерывают ствол симпатического нерва, из-за чего потение хотя и ослабевает в конкретном месте, но зато другие места, например ягодицы, нередко начинают потеть сильнее.

Еще одним следствием такого вмешательства может стать нависшее веко, потому что симпатический нерв играет важную роль для напряжения глазного века.

Когда человек без конца сильно потеет, у него перманентно переувлажнен защитный барьерный слой, и там создаются условия для размножения штаммов бактерий.

Свежий пот не воняет. Он начинает дурно пахнуть только в результате жизнедеятельности бактерий, они разлагают пот. Особенно интенсивен пот, поступающий из пахучих желез. Жирные кислоты кожи и роговые клетки также специфически пахнут, когда их переваривают бактерии. В результате возникают вонючие кислоты: молочные, муравьиные, уксусные и прочие жирные кислоты с короткими цепями. Они же содержатся в запахах эмментальского и лимбургского сыров, прогорклого масла, козлятника и рвотных масс.

 Кстати, химики-пищевики используют потовые кислоты для создания ароматов в йогуртах и десертах. С их помощью можно создать искусственный аромат банана или ананаса. Аппетитно, не правда ли?

В воздухонепроницаемом ботинке и в плохо проветриваемых складках тела царит атмосфера влажного термостата, там рай для запахов. Изрядный запашок можно унюхать даже у младенцев между пальчиками ног. Чем дольше бактерии будут беспрепятственно работать, тем интенсивнее будет букет.

Об озерах любви и выборе партнера

Выделяемый нашими пахучими железами пот немного вязкий и молокообразный, поскольку в нем больше жиров и белков, чем в классическом поте. Во время секса люди обычно потеют, партнера окружают запахи, и в пупке может собраться мутное озерцо из пота — озеро любви из продуктов секреции пахучих желез.

Этим секретом питаются голодные коринебактерии, которые доминируют у мужчин. У женщин значительную часть кожной флоры обычно составляют микрококки. Поэтому запах мужского пота более резкий, а женского, скорее, кислый. Для особо зловонного пота у медиков даже есть диагноз — *бромгидроз*. Слово имеет греческие корни и означает «потный смрад».

Пахучие железы выполняют, однако, и хорошие функции: в отличие от классических потовых желез их выводные протоки выходят не на поверхность кожи, а в волосяные воронки.

Волосы на голове и в интимной зоне в значительной мере служат распылению половых аттрактантов.

Волосы под мышками и в области гениталий могут оказывать охлаждающий эффект: когда волосы мокрые от пота, создается эффект испарения; также эти волосы служат прокладкой, предотвращающей непосредственное соприкосновение кожи с кожей и обеспечивающей поступление воздуха. Были бы у нас волосы между пальцами ног, мы были бы эффективно защищены от дурного ножного запаха.

И в то же время волосяной покров в интимной области и под мышками увеличивает поверхность, способную задерживать пот и пахучие бактерии, на что часто ссылаются как на аргумент в пользу депиляции. Сколь бы рьяно чистюли себя ни мыли, они рано или поздно заметят, что определенный запах практически никогда не исчезает, а если и исчезнет, то вскоре появится вновь. Это из-за пахучих желез, которые неустанно вызывают подкрепление. Так что начиная с подросткового возраста люди все равно пахнут в генитальной и анальной областях, под мышками, местами на лице, на голове и на торсе, у грудных сосков, пахнут запахами своего тела, своим индивидуальным парфюмом. И это имеет свой смысл: люди взаимодействуют при помощи слов, манеры держаться, мимики, жестов и телесных запахов. Часть этих запахов мы хорошо осознаем, например, если от кого-то ужасно несет потом, кожным салом или немытыми ногами, но часть телесных ароматов мы можем воспринимать лишь инстинктивно.

У животных пахучие вещества выполняют сигнальную функцию; в последние годы наука находит все больше указаний на то, что подобное происходит и у людей: речь идет о действии феромонов. Феромоны привлекают младенца к материнской груди, влияют на сексуальное поведение и на выбор партнера, ну а также могут передавать страх.

Собаки радостно подбегают именно к тому, кто при взгляде на четвероного начинает судорожно дышать. В такой момент человек испускает запах страха, который для хитрой псины ну просто король запахов. В результате выброса адреналина возникают другие сигнальные запахи, они могут содержать, например, предостережение: информация в форме запаха передается в обонятельный орган потенциального агрессора и означает нечто вроде «Не подходи ко мне слишком близко».

Если человеку приятен чей-то запах, тем более если этот кто-то заговаривает в эротическом ключе, то человек чувствует особое расположение. Здесь у женщин исключительно тонкое чутье. Вкупе с их талантом читать эмоции по лицу, что женщинам удается лучше, чем мужчинам, это дает им массу преимуществ в каждодневной жизни.

Когда мужчина хочет показать, какой он классный парень, он сядет, широко раздвинув ноги, и будет то и дело непринужденно заводить руки за голову. Призыв к дамскому миру: «Эй! Понюхай меня!» Такой позой он проветривает промежность и подмышки и распыляет феромоны неотразимой мужественности. На случай если вы сразу подумали, мол, «типичный мужик»: когда женщина, казалось бы, совершенно случайно отводит рукой волосы назад, она не только кокетничает. Она тоже ищет невинный повод проветрить подмышки и привлечь заинтересованного мужчину.

Вообще **всякое сексуальное заигрывание с химической точки зрения ведется посредством запахов**: у мужчин щедрые запасы сексуального ароматического вещества андростадиенона прежде всего в сперме и на волосах и коже подмышек. Андростадиенон, поначалу лишенный запаха, постепенно расщепляется и пахнет сперва мочевиной, а затем мускусом и сандалом. Он приводит женщин в позитивный настрой в моменты, когда это соответствует ситуации. Эстратетраенол заводит мужчин и влияет даже на их вегетативную нервную систему. А вот женские слезы, наоборот, мужчин не вдохновляют. Но и в них есть феромоны. Стоит мужчине учуять женские слезы, как у него уменьшается сексуальное желание.

Пахучими веществами женщина синхронизирует свой цикл, когда она живет вместе с мужчиной. Для владельцев гарема это отрицательный момент… А если мужчине или женщине предоставить право выбрать свободное место, то они, скорее всего, сядут на те стулья, на которых до этого сидел представитель противоположного пола. То же самое происходит, если на стулья брызнуть спреем с феромонами — участники эксперимента подсознательно ощущали шлейф манящего аромата и выбирали соответствующий стул.

При выборе партнера мы чувствуем, подходит ли нам генетически заложенная иммунная система потенциального спутника, ибо это может гарантировать здоровых наследников. Если дать женщинам понюхать ношеные мужские футболки, они выберут те футболки, и тем самым тех владельцев футболок, которые несут в себе запах сильно отличающегося маркера иммунной системы — комплекса MHC (Major Histocompatibility Complex — главный комплекс гистосовместимости). В рамках семьи этот маркер схож, по нему можно идентифицировать членов семьи как членов единого целого. Таким образом, закладывается возможность предупреждать инцест. Инстинкт, управляющий выбором партнера, предостерегает от слишком схожих, но и от чересчур различающихся маркеров иммунной системы.

Разумеется, при выборе роль играет также внешность и личность человека, и все же биохимия между двумя людьми имеет большое значение. И соответственно, перемена или притупление индивидуального запаха тоже оказывает воздействие. Это может произойти, например, в результате приема противозачаточных таблеток. Искусственные гормоны меняют восприятие запахов женщиной, но они также меняют и ее запах.

Если двое знакомятся в период, когда она принимает противозачаточные, то может так случиться, что, когда она отменит курс, они перестанут чувствовать запахи друг друга. При выборе парфюма часто люди склоны инстинктивно выбирать тот, который усиливает их собственные пахучие вещества, и все же, используя всяческие лосьоны, мыла, шампуни, спреи, дезодоранты и духи, мы рискуем перекрыть свой истинный запах со всеми его важными сведениями и нюансами. Мы сбиваем обоняние с толку. И тогда получается мешанина, и человек оказывается не с тем или не с той в постели или, что еще хуже, в браке.

Нюхать может не только нос с его почти 350 различными рецепторами, но и кишечник, почки, простата, кожа — в них тоже есть нюхательные рецепторы. Своими рецепторами кожа может унюхать кератиноциты и почуять аромат сандалового дерева. Мы помним: сандалом пахнет мужской пот в процессе диссимиляции. Фу… Исследователи установили, что активизация такого рецептора способствует более быстрому заживлению повреждения кожи. Наводит на нелепый и, казалось бы, странный вопрос: а не считать ли мужской пот целебным? Не скрывается ли в этом сандаловом аромате не только афродизиак, но и сырье для целебных мазей будущего? Вопрос, на который наука еще должна дать ответ.

Даже сперматозоиды несут в себе рецепторы обоняния, которые в лабораторных условиях реагируют на искусственный аромат лесного ландыша и просто бесятся от него. Будучи, по всей видимости, промискуитетными, в лабораторных условиях они бросаются на запах ментоловой жвачки. Ну а в теле женщины сперматозоид все еще по-прежнему должен довольствоваться в качестве приманки женским гормоном прогестероном из яйцеклетки.

Козявки и сопли

Запах окружает нас везде и в определенных ситуациях почти лишает нас воли. Мы жадно вдыхаем запах или, сморщив нос, отворачиваемся от него. И так же мы отворачиваемся, если при нас кто-то самозабвенно ковыряет в носу, выгребая из его глубин содержимое обонятельных луковиц. И это несмотря на то что от содержимого собственных носов нас так не коробит. Вовсе наоборот. Мы с интересом изучаем цвет и консистенцию того, что оказалось в нашем носовом платке или что мы вынули на свет божий собственными пальцами. А зачем же еще природа одарила нас этим ключом-многогранником с различными диаметрами, как не для плодотворного очищения носа?

Или вы не проводите экспертизу носового платка, не проверяете, что за прелесть вы там произвели? Избавить себя от большой сухой сопли в носу — это же такое славное чувство освобождения! Или вот, про мужчин наблюдение... Как же чудесно сморкаться во время пробежки или гоняя мяч: зажал одну ноздрю, а из другой выпустил солидный тягучий ком слизи!

А излюбленным местом для ковыряния в носу, наверное, все же остается автомобиль. И вот, сидя за рулем, водители самозабвенно ковыряют в носу, будто в машинах нет окон. А некоторые даже перекусывают прозрачно-белыми соплями. Ну чем не пикантный деликатес?

Нам омерзительны сопли окружающих потому, что за миллионы лет наш мозг выучил: есть вещи, вредные для здоровья и угрожающие нашему существованию. И на самом деле, пока не были изобретены антибиотики, желто-зеленые инфекционные сопли представляли собой крайне серьезную опасность. Зеленый цвет говорит о наличии бактерий, желтый цвет — это гной.

Сопли и козявки состоят, в частности, из водянисто-слизистых продуктов секреции носовых желез и из мокроты так называемых бокаловидных клеток. Эти клетки получили свое

Сопли – это в различной степени запекшиеся продукты секреции, выделяемые из носа, с примесью пыли, крови, гноя или микробов.

название из-за того, что в разрезе они напоминают стаканчики из-под йогурта. Клетки располагаются в слизистой оболочке и выпускают свое содержимое, чтобы увлажнять слизистую носа. Благодаря слизистым веществам, смешанным с водными компонентами из желез, там создается субстанция, которая может иметь разную консистенцию — от сухой до резиноподобной, что и объясняет различные агрегатные состояния отделяемого.

Иногда сопли поступают еще и из околоносовых пазух, этаких подающих устройств, представляющих собой выстланные слизистой оболочкой камеры в костном лицевом черепе. Можно подумать, они нужны лишь затем, чтобы создавать нам неприятности периодическими воспалениями. Но у них более высокое предназначение, а именно: они играют роль наполненных воздухом «пустышек» в черепе, иначе череп был бы слишком массивным и тяжелым. Околоносовые пазухи — это своего рода климатические установки для вдыхаемого воздуха, благодаря им воздух поступает в дыхательные пути и в легкие теплым и увлажненным.

Самые большие полости в нашем черепе — это лобная и гайморова пазухи. Они не очень хорошо проветриваются, и когда входное отверстие в полость отекает (что бывает, например, при насморке), там быстро становится душно и тесно. В таком климате бактериям привольно, и они превращают полости в царство мрака. И вот тогда нам действительно больно.

Микроорганизмы, грязь и пыль, которые мы вдыхаем через нос, улавливаются посредством липкой сопливой слизи. Волосы в носу задерживают крупные частички грязи и насекомых, они выполняют роль привратников на входе в дыхательные пути. К сожалению, для защиты от мелкой пыли такой фильтрации носу недостаточно. В отличие от явно видимой строительной пыли, мелкодисперсная пыль проникает в организм и доходит вплоть до мельчайших легочных пузырьков.

У крошечных подвижных ресничек, закрепленных на слизистой оболочке нашего носа, очень важная функция: подобно конвейерной ленте, они транспортируют сопли по направлению к гортани, а наклонным лотком здесь служит язычок мягкого нёба. Мы незаметно проглатываем отделяемое, а желудок его сепарирует и разъедает. Но в условиях сухого отапливаемого воздуха и в зимнюю погоду сама слизистая носа тоже становится суше и потому уже не столь эффективно выводит возбудителей болезней, так что риск инфекции возрастает.

Подобно тому, как наша кожа образовывает чешуйки и перхоть, чтобы избавляться от вредных микробов и раздражающих веществ, так и наш нос старается избавляться от инфекций, создавая жидкий насморк. Ковыряние в носу во время насморка нередко чревато плохими последствиями. Как правило, человек не моет побывавший в носу палец. И тогда при следующем же рукопожатии или после того, как человек схватился за ручку двери или подержался за поручень в автобусе, болезнетворные микробы и вирусы с легкостью передаются следующей жертве. Если у жертвы окажется ослабленная иммунная система, то насморк или грипп обеспечены. Так что соблюдайте старое доброе правило: мойте руки перед едой!

Любители поковырять в носу переносят бактерии из носа и на собственную кожу тоже. Если не повезет, то на носу, на губе или на подбородке появятся медово-желтые корки; они, однако, далеко не мед, а кишмя кишат заразными стрептококками или стафилококками. Это кожное заболевание называется *impetigo contagiosa* (что приблизительно переводится как «заразное нападение»), или стрептодермия; оно часто берет свое начало в носу, а пальцы служат ему транспортным средством.

Дерматологи очень заинтересованы в том, чтобы слизистые были здоровы, потому что на инфекции слизистой кожа тоже реагирует (такова уж ее отзывчивая натура), и реакция оборачивается сыпью, экземами, псориазом или зудом. Действия иммунной системы, вообще-то призванной бороться с микробами в слизистой, в этих случаях нередко оказываются направленными против кожи. Такой эффект называют парa-инфекционным.

Ушная сера в ушах засела

У каждого из естественных отверстий нашего тела есть своя тщательно настроенная система для защиты от попадания в организм опасных веществ и прочих нежелательных гостей.

 Есть такой миф, будто человеку угрожают уховертки, они, мол, задом наперед залезают в уши, а сзади у них «щипцы», ими уховертки якобы разрезают барабанную перепонку, чтобы затем добраться до мозга и отложить там яйца. В действительности же этим букашкам, как и прочим насекомым, наши уши кажутся омерзительными. Ушная сера горькая, и стоит насекомым попробовать этот вкус, как они быстро ретируются.

В ушах находится два вида желез: крупные сальные железы и одна из вариаций пахучих желез, и вместе они продуцируют эту клейкую и горькую ушную серу, состоящую из тысячи компонентов. Ушные врачи с полным основанием не рекомендуют удалять желтое вещество. Залезая палочкой с ватой слишком глубоко в ухо, вы рискуете затолкать серу внутрь вместо того, чтобы вытащить ее наружу. И тогда ушная сера может обложить барабанную перепонку, та уплотняется, и человек неожиданно начинает плохо слышать. В таких случаях отоларинголог должен осторожно удалить серную пробку специальным прибором. При этом нередко из ушей вытаскивают прямо-таки целые камни янтарного цвета — ушную серу.

Горькие вещества и серное сало защищают ухо не только от насекомых, но и от инфекций, пыли и воды. **Мыть уши теплой водой вполне достаточно, чтобы содержать уши здоровыми.** К сожалению, большинство людей очень трудно отговорить от применения ватной палочки.

 Для многих чистка ушей — это чуть ли не эротический акт. Копание в ушах вызывает приятные ощущения, иногда, однако, и позывы к кашлю, потому что через ухо проходит нерв кашлевого рефлекса.

Сальные железы и сальные «червячки»

Ушное сало является особой разновидностью обычного кожного сала, этого замечательного творения природы. Наши сальные железы, так же как и потовые и пахучие железы, находятся в дерме, на минус втором этаже. В зависимости от места расположения их количество колеблется от 100 до 1000 на квадратный сантиметр, и располагаются они на волосяных фолликулах.

Железистые клетки в ходе секреции сала саморазрушаются, все их содержимое превращается в секрет и выливается в проток сальных желез.

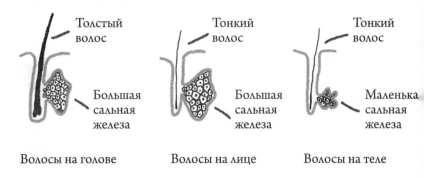

Толстый волос — Большая сальная железа

Волосы на голове

Тонкий волос — Большая сальная железа

Волосы на лице

Тонкий волос — Маленька сальная железа

Волосы на теле

Волосы и сальные железы

У сала специфический запах. Если хотите получить о нем представление, понюхайте у кого-нибудь кожу головы. Бороды, грязная одежда, себорейные экземы также явственно пахнут кожным салом, но это не причина испытывать отвращение. **Кожное сало — это второй наряду с жирами барьерного слоя источник жиров для нашей кожи, он обладает ухаживающими и защитными свойствами.** Одновременно оно для нас как природный дневной крем, состоящий из различных жиров и соединений воска. Для волос оно тоже полезно, благодаря кожному салу они становятся мягкими и блестящими. Когда вы расчесываете волосы или массируете голову, сало лучше распределяется в волосах, и они блестят еще больше. Увидеть сальный секрет вы можете у собственного носа. Если нажать там пальцем на поры, то на поверхность выползет сальный «червячок». Как стул из трубчатой кишки формируется в сосиску, так и трубчатой формы пора выдавливает свой продукт в форме сосиски или червяка.

За год человеческий организм производит до одиннадцати километров таких «червяков». Если их не выдавливать, то вновь поступающий сальный секрет сделает это без вашей помощи: маленькие капельки сала сами по себе постоянно выдавливаются на поверхность и растекаются по коже. Вот так работает наша эндогенная система по производству собственного крема.

Но у жирного сала есть и другие задачи: оно локально противодействует распространению микроорганизмов. Так, чем больше жира на каком-то месте кожи, тем меньше там микроорганизмов, потому что большинству микробов в жирной среде неуютно. Однако там вольготно любителям жира: клещам демодекс, дрожжевым грибкам под сказочным названием *Malassezia furfur*, бактериям *Propionibacterium acnes* (они любят прыщики акне) и коринебактериям. Коринебактерии важны для здоровья кожной среды: они расщепляют кожные жиры, высвобождают жирные кислоты и таким образом вносят вклад в поддержание здорового pH кожи, нашей кислотной защитной мантии.

Основные места расположения крупных сальных желез — это голова, лицо (жирная Т-зона, то есть лоб, нос и подбородок), спина и грудь (зона декольте). На руках и на ногах сальных желез меньше, и они меньше размером, поэтому там кожа склонна к сухости, тем более что активность желез в течение жизни снижается вследствие гормональных изменений. При акне или под действием приема гормональных противозачаточных таблеток сальные железы, напротив, увеличиваются и становятся сверхактивными, что вызывает чрезмерное выделение сала.

 Реклама многих косметических средств обещает регулировать активность сальных желез и/или активно бороться с жирной кожей. Не верьте, это откровенный вздор! Сальные железы находятся очень глубоко в коже, на втором подземном этаже. Туда не проникнет ни один крем; даже специальные кремы против акне, отпускаемые только по рецепту, не могут влиять на переизбыток производства кожного сала.

Используя агрессивные средства, такие как высушивающие болтушки и гели, вы только удаляете барьерные жиры и таким образом вредите защитному слою своей кожи. Сальные железы на эти средства никоим образом не реагируют, они продолжают усердно работать. В результате у вас одновременно могут быть проблемы, связанные как с сухой, так и с жирной кожей. Сальные железы сверхактивны и знай себе смазывают, а барьерные жиры эпидермиса соскоблены, смыты лосьонами против жирной кожи и пилингами… В результате — кожа полностью сбита с толку.

Так что сальные железы не поддаются внешнему воздействию, но на них сильно влияют мужские гормоны; кстати, именно по этой причине у кастратов не бывает акне. Кроме того, свою роль играет и нейротрансмиттер роста — так называемый инсулиноподобный фактор роста Insulin like growth factor. А он тесно связан с нездоровым питанием в индустриальном обществе, где потребляют слишком много молока, белой муки, фастфуда и сахара. Ниже мы еще поговорим об этом подробнее.

Глава 4

ТРЕТИЙ ПОДЗЕМНЫЙ ЭТАЖ. ВНУТРЕННИЙ СЛОЙ КОЖИ, или НАШ МЯГКИЙ БУФЕР

На третьем подземном этаже мы видим так называемый *Subcutis*: *sub* на латыни означает «под», *cutis* — это общее название верхнего слоя кожи и дермы. Так что мы находимся под верхним слоем и под дермой.

Внутренний слой кожи — это наш амортизатор, наш мягкий буфер, заодно придающий нашему телу плавность очертаний и красивые контуры.

Без подкожного слоя у нас отовсюду выпирали бы кости и суставы, и мы были бы тощими и угловатыми. И конечно же, здесь также находится жировая подкожная ткань — «био-

У некоторых людей жировая прослойка достигает нескольких сантиметров. Это позволяет им дольше сохранять тепло.

преновый» изолирующий слой, защищающий нас от переохлаждения. Поэтому худые люди мерзнут быстрее тех, у кого хорошая жировая прослойка.

Благодаря этому слою наша кожа — это не только самый большой, но и самый тяжелый орган человеческого тела. Без подкожного жирового слоя кожа весила бы всего лишь килограмма три, а с ним — до 20.

Йаэль Адлер

ЦЕЛЛЮЛИТ, или ДА ЗДРАВСТВУЕТ РУБЕНС!

В молодости была у меня первая любовь — мужчина пылкий, амбициозный и в то же время предусмотрительный, можно сказать, даже ласковый. Горячий мускулистый всадник по имени Кастор, он вместе со своим приятелем Поллуксом пытается взгромоздить на коня двух обнаженных и не очень грациозных красавиц. Мужчину своей мечты я увидела на картине Петера Пауля Рубенса, картина называется «Похищение дочерей Левкиппа». Написанная в 1618 году, она пронизана эротикой в стиле барокко, на ней много чувственного обнаженного мяса. Обеих девушек отличают существенные запасы подкожного жира, видны жировые складки и подозрительные вмятины на бедрах.

В наши дни дам на картине подправили бы фотошопом. Хотя в общем-то с точки зрения эволюции для женщины целесообразно иметь некоторые жировые запасы: так она может даже в голодные времена обеспечивать калориями подрастающее в животе потомство, а мужчина-производитель может рассчитывать на здоровых отпрысков.

На этой картине женские тела в стиле барокко вполне соответствуют тогдашним идеалам вожделенной красоты. Сегодня массмедиа и мода диктуют нам другой идеал, и в своих экстремальных проявлениях нынешний идеал несколько нездоровый. Вспомнить хотя бы об этих недокормленных девочках, передвигающихся по подиуму как на ходулях: то ли скелеты, то ли вешалки.

Как и во многих других областях жизни, все дело в чувстве меры. Кости нужно чем-то прикрывать, но опять-таки в меру. К тому же жир жиру рознь. Есть жир вредный, есть приемлемый, а есть и хороший жир. При сильно избыточном весе и большом объеме живота плохой жир находится внутри брюшной полости, в органах и вокруг них. Это нездоровый жир, потому что он высвобождает большое количество вредных, провоцирующих воспаления веществ и таким образом существенно повышает риск высокого давления, инфаркта миокарда, инсульта, диабета и рака.

Хороший жир — это драгоценный бурый жир, особая жировая ткань на некоторых местах нашего тела, и его у нас немного.

В жировой подкожной ткани находится жир приемлемый, пусть даже он иногда кажется нам более пышным, чем хотелось бы. Но это очень важный и востребованный запас жира, он быстро приходит нам на помощь в трудные и голодные времена. Однако вместимость жировой подкожной ткани ограничена; тот, кто потребляет слишком много калорий, откладывает жир в брюшную полость в виде висцерального жира, а он в больших количествах вреден и ведет к заболеваниям.

Что общего между целлюлитом и матрасом

Как правило, некоторая избыточность подкожной жировой ткани не влечет за собой большого риска для здоровья. Разве что целлюлит, если кто считает его болезнью. Хотя целлюлит — это хроническое явление и, подобно настоящей болезни, подразделяется на стадии, на самом деле это просто разные степени обычных для женской фигуры углублений на ягодицах, животе или на бедрах.

Теперь, если вы хотите проделать тест и определить, какая у вас стадия целлюлита, прошу вас снять штаны и подойти к зеркалу. Я рекомендую, чтобы свет падал сверху, так лучше видны масштабы. Примерочные кабины в универмагах — это идеальные места для проведения теста, и наверняка их изобрели не женщины.

Целлюлит можно грубо разделить на три стадии:

1-я стадия: Лежите вы или стоите, ваша кожа гладкая, как персик. И только если вы сожмете участок кожи, проявятся ячеистые впадины.

2-я стадия: В положении лежа все гладко, но стоит вам встать, как проявляются углубления. Кожный врач, обладающий чувством такта, в этом случае скажет, что это «эффект матраса». Кстати, похищенные сестры на моей любимой рубенсовской картине, находятся именно на этой или на следующей стадии.

3-я стадия: «Эффект матраса», он же «апельсиновая корка», заметен в положении и стоя, и лежа. Углубления проступают даже через тонкую ткань брюк и юбок, что иногда провоцирует женщин на ненужные покупки.

 Можно применять дорогие антицеллюлитные кремы с витаминами и кофеином, можно садиться на диеты, делать массажи, пробовать всяческие дорогие процедуры с применением тепла, холода, вибрации, вакуума и долбления... Результаты, если они вообще есть, большей частью скромные и держатся недолго.

Сколько бы там ни было научно доказанных средств борьбы с целлюлитом, обещающих осязаемые улучшения, в реальной жизни женщина, подвергающая себя лечению разными методами, никаких улучшений не замечает. Я вспоминаю одну даму лет шестидесяти, которая каждый день переплывала Цюрихское озеро; у нее была прекрасная для ее возраста фигура. Она предлагала мне кучу денег, если я своим врачебным мастерством избавлю ее от целлюлита на руках и ногах. Где она только не была, какие только методы не пробовала — все безрезультатно. Есть вещи, которые не купишь ни за какие деньги. Врачебное мастерство с проблемой целлюлита не справится.

Иллюзорные успехи в деле снижения проявлений целлюлита, о которых говорится в некоторых исследованиях, на данный момент, к сожалению, приходится относить к разряду «wishful thinking» — мечтать не вредно. Или как там еще говорится? Не верь статистике, которую ты сам же не подделал!

Внутренний слой кожи: немного сексизма

Целлюлит — это в первую очередь проблема женщин. И худых, и толстых.

У всех людей есть подкожный жировой слой, который состоит из долек жировой клетчатки, разделенных соединительно-тканными волокнами. У женщин архитектуру соединительно-тканных волокон (или узор, как в вязании на спицах) определяет женский гормон эстроген. И он формирует соединительно-тканные волокна таким образом, что они располагаются перпендикулярно кожному слою. Каждое место связки волокон тянет кожу вниз, находящийся между волокнами жировой слой выталкивается наверх и вспучивает кожу. Так и получаются выпуклости между местами присоединения волокон, этакий рельеф стеганого матраса. Смысл этой задумки в том, чтобы при беременности женщина могла быстро откладывать необходимый жировой резерв. Как представительница прекрасного пола, здесь я хочу еще раз воспеть славу рубенсовским фигурам в стиле барокко как символам истинной женственности: бугристый ландшафт, видимый местами на женском теле, с эволюционной точки зрения абсолютно оправдан, и это нечто исконно женское!

И у мужчин, разумеется, тоже есть подкожные жировые ткани. Но там волокна расположены не только вертикально. Мужикам посчастливилось иметь текстуру с диагонально и поперечно проходящими волокнами. Жировой слой пронизывает обширная сеть продольных и поперечных волокон, они плотно удерживают ткань и позволяют даже полноватому мужчине выглядеть подтянутым.

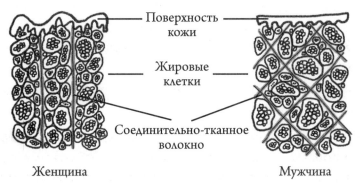

Поверхность кожи

Жировые клетки

Соединительно-тканное волокно

Женщина   Мужчина

Целлюлит у мужчин и женщин

Теперь вам уже наверняка стало ясно, почему от целлюлита не спасут ни дешевые, ни безбожно дорогие кремы и мази. Они недостаточно впитываются и никоим образом не могут проникать в жировую ткань настолько глубоко, чтобы по-новому «перевязать» непокорный или не пришедший-ся по вкусу узор волоконной сети. С этим едва ли справятся даже самые дорогие лечебно-инвазивные методы с применением лазера, радиочастот, холода, инъекций, вакуума или ударных волн.

Но я не хочу полностью лишать женщин надежды: мужчинам нравятся женские попки на всех стадиях целлюлита… Но это так, к слову сказать. Вы можете сбросить вес, и тогда выступающие дольки немного осядут, они не будут так явственно проступать. Вы можете накачать мускулатуру, целлюлит не уйдет, но на мускулистой основе будет выглядеть получше. Движение и массажи также благоприятны, это своего рода лимфодренаж, благодаря которому немного откачиваются скопления жидкости в жировых тканях, хотя бы на несколько часов. А еще рекомендуется следить за наличием антиоксидантов в пище, избегать солнца и не курить. Так вы, по крайней мере на более длительное время, сохраните упругость соединительно-тканного слоя, и он будет удерживать жир более компактно, чем разболтанная волоконная сеть.

ЖИРОВОЙ ОБМЕН ВЕЩЕСТВ

Для некоторых **кожа — это самый большой орган с массой проблем**: целлюлитом, прыщами и пигментными пятнами, а для других это **самый большой человеческий гормональный орган**. И действительно, общность кожных клеток — это истинное чудо биохимии, здесь находятся целые цеха для производства гормональных и сигнальных веществ.

 На сегодняшний день в клетках кожи и подкожной жировой ткани учеными открыто около 30 разных гормонов и гормональных групп; некоторые из них кожа продуцирует для себя, некоторые для всего организма.

Особенно примечательна функция подкожной жировой ткани у женщин во время беременности. Когда яичники долго бездействуют, жировая ткань продолжает производить женские гормоны *эстрон* и *эстрадиол*. Они помогают женщине дольше сохранять молодость, быть в хорошей форме и даже продолжать получать радость от секса. Как видите, и здесь наличие некоторого количества подкожного жира полностью оправданно.

Но, как уже говорилось, все хорошо в меру! **У подкожной жировой ткани ограниченные возможности, и, перекармливая ее, вы накапливаете избыточный жир.** Это плохой жир.

Как многие убеждаются на собственном опыте, от диет толку мало, от них, как правило, выигрывают лишь производители продуктов для похудения. С некоторых пор исследователи делают ставку на новый подход. Дело в том, что в младенческом возрасте у всех нас есть бурый жир, который с течением жизни разрушается. Он содержит много митохондрий, а они поистине энергетические станции клетки. Они сжигают бурый жир и используют освобождающуюся при этом энергию для генерации тепла. Таким образом, бурый жир спасает младенцев от переохлаждения, поскольку у малышей еще нет рефлекса мышечного тремора при холоде.

Иметь запасы бурого жира, который дает тепло, сжигает жиры и тем самым помогает сбрасывать лишний вес — разве это не предел мечтаний для тех, кто стремится похудеть? Можно ли как-то остановить процесс исчезновения этого особого вида жира?

И действительно, ученые установили, что при регулярном холодовом воздействии (при температуре всего на несколько градусов ниже нашей комфортной температуры, то есть где-то около 17 градусов) количество бурого жира у взрослого человека может снова увеличиться; в этом случае его называют «бежевым жиром». Есть надежда, что когда-нибудь мы сможем «регулировать» количество своего бурого жира с помощью холодовых процедур или стимулирующих гормонов, то есть создавать в самом организме «печи» по сжиганию жира. Исходя из этого, занятия зимними видами спорта с нагрузками на выносливость в холодную погоду и в легкой одежде были бы неплохим начинанием и возможностью протестировать научные выкладки на собственном героическом опыте. Но при этом вовсе не обязательно сразу становиться моржом.

ЧАСТЬ II

КОЖА
НА ЖИЗНЕННОМ ПУТИ

Глава 5

ВЕРНЫЙ СПУТНИК НА ВСЕ ВРЕМЕНА

Во все времена кожа восхищала художников, она сфера приложения целой косметической индустрии, а сегодня еще и тема для видеороликов в Фейсбуке. На разных фазах жизни кожа выполняет различные задачи и выглядит тоже по-разному. С течением времени она собирает следы и отметины, и **наша жизнь проецируется на кожу, как на экран.** Кожа может много чего рассказать.

ДЕТСКАЯ КОЖА

Нежную гладкую детскую кожу хочется ласкать, целовать и гладить. И этой ласки младенцу нужно много, потому что тесный телесный контакт не в последнюю очередь закладывает фундамент для счастливой жизни.

Прежде чем младенец явится на свет, эмбрион проходит разные стадии развития, а вместе с ним и кожа. В течение беременности кожа ребенка формируется из двух первичных видов ткани, и в конечном счете возникает, с одной стороны, эпидермис, а с другой стороны — дерма вместе с подкожным жировым слоем.

Детский эпидермис со временем начинает роговеть, слущенные клетки попадают в так называемую первородную смазку. В последней трети беременности кожа эмбриона покрыта этой смазкой, она как высокоэффективный крем

защищает кожу от выщелачивания под воздействием около-
плодных вод.

Первородная смазка состоит — и в этом кремы для кожи
стараются ее имитировать — из воды, жиров и белков. Она
является смесью секретов сальных желез эмбриона и барьер-
ных жиров рогового слоя его эпидермиса. Жиры состоят из
восков, керамидов, холестерина, свободных жирных кислот и
сквалена (это такая маслянистая жидкость). Перемешанная
с отшелушенными кожными клетками смесь налипает на поверхность кожи эмбриона.

К концу беременности первородная смазка теряется.
Поэтому, **если ребенок появляется на свет с опозданием,
у него могут быть руки классической прачки, пальчики
со вздутыми складками,** как и у нас, у взрослых, бывает, если
мы долго возимся в воде. Но у родившегося в срок младенца
кожа в абсолютном порядке. Правда, она вдвое тоньше кожи
взрослого, и роговой слой еще очень нежный. Но она быстро
набирает толщину, в первую очередь в местах, где повышенная нагрузка.

 Кожа младенца после рождения быстро утолщается. Этот процесс можно четко проследить по стопам: у ребенка, который
еще не научился ходить, стопы мягкие, как масло. Стоит ему
начать ходить, как очень быстро образуется роговой слой.

В младенческой коже относительное количество меланоцитов такое же, как во взрослой, но производство меланина еще не достигло максимальных оборотов. Поэтому
новорожденные очень чувствительны к солнцу.

Связка между эпидермисом и дермой (базальная мембрана, этот волнистый профиль) еще не совсем созрела, поэтому
на детской коже легко образуются волдыри. И эластичность

кожи еще не достигла своего максимума. Подкожная жировая ткань ребенка содержит бурые жиры, она еще не приобрела желтоватый цвет, как у взрослого.

 Новорожденные быстро мерзнут, потому что у них большая поверхность кожи по отношению к объему тела, поэтому и тепла они теряют больше.

Бурый жир — это их внутреннее топливо, ведь он может усваивать жирные кислоты и производить из них тепло. С течением месяцев бурый жир заменяется белым.

У детей, которых кормят грудью, в первые недели жизни часто бывают акне, себорейные экземы с шелушением кожи головы, прыщи и кожные угри. Это связано с тем, что они вместе с молоком матери получают мужские гормоны (да-да, у женщин тоже есть мужские гормоны), продуцируют собственные мужские гормоны и вдобавок уже получили материнские гормоны через плаценту.

Так же как позже, в подростковом возрасте, гормоны стимулируют сальные железы, в результате увеличивается количество *Malassezia furfur*; эта бактерия любит жир и провоцирует прыщи, она и вызывает появление на коже головы жирных корочек. Эти корочки называются гнейсом (или себорейными корочками), и они не чешутся. Многие путают гнейс с молочными струпьями, но молочные струпья — это следствие детского нейродермита, при нем шелушение сухое, тонкое и белое, и оно чешется.

Обидно, конечно, что кожа, как правило, «цветет» как раз в тот момент, когда наступает пора для первой фотосессии. И детки на этих фото лысенькие, хотя до того у них на голове уже была солидная шевелюра… М-да, и в этом тоже повинны мужские гормоны.

ПОДРОСТКОВАЯ КОЖА

В подростковом возрасте активизируются половые железы, и в надпочечниках, яичниках и яичках вырабатывается большое количество соответствующих гормонов. Они рассредоточиваются в организме и приводят к проявлению половых признаков: мужских или женских. К этим гормонам относятся тестостерон и другие мужские гормоны; у девочек в крови они тоже есть, но в меньших количествах, чем у юношей.

В сальных железах, что находятся в дерме и имеют выход в волосяные фолликулы, есть рецепторы для мужских гормонов, и они бесстыдным образом «зазывают» к себе мужские гормоны. Естественно, те не отказываются и, воспользовавшись приглашением, вступают в связь с таким «приемным пунктом». Затем эта связка проскальзывает непосредственно в ядро клетки и там проводит манипуляции с ДНК, центром управления клетки. А это, в свою очередь, побуждает клетки сальных желез исступленно производить кожное сало.

 Сальные железы — очень жертвенные создания. Произведя положенную дозу, клетки сальных желез лопаются, изрыгают свое содержимое в волосяной фолликул и при этом сами себя уничтожают.

Сало движется вдоль стержня волоса по направлению к дневному свету примерно шесть дней. Затем оно выливается на поверхность кожи, придает ей эластичность, ухаживает за губами, защищает кожу от непрошеных раздражителей и придает блеск волосам.

Но если в крови слишком много мужских гормонов или если рецепторы слишком чувствительны (или чересчур бесстыдны), то клетки сальных желез могут переборщить с производством кожного сала, и тогда в волосяном фолликуле возникнет его огромный излишек. А это все равно что гостеприимно накрытый стол для микроорганизмов, которые любят сало. Они усваивают жир и оставляют после своего жирного пира большое количество объедков.

Эти остатки — жирные кислоты — раздражают нежную облицовку поры так сильно, что та производит все больше и больше клеток для своей стенки в надежде поправить это безобразие. Но, увы, это часто приводит к тому, что на выходе поры образуются своего рода ороговевшие сальники — пробки, закрывающие выход. Это и есть то, что мы называем угревыми прыщами, или комедонами.

Чаще всего встречаются прыщи с черной точкой в центре. Это открытые угревые прыщи, по-английски их называют «blackheads» (в России «черные точки»). Многие думают, что темное содержимое прыща — это грязь. На самом деле это всего лишь отложения кожного пигмента меланина. Так что делу не поможет, если вы начнете тщательнее умываться, мнимая грязь никуда не уйдет.

Я хорошо помню одного репетитора, который когда-то натаскивал меня по химии. У него по всему лицу, особенно на носу, были невероятно огромные черные комедоны. Мне приходилось постоянно их видеть, что было одновременно и любопытно, и неприятно. Наряду с blackheads, у него была еще масса whiteheads — так по-английски называют закрытые комедоны. В этом виде акне содержимое просвечивает бело-желтым. Тогда я еще не знала, как тесно связаны акне и органическая химия, ведь и там, и там речь идет о жирных кислотах.

Комедоны ведут себя беспардонно: они редко довольствуются своим текущим статусом. Нет, они стремятся к высшей цели и упорно борются за звание настоящего зрелого прыща. И это происходит именно тогда, когда пробка прочно законопатила выход и подступающие из глубины сальные массы больше не могут изливаться наружу. Они скапливаются перед пробкой и при этом все больше растягивают пору, пока она (чуть) не лопается. В связи с этим внутри прыщей провоцируются сигналы воспаления, и начинается самый настоящий воспалительный фейерверк, который виден на поверхности кожи. Постепенно вся конструкция все сильнее краснеет, набухает и наливается, и в какой-то момент сверху воцаряется, словно точка над буквой i, гнойный колпачок.

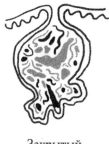
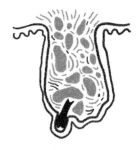

Закрытый угревой прыщ

Открытый угревой прыщ

Угревой прыщ

Если не получается вовремя освободить волосяной фолликул, то прыщ опорожняется не наружу, на свежий воздух, а во второй подземный этаж, в дерму, и кожное сало, бактерии и роговые массы протекают именно туда, где, как вы можете себе представить, этому вовсе не рады. Служба охраны подземного гаража бьет тревогу, бригады «уборщиков» спешат на выручку. На этой стадии воспаление не вылечить, потому что оно давно уже бушует в глубине кожи. Результат печален: когда средства обороны и фагоциты заканчивают свою «уборку», часто остается рубец. Немецкие дерматологи и в этом случае не полезли за словом в карман и назвали такие рубцы червивыми (постугревыми), а еще — следами ледоруба.

Определенные виды бактерий также могут создавать маленькие, наполненные гноем прыщи. Эти стойкие, очень распространенные и подчас опасные бактерии называются *Staphylococcus aureus*, что переводится примерно как «золотистая гроздь винограда», потому что под микроскопом они похожи на круглый виноград, а на лабораторной панели для разведения культур образуют золотисто-желтые наросты. Прыщ с гнойным пузырьком называют *пустулой* (от латинского *pus*, что значит «гной»). То есть пустулы — это своего рода гнойнички, точнее говоря — маленькие пузырьки, наполненные гноем. Когда медики где-то слышат слово *pus*, им обычно вспоминается одно из немногих памятных изречений времен обучения; эту запоминалку зубрят, и она навеки остается в голове: «*Ibu pus, ubi evacua*» («Где гной, там и эвакуируй, то бишь очищай»).

Консистенция гноя чаще всего от жидкой до густой, как сметана. В поисках указаний, что за возбудители вызвали этот гной, врачи оценивают его на цвет и на запах. Желтый гной свидетельствует о *Staphylococcus aureus*, сине-зеленый — о микробе по имени *Pseudomonas aeruginosa*. Красно-бурый — это гной с примесью крови, и он отвратительно пахнет, когда в игру вступают кишечные микробы, такие как *E.coli* или бактерии, которые могут жить только в отсутствие кислорода (поэтому их еще называют анаэробами). Кожные и дрожжевые грибки также могут вызывать гнойные пустулы.

Но бывают также стерильные, то есть неинфекционные пустулы. При некоторых формах псориаза на руках и ногах встречаются гнойные пустулы, к которым микробы отношения не имеют. Гной в них, собственно говоря, и не гной, а просто скопление измельченных иммунных клеток, собравшихся для того, чтобы оказать сопротивление, и при этом погибших.

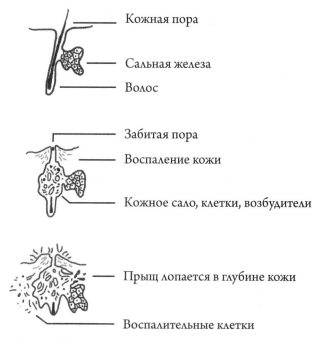

Кожная пора

Сальная железа

Волос

Забитая пора

Воспаление кожи

Кожное сало, клетки, возбудители

Прыщ лопается в глубине кожи

Воспалительные клетки

Так возникает прыщ

Прыщи и имплозии

Угревые прыщи — это главный источник зла. Само слово скорее ассоциируется с сотрапезником, чем с черным или белым прыщом. Черные угри называют также *комедонами*, и только тот, у кого есть комедоны, может утверждать, что у него угревая сыпь (акне). Это ключевой момент в постановке диагноза.

Прыщи акне содержат часто лишь «колбаску» или некое подобие корки из кожного сала, измельченных кожных чешуек и популяции микробов, обычных для жиросодержащих пор. Содержимое угрей может быть кашицеобразным, мазеобразным или же напоминать по консистенции воск. Оно бывает белым, желтым или янтарного цвета.

В принципе угри можно сравнить с вулканами: утолщение и место вздутия кожи подобно вулканическому конусу. Кратер часто забит камнями, землей, то есть угревыми корками. Жерло наполнено магмой. В угре роль магмы играет смесь кожного сала, измельченных клеток стенки поры и бактерий. В самой глубине залегает очаг магмы — сальная железа, постоянно поставляющая пополнение. Извержение приводит к снижению напора, и прыщ может пройти. Но при взрыве обрушивается весь вулкан, и вся структура: очаг магмы, жерло, кратер — разрушается. Когда прыщ подобным образом взрывается внутрь, это поистине катастрофа: возникает плоский или втянутый рубец.

Еще одной характерной меткой, которую оставляет за собой акне (в случаях, когда оно протекает в более легкой форме), являются гигантские *поры*. Они есть следствие «подземных» микровоспалений, в результате которых поровый канал становится волокнистым и жестким, почти как рубец; из-за этого он расширяется и приходит в негодность, остается открытым и больше не восстанавливает свою удлиненную гибкую форму.

Вы, возможно, спросите, почему акне возникает на лице, иногда на спине или в области декольте, но никогда в волосяном покрове головы, хотя находящиеся там крупные сальные железы тоже производят много жира. Разница заключается в габаритах и толщине волос. В поре на голове сидит толстый сильный волос. Он как дренаж отводит кожное сало на кожу головы, и это легко получается, даже если волосы жирные, если много сала и крупных сальных желез. **Хотя волосы бы-**

стро салятся и свисают прядями, **угревые прыщи там не появляются**. А вот на коже лица и тела, где тоже могут быть огромные сальные железы, волоски в порах тонкие, как пух, и почти не заметны. Они слишком слабые, чтобы выводить наружу сальные массы. Поэтому при гипертрофированном потоке кожного сала пора быстро закупоривается.

Давить ли прыщи

Впрочем, люди и сами прилагают руку к возникновению уродливых шрамов. Но ведь так хочется, так соблазнительно выдавить назревший прыщ… Если вы придете с этим к кожному врачу, то он посмотрит на вас со всей строгостью: **опасностями, связанными с выдавливанием прыщей, пренебрегать не следует.**

Если вы все же не можете отказаться от этого занятия, то соблюдайте правила безопасности: тщательно вымойте руки и пальцы; коротко постригите ногти и продезинфицируйте место, которое вы собираетесь обрабатывать. Так вы уменьшите риск занести в кожу бактерии и вызвать наружную инфекцию прыща. Длинными ногтями вы можете причинить коже микротравмы, что нарушит защитный слой и, следовательно, облегчит проникновение бактерий.

Ни в коем случае нельзя с усилием выдавливать прыщи, многие делают это чисто автоматически, если от мягкого давления ничего не лопается. Это может иметь трагические последствия, потому что тогда вы как раз, наоборот, вдавливаете назад в глубину кожи всю скопившуюся в поре грязь. Уже и без того сильно растянутая и воспаленная пора подвергается дополнительному давлению, раз-два — и она прорвется в дерму. Аврал! Рубец!

После заживления сильно воспаленных прыщей на коже часто надолго остаются бурые пятна, с косметической точки зрения явление неприятное. Плохо выдавленный прыщ намного повышает такой риск. Прыщ ушел, а пятно осталось.

 Прыщи давить лучше так: растяните прыщ, чтобы помочь процессу, то есть не давите его, а как бы раздвигайте кожу. Легко нажмите, отпустите, растяните, легко нажмите, будто вы доите прыщ. Тогда может получиться, но не факт.

Прыщи хорошо поддаются лечению. При вульгарных угрях с нормальными прыщами помогут кремы и гели, тормозящие склонность пор к ороговению и оказывающие наружное противовоспалительное действие. Такие средства продаются в аптеках по рецепту. Гиперсекреция сальных желез, как уже говорилось, наружному воздействию не поддается. А косметические средства против прыщей чаще всего лишь высушивают барьерные жиры. При возникновении крупных прыщей и рубцов нужно воздействовать изнутри.

Пожалуйста, не игнорируйте сложные случаи акне у подростков, почитая их за неизбежное зло, через которое в этом возрасте просто нужно пройти. Действуйте незамедлительно.

 Прыщи на лице над верхней губой особенно чреваты проблемами. Здесь пролегает много сосудов, которые, в частности, питают мозг. Неудачно выдавив прыщ, вы рискуете тем, что кровь «утащит» микробы наверх, и следствием может стать церебральное воспаление.

На гиперсекрецию сальных желез можно повлиять действующим веществом изотретионином. Это производное ретиноевой кислоты, оно продается в форме таблеток или капсул в мягкой оболочке, однако при приеме следует учитывать некоторые побочные эффекты. Молодые женщины во время

терапии изотретионином должны тщательно предохранять-
ся, поскольку витамин А и его производные наносят тяжелый
ущерб эмбриону. Если хотите завести ребенка, терапию нужно закончить самое позднее за месяц.

И все же для многих изотретионин — это сущее благо;
благодаря ему мужчины и предохраняющиеся женщины из-
бавляются от угревой сыпи, а попутно извлекают пользу из
сопутствующих эффектов — омоложения и предупреждения
рака кожи. Эти эффекты уже доказаны многими исследова-
ниями, однако официально еще не разрешены к применению.
Подросткам изотренионин, как правило, прописывают полу-
годовым курсом с высокой дозой (30–40 мг в день), взрослым
же чаще на более длительный период и с пониженной дозой
(20–40 мг в неделю).

Позитивное воздействие на состояние кожи женщин могут оказать противозачаточные таблетки с противомужскими
гормонами (антиандрогенами). Однако и здесь для женского
организма есть серьезные побочные эффекты: набор веса, за-
держка жидкости, стимуляция железистых тканей груди с повышенным риском перерождения этих тканей, а часто и сни-
жение сексуального желания.

Гораздо менее рискованный метод — **изменение режи-
ма питания**. Перестроив свой рацион, можно благоприятно
воздействовать на гиперфункцию сальных желез и воспалительные процессы. Отказ от классического рациона циви-
лизованного общества: белой муки, сахара, молока в больших количествах, трансжиров — это первый шаг. Вместо
этого ешьте больше овощей, цельное зерно, орехи, а также
рыбу — это рыбий жир, в котором так много важных жирных кислот омега-3. Есть еще противовоспалительные кишечные бактерии, их можно принимать в виде пробиотиков
или должным образом поддерживать микрофлору собствен-

ного кишечника, питаясь обогащенной балластными веществами пищей; все это поможет сохранить кожу здоровой и избавиться от прыщей.

КОЖА ВЗРОСЛОГО

Прыщи бывают и у взрослых. Помимо гормонов и питания, есть и другие существенные причины для возникновения прыщей; возможно, вы и сами с такими обстоятельствами сталкивались. Например, стресс: под его воздействием выбрасывается соответствующий гормон, стимулирующий деятельность сальных желез и воспалительные процессы. Также причиной акне могут стать гормоны, у взрослых, конечно, не подростковые, а стимулируемые неправильно подобранными противозачаточными таблетками или гормональными спиралями; содержащиеся в них гормоны желтого тела могут частично воздействовать как мужские гормоны.

Также **будьте осторожны со слишком жирными солнцезащитными и дневными кремами**, косметикой, помадой или воском для волос; если их использовать постоянно, поры забиваются и нарушается выведение жира. В этом плане особенно неблагоприятны продукты, содержащие минеральные жирные масла, такие как парафин и силиконовое масло. Чтобы избежать косметических угрей, просто выбросьте весь этот хлам в помойку.

 При склонности к акне следует подбирать только так называемые «некомедогенные» косметические средства, то есть те, что не вызывают угрей.

Место, где появились прыщи, может подсказать, в чем их причина. Большое количество угрей в Т-зоне (лоб и нос) типично для подростков. На щеках и на шее прыщи появляются, как правило, у взрослых женщин. Они глубокие и болезненные. Часто состояние кожи ухудшается незадолго до овуляции и особенно перед менструацией, потому что в этот период провоцирующие прыщи гормоны желтого тела особенно активны, а перед менструацией к тому же падает уровень эстрогена — гормона красивой кожи. Если прыщи выскакивают на округлостях лица: на щеках, на лбу, на носу или на подбородке, то, скорее всего, речь идет о Rosacea. Она принципиально отличается от акне в том, что при розацеа не бывает угрей. Розацеа бывает только у взрослых, в основном у людей со светлым типом кожи. Такая кожа легко раздражается и склонна к расширенным сосудам и прыщам. Часто прыщи могут говорить о проблемах с глазами или с желудочно-кишечным трактом.

Если прыщики маленькие и немного чешутся, заполнены жидкостью, а не салом и появляются вокруг рта (причем около губ остается светлая нетронутая кайма), в области подбородка, носогубной складки или века, то, скорее всего, речь идет о так называемой **болезни стюардесс**. По сути это переувлажнение и разбухание пор, вызываемое слишком большим количеством косметики (стюардессы, как известно, много красятся и используют большое количество увлажняющих кремов для защиты от сухого воздуха в салоне самолета) либо применением крема на основе кортикосетроидов. По-научному болезнь стюардесс зовется *periorale Dermatitis*, то есть периоральный дерматит.

В последнее время наблюдается резкий скачок таких заболеваний, в чем, в частности, повинно современное телевидение высокой четкости. Поскольку при нынешних технологиях экран беспощадно показывает каждый волосок в носу, каждую морщинку и пору, то те, кто задействован в кино- и телепроизводстве, прежде чем предстать перед камерой, замазывают себя всеми мыслимыми новомодными средствами. А в этих средствах, увы, много забивающих поры силиконовых масел. Поэтому болезнь стюардесс перекинулась на телеведущих и киноактрис. Они буквально выстраиваются в очередь к кожным врачам. И уже появились первые жертвы мужского пола, работающие в этой отрасли.

Лежачие красавицы

Не успеет кожа успокоиться после бурного подросткового периода, как начинается ее старение. Ну да, вообще-то мы начинаем стареть с первого дня своей жизни, но заметно это становится только после тридцати, у некоторых и раньше. Стареет не только кожа, но и весь организм, ведь процесс старения запрограммирован генетически. А вот насколько быстро это произойдет и насколько явными будут изменения, в огромной степени зависит от нашего образа жизни. И прежде всего это касается старения кожи.

Наибольшая часть возрастных изменений происходит в дерме, то есть на втором подземном этаже. С одной стороны, страдают клетки соединительной ткани, рассеянные в дерме так называемые фибробласты, а с другой стороны — продуцируемые ими соединительно-тканные волокна: коллаген и эластин. Расположение волокон дермы делает ее хорошо растягиваемым нейлоновым чулком.

Коллаген состоит из стойких протеиновых нитей, придающих коже стабильность и прочность при растяжении. Эластин подобен эластичным волокнам в одежде с содержанием стретча, благодаря ему кожа способна растягиваться.

 Срок жизни эластических волокон — около 70 лет, то есть почти как у человека, а образуются они только в первые годы жизни, новых не будет, что ушло, то ушло.

С возрастом сокращается не только количество коллагеновых нитей и эластических волокон, но и количество кровеносных сосудов. Кровеносные сосуды также окружены эластическими волокнами, и они тоже стареют. Вы наверняка наблюдали у некоторых людей среднего или старшего возраста проглядывающие через кожу красные звездочки на носу или на щеках. Это кровеносные сосуды, которые, старея, теряют способность сокращаться.

Клеткам эпидермиса для обновления нужно теперь 50 дней, а не 28, как раньше. Раны заживают медленнее, ногти растут не так быстро, а значит, пожилых пациентов с грибковым заболеванием ногтей приходится лечить дольше, до года, пока их ногти полностью не обновятся. Некогда пышная грива на голове теперь просвечивает: у женщин — из-за снижения уровня эстрогена, у мужчин — из-за длительного воздействия тестостерона.

Свежее юное лицо без резких линий и морщин очаровательно благодаря жировой прокладке в нижнем слое кожи. Хорошо бы это сознавали молодые люди, одержимые манией похудения! Ведь именно жир придает лицу красоту и молодость. Жировые подушки на лице надежно упакованы в каркас из соединительной ткани. К сожалению, соединительная ткань с течением жизни тоже изнашивается, и жировые прослойки повисают мешками, причем в полном соответствии с законом всемирного тяготения, то есть по направлению вниз, к земле, когда человек стоит. Вдруг опадают щеки и впадают глаза. По сравнению с более молодой версией самого себя человек выглядит изможденным, вялым и уставшим. В юности лицо можно сравнить с треугольником, повернутым острием вниз, а с течением десятилетий треугольник поворачивается вниз основанием.

Молодое лицо   Стареющее лицо

С годами треугольник переворачивается

Лишний вес лишь до некоторой степени сгладит эти изменения. При большом количестве кожного жира обвисают еще
более жирные мешки. И этого обвисания в принципе не избежать.

У некоторых глаза становятся впалыми, а кому посчастливилось этого избежать, тот, возможно, получит взамен мешки
под глазами. Это тоже типичный признак старения. Представьте себе соединительную ткань как прочную рыболовную
сеть плотного плетения, в юности она компактно удерживает все слои кожи и туго прижимает их к лицевому черепу.
Но когда эта сеть приходит в негодность, то вся конструкция
проваливается этажом ниже, деформируется, обвисает и даже
начинает болтаться, такое нередко наблюдается в области
подбородка.

Износ нашей соединительной ткани обусловлен, с одной
стороны, снижением выработки половых гормонов, с другой — уменьшением выброса гормонов роста, а также вред-
ными воздействиями, которым мы подвергаемся в течение
жизни. Старение форсируют свободные радикалы, они наносят ущерб тканям, белковым структурам, молекулам углево-

дов и жиров, а также геному клеток. Какую-то часть ущерба организм может сгладить при помощи ферментов и витаминов, нейтрализующих эти радикалы. Но если к тому постоянно добавлять еще и ультрафиолетовое излучение вкупе с курением, то наш хрупкий компенсирующий механизм уже не справится. Тогда свободные радикалы активируют ферменты, которые разрушают коллаген, делают соединительную ткань хрупкой и препятствуют образованию свежего материала.

Да, такая уж это штука — возраст… Впрочем, это в первую очередь вопрос внутренней установки. Лучший из вариантов — отключить гравитацию, лечь на спину и улыбаться; тогда не будут видны обвисшие участки кожи, и мы еще надолго останемся красавицами и красавцами, пусть даже только в лежачем положении.

И вот еще одна проблема: **взрослая кожа часто страдает от последствий бритья**. У многих: и у мужчин, и у женщин — бывает склонность к прыщам после бритья. Это мини-воспаления от раздражителей кожи, которые попадают в эпидермис через образующиеся вследствие бритья микротравмы. Особенно нехороши старые лезвия, а влажное бритье агрессивнее, чем сухое. Помимо дешевых никелевых лезвий, раздражение и аллергию могут вызывать пена и жидкость для бритья, а также ухаживающая полоска на одноразовых бритвенных станках.

Обладатели особенно чувствительной кожи могут либо вообще обходиться без бритья, либо сделать лазерную эпиляцию или подвергнуть себя достаточно неприятной процедуре с применением воска. Как кожный врач, советую при проблемной коже в области подбородка дезинфицировать лезвия и надеюсь при этом, что тупыми лезвиями вы не пользуетесь. А еще лучше сухое бритье. Хороши антисептические растворы до и после бритья и легкие антибактериальные пенистые кремы, которые сделает для вас провизор в аптеке; это мягкая альтернатива пене для бритья (триклозан 1 процент в водянистом линименте — Linimentum aquosum). А вот жидкости с содержанием спирта и парфюмированная вода для чувствительной кожи противопоказаны.

СТАРАЯ КОЖА

В старости кожа становится пегой и пятнистой. На местах, которые постоянно подвержены солнцу (лицо, декольте, внешняя сторона ладони, руки), — белые и бурые пятна. Видны многочисленные красные звездочки и прочие внешние формы проявления старости: сухие участки кожи, дряблые складки. И вообще кожа становится тонкой, ослабленной и склонна порой к кровоизлияниям.

Кожа получает меньше жира, ухудшается ее водосвязывающая способность и эффективность кожного барьера. Резко падает количество эндогенных регуляторов влажности, таких как гиалуроновая кислота.

Кожа теряет прочность, эластичность, сочность и увлажненность, контуры расплываются. Реклама твердит: кожа становится «требовательной», и в ответ на это требование косметическая промышленность производит кремы «для зрелой кожи». Эти кремы в

В старости сальные железы прекращают свою деятельность или по меньшей мере значительно ее снижают.

среднем немного жирнее прочих, они на пару часов немного освежают роговой слой, но омолаживают, разумеется, не более антивозрастных кремов, которыми мы пользуемся в более ранние периоды жизни. Волокна не реагируют на эти средства и продолжают печально увядать на своем втором подземном этаже.

Самые верные клиенты косметической индустрии — это женщины, потому что именно женщины переживают старение особенно остро. Это связано не только со сверхкритическим самовосприятием, но и со спецификой менопаузы. Уровень эстрогена падает в этот период очень резко и до очень низких значений.

Казалось бы, довольно несправедливо, что мужчин еще долго минует гормональный спад. Спортивные и стройные мужчины могут еще продолжительное время поддерживать уровень тестостерона, а когда он все же падает, они набирают жир, часто вырастает пузико, при том что ноги худеют. Иногда старые мужчины жиреют не только в области живота, но и под ним; из-за гормональной перестройки может укоротиться пенис (чисто оптически или вполне реально) и могут развиться железистые ткани груди.

За первые пять лет менопаузы содержание коллагена в коже женщины сокращается примерно на 30 процентов.

Из-за разрушения соединительных тканей увеличиваются в размерах поры на лице, наряду с этим буйно разрастаются некоторые сальные железы. Именно у мужчин проявляется склонность к доброкачественным «шарикам» на месте сальных желез на лице, а нос часто украшают толстые красно-синие прожилки по бокам — его тогда называют винным носом. На утолщенной коже мужского загривка часто можно увидеть ромбовидные складки, в просторечии именуемые кожей крестьянина, а на языке дерматологов — *Cutis rhomboidalis nuchae*.

Ущерб от солнца также не обходит мужчин стороной. Последствия — огромные угри или пегая, буро-бело-красная кожа на шее, а именно на тех местах, где в юности иногда наблюдались сине-красные засосы. При нанесении солнцезащитного крема этими укромными местечками ниже ушей чаще всего непростительно пренебрегают. У женщин это место чаще всего прикрыто волосами, но если волосы короткие, то солнечным лучам сюда открытый путь. Присмотритесь внимательней к мужчинам за 50; я уверена, что у некоторых вы обнаружите *Erythrosis interfollicularis colli* (покраснение между порами на шее).

Морщины — это следствие диссимиляции жира и недостаточной эластичности кожи, с одной стороны, а с другой — и мимики тоже. Мимика вступает в неблаговидный сговор с уменьшением способности стареющей кожи возвращаться в изначальную форму. Мимические мышцы — это те, что пишут эмоции на нашем лице, полную их палитру — ярость, лукавство, грусть, восторг... Чем менее кожа способна возвращаться в исходную форму, тем явственнее видны мимические морщины. Именно против этого при желании можно применить ботокс. И кстати, против старения не поможет даже обильное питье. Потребляя много жидкости, вы повышаете лишь сочность ткани, но качество волокон и их упругость не улучшаются. Жажда еще не наступила, а кожу уже морщит.

Старые люди чаще подвержены инфекционным заболеваниям, таким как опоясывающий лишай, грибок стопы и ногтей, потому что их иммунная система разладилась. Уменьшено кровоснабжение отдаленных частей тела: рук и ног. Варикозно расширенные вены, годами не подвергавшиеся лечению, могут привести к хронической венозной недостаточности, сопровождающейся трофическими нарушениями.

Тело пожилых людей населено всяческими образованиями, старческими гемангиомами и старческим бородавками. Может возникать рак кожи или его первоначальные стадии, особенно на столь любимых раковыми клетками солнечных террасах нашего тела: на лице и в области декольте.

Если бы не существовало многих других, позитивных аспектов старения: человек обрел мудрость и при этом сохранил радость жизни, многое уже испытал, и, надо надеяться, в его жизни будут еще открытия; есть люди, которых он любит, и эта любовь взаимна, — если бы всего этого не было, то да, можно было поддаться искушению считать старость тяжким и печальным периодом жизни.

Глава 6

ЛЕТО, СОЛНЦЕ, ОЖОГИ: КОЖА И СВЕТ

Солнце и пятна неразделимы, как свет и тень.

Веселые рыжие брызги на коже не случайно называются *веснушками*: солнце их разбрызгивает весной, а зимой они бледнеют. Природа рассыпала эти цветные капельки меланина в зародышевом слое эпидермиса, на первом подземном этаже верхнего слоя кожи. Чаще всего они свидетельствуют о повышенной чувствительности к солнцу, при том что размер, форма и количество пигментных клеток — меланоцитов — остается неизменным. То есть меланиновые капельки уже заложены в эпидермисе и проявляются при ярком солнце.

У большинства людей максимум тридцать-сорок невусов, и только у 15 процентов их больше ста.

С точки зрения красоты мнения о веснушках расходятся. Одни без ума от своих веснушек, другие их не выносят и применяют всяческие болезненные лазерные методы, чтобы их вывести. То же относится и к прочим пятнам и крапинкам, которые могут появляться на коже. *Возрастные пятна*, к примеру, это своего рода знак «стоп», написанный на поврежденной солнцем коже; он предупреждает о том, что хватит облучаться. Такие пятна как летом, так и зимой отчетливо видны на тех участках кожи, которые особенно подвержены воздействию солнечных лучей, поэтому их тоже следовало бы называть веснушками. В этих стоп-пятнах меланоциты увеличены, что неудивительно, ведь они призваны постоянно и в больших дозах выдавать меланин. И они ясно дают нам понять, что больше просто не могут выносить солнечные лучи. Вопрос лишь в том, чтобы мы это осознали и вооружились солнцезащитными кремами и шляпами.

Третий вид коричневых пятен — *печеночные пятна (невусы или родинки)*. Это врожденные или приобретенные гнезда меланоцитов, залегающие в верхнем слое кожи, в дерме или на границе между этими двумя слоями. Здесь речь идет о доброкачественных новообразованиях пигментных клеток. Некоторые люди как божьи коровки, так много у них крапинок; у других же их вовсе нет. Эти пятна называются печеночными, ибо своим цветом они напоминают печень.

 Солнечное излучение вызывает перерождение печеночных пятен, поэтому кожные врачи обычно долго и тщательно рассматривают родинки своих пациентов.

До 30-летнего возраста пятна выходят из глубины кожи на ее поверхность, а начиная с 50 лет они часто вновь исчезают в глубинах ткани. Почему вообще бывают печеночные пятна, до сих пор не выяснено.

Если у вас есть родинки и вы переживаете по этому поводу, знайте, что старение кожи и остеопороз у людей «в крапинку» наступают намного позже, чем у незапятнанных, то есть у тех, у кого пятен мало.

Причина в концевых участках хромосом, так называемых теломерах. Хромосомы хранят наш наследственный материал в форме намотки, а теломеры при этом наподобие колпачков защищают хромосомы с обеих сторон. В процессе старения «колпачки» постепенно изнашиваются. У людей с большим количеством печеночных пятен обнаружились большие запасы теломеров, а следовательно, и резервы для долгого сохранения молодости.

ПОЧЕМУ НАМ НУЖЕН СВЕТ, И КАК ЕГО ИСПОЛЬЗУЕТ КОЖА

Слишком много солнца для нас вредно, но по многим причинам нашему организму свет очень нужен. Говоря о свете, мы имеем в виду солнечный свет, огонь, электрическое освещение или флуоресцирующие субстанции. Конечно, больше всего мы любим солнечный свет. В нем сосредоточены разные лучи, мы получаем их в одном пучке — лучи, которые мы частично даже не можем видеть, но все они на нас влияют, и их воздействие на наш организм может быть как позитивным, так и негативным.

Видимый свет и сопутствующие ему невидимые лучи физики называют электромагнитными волнами (далеко не романтичное название). При смене цвета излучения представители альтернативной медицины и эзотерики впадают в экстаз, чувствуя энергию и космические вибрации, а физики производят расчеты и анализируют составляющие этих волн. Они хотят знать, какова длина волн света.

Электромагнитные волны возникают благодаря бешено несущимся элементарным частицам — фотонам. Видимый человеческому глазу спектр света охватывает цвета радуги от коротковолнового фиолетового до длинноволнового красного. Короткие волны образуются, когда энергетические пакеты носятся по воздуху с быстрой сменой направления; они жесткие и очень агрессивные. В длинных волнах маленькие фотоны перемещаются по воздуху более размашисто, но зато они не столь агрессивны и жестки, и, следовательно, их воздействие на наш организм несколько мягче.

Вне спектра видимого света существуют и другие длины волн. Со стороны длинных волн за видимым спектром следует тепловое и инфракрасное излучение. Именно его мы воспринимаем как приятно согревающее тепло солнца. Тепловое излучение считается в принципе безопасным. Но только в принципе, потому что именно граничащий с красным светом участок инфракрасного излучения провоцирует старение кожной ткани человека. **Промышленность уже откликнулась на эти тревожные научные выводы и пытается ответить на вызов специальными добавками к солнцезащитным кремам.**

Часть электромагнитного спектра, прилегающая к коротковолновой стороне света, состоит из ультрафиолетового излучения, и именно его так опасаются кожные врачи. Солнце посылает сначала ультрафиолетовые лучи типа А (UVA), затем более коротковолновые и вместе с тем намного более агрессивные лучи типа В (UVB), а вдогонку исключительно опасный ультрафиолет UVC. Он единственный не достигает поверхности земли, потому что озоновый слой и атмосферный кислород удерживают UVC. По крайней мере, покуда озоновый слой еще не совсем дырявый. Уже сейчас из-за озоновых дыр слишком много ультрафиолета добирается до земной поверхности, в Австралии это приводит к резкому росту заболеваний раком кожи.

Чем короче волны электромагнитного излучения, тем оно опаснее для нашего организма. Радиоволны и видимый свет абсолютно безопасны, но более короткие волны вызывают морщины, рак, а еще более короткие для нас смертельны.

Дневной свет — это соединение волн разной длины. Мы воспринимаем его глазами, кожей и нервной системой, и он влияет на наш организм. Цвет светового излучения и световые пятна создают определенную атмосферу вокруг нас. Они влияют на наше настроение: мы впадаем в романтическое состояние или ощущаем прилив энергии в зависимости от яркости и цветового оттенка. А недостаток света, напротив, вызывает усталость, мы хуже концентрируемся и впадаем в депрессию. Как позитивные, так и негативные стороны воздействия света и его недостатка объяснимы с точки зрения нейрофизиологии.

Сон красоты, весенние обострения и наркотик для кожи

Регулируя содержание мелатонина, свет управляет нашими суточными ритмами. В темноте уровень мелатонина повышается, а при дневном свете снова падает.

Мелатонин поистине универсален. Это действенный гормон сна, поскольку он вызывает усталость и способствует засыпанию. Кроме того, это антиоксидант, то есть обладает противораковым эффектом и задерживает старение, ну и заодно эффективное средство для роста волос. Он образовывается из своего предшественника серотонина, происходит это вечером, когда стемнеет, и, пока мы спим, он вместе со своими трудолюбивыми коллегами из службы ремонта — имеется в виду наследственный материал — устраняет ущерб, нанесенный коже солнцем. К сожалению, это не люксовый ремонтный сервис, иначе не было бы кожного рака и морщины появлялись бы позже. Но без этого «сна красоты» мы выглядели бы намного старше...

Мелатонин стимулирует иммунную систему и помогает препятствовать раку кожи. Тот, кто подвержен стрессу, мало спит или спит при свете, у того в крови слишком мало мелатонина, человек в этом случае находится в подавленном состоянии и скорее стареет. Зимой многие люди испытывают усталость и депрессивные нарушения. И это опять-таки вызвано избытком мелатонина. В темные месяцы года уровень гормона сна в течение дня падает в недостаточной степени. Мы чувствуем себя днем вялыми и разбитыми, будто все еще ночь. Для хорошего самочувствия нам нужен ночью мелатонин, а в течение дня серотонин.

В светлые дни, особенно летом (кстати, и во время занятий спортом), образуется много серотонина. Это эффективный антидепрессант и, так сказать, поставщик стройматериала для мелатонина. Вы уже понимаете, насколько важно налаженное взаимодействие темноты, сна и дневного света для баланса гормонов мелатонина и серотонина, а следовательно, и для сбалансированного и счастливого самоощущения. Весенние обострения чувств и желание спариваться (во всяком случае, в животном мире это именно так) тесно связаны с понижением уровня мелатонина в солнечные часы дня, ведь таких часов становится все больше.

Последние исследования доказывают, что солнечный свет непосредственно влияет на образование и обменный процесс серотонина и мелатонина. Мелатонин образуется и усваивается в клетках кожи — кератиноцитах, пигментных клетках и клетках соединительной ткани. Помимо этого, он также выступает как локальный стражник генов. Он защищает генетический материал и белковые структуры, из которых строится кожа, и это происходит сразу на двух этажах нашего подземного гаража: в верхнем слое кожи и в дерме. Со своей задачей мелатонин справляется более эффективно, чем витамины Е и С, которым приписывают действительно хороший защитный потенциал. В настоящее время ведутся исследования, как можно использовать эти открытия для защиты от солнца и для регенерации тканей в организме человека. Эффективная терапия против выпадения волос уже создана: мелатонин наносят на кожу головы для стимуляции корней волос.

Солнечный свет повышает уровень серотонина. Он делает человека счастливым, что, памятуя о зимней депрессии при недостатке солнца, может объяснить неудержимую тягу некоторых людей к солнечным ваннам. Для экстремальной, патологической мании загара даже есть медицинский диагноз — *танорексия*; это страсть к солнечным ваннам, слово образовано от английского *tan* (загар) и греческого *orexie* (аппетит, желание). Эту болезнь можно сравнить с анорексией; больные анорексией считают себя толстыми, хотя они голодают и абсолютно истощены. И аналогично страдающие танорексией полагают, что они слишком бледны, в то время как их кожа давно уже напоминает кожу поджаренного цыпленка.

Адепты загара злоупотребляют пребыванием в солярии или на солнце. Предполагают, что эта мания объясняется, с одной стороны, тем, что на солнце вырабатывается гормон наслаждения серотонин, а с другой стороны, и психическим расстройством восприятия собственного тела. Исследователи нашли к тому же еще один гормон страсти, бета-эндорфин. Он вырабатывается в коже во время принятия солнечных ванн и действует как героиноподобный опиат: подавляет боль и вызывает зависимость.

Под воздействием ультрафиолетовых лучей кожные клетки производят гормон *Proopiomelanocortin*. Из него образовывается гормон, стимулирующий меланоциты. Он-то и является причиной окрашивания кожи в коричневый цвет, то есть загара. Еще одно производное — *эндорфин*. Его функция в коже пока не выяснена. Но поскольку бета-эндорфин вызывает зависимость, то, возможно, задумка природы в том, чтобы при помощи тяги к солнцу человек обеспечивал себя важным витамином, образующимся в коже под влиянием ультрафиолетовых лучей, — витамином D.

Витамин D

Все знают, что под солнцем в коже образуется витамин D. И многие считают, что поэтому не стоит пользоваться солнцезащитным кремом, он-де блокирует ультрафиолетовые лучи, а следовательно, препятствует достаточному образованию витамина D в коже.

Разумеется, в приверженности загару большую роль играет также и социальное окружение. Разве вы получали по возвращении из летнего отпуска комплименты типа «Ах, как хорошо выглядишь: такой бледный»?

По счастью, помимо солнца есть и другой важный источник витамина D. Этот материал столь необходим человеку, что природа создала два пути к его получению; второй путь — с продуктами питания. Витамин D в высоких концентрациях содержится в жирной рыбе — в лососевых, сельди, тунце, сардинах, угре и в рыбьем жире. Значительно меньше его в говяжьей печени, яичных желтках и некоторых видах грибов. Тот факт, что организм может производить этот витамин из веществ-предшественников, делает его скорее гормоном, нежели витамином.

Витамин D имеет настолько огромное значение для состояния нашего здоровья, что он становится поводом собирать целые конгрессы на эту тему.

Врачи всех специальностей делятся тем, насколько важен витамин D именно для тех органов или систем организма, которыми каждый из них занимается в рамках своей медицинской сферы деятельности. **Психиатры докладывают, что он действует как антидепрессант, устраняет весеннюю усталость и зимнюю депрессию и помогает при нарушениях сна;** иммунологи превозносят способность витамина D улучшать эндогенную защиту, а гинекологи давно уже указывают на то, насколько он важен в борьбе против остеопороза.

К этому славословию присоединяются и спортивные медики: витамин D полезен для всего опорно-двигательного аппарата — костей, суставов и мышц; он поддерживает хорошую физическую форму и способность к высоким достижениям, хорошо влияет на суставы. Терапевты, онкологи и неврологи тоже не остаются в стороне и докладывают о позитивных сигналах при профилактике и терапии сердечно-сосудистых заболеваний, инсульта, лимфом и других видов рака, аутоиммунных заболеваний и сахарного диабета. То же касается рассеянного склероза, печеночного метаболизма, заболеваний легких, противоболевой терапии, и этот список можно продолжать. И наконец, мы, дерматологи, наблюдаем, насколько полезен витамин D для профилактики «черного» и «белого» кожного рака, для борьбы против облысения, для лечения кожных заражений и чешуйчатого лишая.

Представители медицины, базирующейся на эминенции, то есть на опыте ежедневно практикующих врачей, и представители научно-доказательной медицины, опирающейся на результаты надежных научных исследований, редко достигают согласия, но в вопросах, касающихся витамина D, они едины. И все же вокруг солнечного витамина все еще ведутся споры. В первую очередь речь идет не столько об уже однозначно доказанной пользе, сколько о рекомендациях относительно дневных доз. По оценке Немецкого федерального института оценки рисков, по меньшей мере 60% населения недобирают желаемого уровня концентрации в крови 25-гидроксивитамина D. Исходя из наметившейся в науке тенденции полагать, что необходимая концентрация витамина D в крови должна быть выше, чем принято считать на текущий момент, можно предположить, что от недостатка витамина D страдает еще большее количество людей. Факт в том, что именно зимой, когда не хватает солнца, накопители витамина D пустеют.

Женщины, вынужденные по религиозным соображениям носить паранджу, испытывают огромный недостаток витамина D и страдают от тяжелого остеопороза даже в странах, где есть пустыни и светит экваториальное солнце.

Еще пара сведений по поводу столь важной роли солнца: только ультрафиолет типа В (UVB) дает толчок образованию витамина D в коже. Лучи типа А (UVA) этого не могут. Так что бесполезно ходить в солярий в надежде зарядиться витамином D, ведь солярий — это прежде всего UVA. А что же насчет солнцезащитных кремов?

Некоторые научные исследования показали, что при применении солнцезащитного крема в крови не происходит падения уровня витамина D, и это по сути очень хорошая новость. Но возможно, что участники этого эксперимента наносили крем недостаточно толстым слоем, не на все участки кожи или, быть может, забывали повторно наносить крем, так что лучи UVB на отдельных участках и в достаточных дозах поступали в кожу, что могло отразиться и на результатах исследования, показавших, что уровень витамина D оставался стабильным.

С солнцезащитным кремом или без него у большинства из нас уровень витамина D все же ниже на текущий момент рекомендованного; даже летом и даже у тех, кто регулярно находится на солнце: тренеров по теннису, садовников, яхтсменов. И это скорее дурная весть.

Имеет смысл посетить врача и измерить уровень витамина D в крови. В зависимости от результата при необходимости можно принимать пищевые добавки. Это даже рекомендовано Всемирной организаций здравоохранения и Немецкой ассоциацией питания и в равной степени касается как детей начиная с младенческого возраста, так и взрослых.

Йаэль Адлер

Альтернативой для получения достаточного количества витамина D может стать прием рыбьего жира, что, однако, весьма сомнительно с точки зрения его вкусовых качеств. А можно каждое утро съедать по 500 граммов жирной скумбрии… Или же ежедневно по 10 кг сыра бри или телячьей печени, 18 яиц, 20 литров цельного молока, 600 г авокадо или 1 кг грибов. Врачи обычно прописывают дозы от 400 единиц в день до 20 000 через день. Для сравнения: при оптимальных условиях человек, находясь на солнце 13–30 минут, получает около 20 000 единиц солнечного излучения. Однако организм при этом получает их все же через кожу, а не через желудочно-кишечный тракт, что для обмена веществ представляет существенную разницу.

Компромисс для противников солнцезащитных кремов: защищайте хотя бы чувствительную кожу лица, оно же на протяжении всей жизни подвержено солнечному облучению, а это ведет к повышенному риску рака; вместо этого лучше минут на 15 подставляйте солнцу живот и попу. Для более смуглых типов кожи можно и до 30 минут, а дальше будьте осторожны, не то будут вам дурные вести.

Но прежде чем перейти к этой безрадостной теме, коротко еще об одной позитивной стороне воздействия солнца: солнечный свет положительно воздействует на хронические кожные заболевания, такие как чешуйчатый лишай и нейродермит, поскольку он наподобие кортизонового крема подавляет иммунную защиту кожи. Терапия солнечным светом называется гелиотерапией. В Израиле, где с безоблачного неба струится в высшей степени яркий ультрафиолет, накоплен многолетний опыт в этой области. Солнце и купание в соленых и богатых минералами водах Мертвого моря оказывают мощное противовоспалительное воздействие на кожу.

ТЕМНАЯ СТОРОНА СОЛНЦА

К сожалению, у солнца есть и темная сторона: солнечные ожоги, морщины, пятна, аллергия. Да и инфекциям привольно в условиях подавленной иммунной системы. Солнце усугубляет угревую болезнь, обостряет аутоиммунное заболевание *Lupus erythematodes* (переводится как «красная волчанка»), розацеа (красные сосуды и прыщики) и герпес. Солнце вызывает воспаления конъюнктивы и катаракту, наносит ущерб сетчатке глаза и способствует помутнению хрусталика. А в худшем случае провоцирует рак кожи.

Аллергия на солнце и майорские прыщи

Если ваша кожа склонна к жирным прыщам, то, покупая в аптеке солнцезащитный крем, выбирайте некомедогенный вариант, то есть тот, что не забивает поры и тем самым не способствует появлению прыщей. Угревые прыщи могут быть спровоцированы жирными ухаживающими средствами, которые ложатся на поры и закупоривают их. **Ультрафиолет типа А (UVA) также способствует возникновению прыщей.** Такую картину болезни называют майорскими прыщами, потому что это одновременно и акне, и аллергия на солнце. Непереносимость солнечного света врачи называют фотодерматозом.

Понятие «солнечная аллергия» объединяет нежелательные реакции кожи на солнце; чаще всего это покраснение, сыпь, зуд и пузырьки или же обширные отеки и жгущее воспаление. Причины могут быть разными. Это и отложения в коже медикаментов, которые вы принимаете; при взаимодействии с солнцем они дают нежелательную реакцию и вызывают аллергические воспаления или солнечные ожоги. Это и удерживающиеся на коже вещества, входящие в состав продуктов по уходу или солнцезащитных кремов: такие добавки, как ароматические или красящие ингредиенты, эмульгаторы и консерванты. Солнечные лучи могут вызвать аллергическую реакцию, разрушив химические светозащитные фильтрующие субстанции. Рекомендуется использовать проверенные солнцезащитные средства, лучше всего антиаллергенные. Самое важное при аллергии на солнце — отфильтровать ультрафиолет типа А, именно он вызывает зудящие воспаления. Разумеется, средства по уходу за телом не должны содержать никаких аллергенов. Так что осторожнее с гостиничными гелями для душа и лосьонами для тела. В качестве профилактики рекомендуется медленное, постепенное привыкание к солнцу и потребление оранжевого бета-каротина в повышенных дозах.

Болезнь кожаного ботинка

В современной Центральной Европе загар — это статусный символ. Считается, что загорелый человек спортивен, моложав, здоров и физически крепок. Те, чье детство, как и мое, пришлось на семидесятые годы, могут еще помнить молочко для загара с защитным фактором в одну или четыре единицы. Затем появились дерзкие восемь единиц. А еще было тирольское ореховое масло, помните? Оно сулило быстрый и глубокий загар. У меня в памяти также одна реклама косметики с прожаренной до темно-коричневого цвета моделью. В какой-то момент, когда потихоньку начали осознавать, что агрессивный загар — это недопустимая халатность по отношению к организму, модель с помощью фотошопа радикально перекрасили в светло-бежевую.

Пока не произошло переосмысление, солнечный ожог не считался чем-то страшным, ибо господствовало убеждение, что, когда покраснение сойдет, проявится красивый загар.

Выражение «здоровый загар» содержит в себе противоречие. Здорового загара не бывает. Любое потемнение или покраснение кожи — это отчаянная реакция на вредоносные ультрафиолетовые лучи.

Сегодня мы боремся с последствиями чересчур легкомысленного отношения к солнцу. По прошествии 20–30 лет мы платим по счетам: **число раковых заболеваний кожи достигло рекордных отметок и продолжает неуклонно расти.**

Не менее преступен для нашей кожи солярий.

Как правило, пациенты откровенно скучают или даже раздражаются, выслушивая наставления дерматологов о том, что чрезмерное нахождение на солнце и в солярии приводит к раку кожи. Взгляд отсутствующий, и мыслями пациент, возможно, уже давно где-нибудь на Карибских островах. Но стоит задать провоцирующий вопрос о том, знает ли он, что из-за избытка солнца появляются морщины и безобразные возрастные пятна, как пациент опять весь внимание. Ага, испугался! Эта маленькая подколка лучше доходит.

Кожа, которую долгие годы поджаривали на солнце или под лампами солярия, теряет свою эластичность. Она становится грубой, жесткой, как ботинок, морщинистой и пятнистой. Сосудам тоже плохо, они не могут полноценно сокращаться и выполнять свою работу; расширенные и обленившиеся, они залегают в дерме, а снаружи выглядят как сетка из красных проводов; такими бывают вены на ногах. Иногда это приводит даже к лимфатическому отеку, и на коже лица появляется уплотнение, что на языке дерматологов называется актиническим эластозом (фотодерматозом) — в переводе обусловленное солнечным воздействием растяжение эластических волокон. Словом *Poikilodermie* мы называем пегую кожу, в разводах. В целом последствия ущерба от ультрафиолетовых лучей можно назвать синдромом кожаного ботинка.

Когда состояние кожи достигло этой стадии, ее можно лишь немного подправить при помощи лазера, скальпеля, ультразвука или светолечения, на что уходит много энергии, терпения, денег, да и больно к тому же. Но никогда не поздно сказать себе «стоп». Если получится защитить поврежденные участки кожи от дальнейшего воздействия солнца, то вы дадите своей иммунной системе шанс хотя бы частично противостоять развитию начальных стадий рака.

РАК КОЖИ

Так что же, собственно, такое рак кожи? В том, что солнце изменяет кожу, нет ничего страшного. Но, увы, не все кожные пятна безобидны. Вред наносит ультрафиолетовое излучение типа А и В и инфракрасные лучи, также приходящие с солнечным светом.

Раньше думали, что рак кожи вызывают только ультрафиолетовые лучи типа В, потому что именно они являются причиной мутаций в геноме — ДНК. Считалось, что ультрафиолет типа А (UVA) к раку не приводит, ибо он не повреждает ДНК в клетках. Это предположение развеялось в ходе лабораторных исследований, когда в солярий поместили бесшерстных мышей. Там они получили дозу UVA — и заболели раком. Сегодня уже достоверно известно, что ультрафиолет типа А вызывает рак; эти лучи подавляют функцию сопротивления раку и иммунную систему кожи и, следовательно, препятствуют возможности эндогенной борьбы с раком. Объясняется это тем, что высвобождаются высокоактивные химические соединения кислорода — свободные радикалы, причиняющие ущерб наследственному материалу.

Длинные волны UVA проникают глубоко в кожу. По пути лучи уничтожают меньше наследственного материала, чем UVB, однако они самым коварным образом оставляют за собой вредоносные изменения. К слову, передозировку этого опасного излучения человек получает в солярии, где дозы во много раз выше, чем под солнцем.

 Пора развеять еще один миф: готовясь к отпуску, имеет смысл предварительно поджарить себя под трубами солярия. Неправда! Визит в солярий никоим образом не предотвращает солнечный ожог. Потому что пигмент, образующийся в условиях солярия, неполноценный и нестойкий, защитного утолщения эпидермиса он не вызывает. Кроме того, ультрафиолетовое солнце солярия не повышает уровень витамина D в организме.

Одним словом, поджаривание в солярии — это преднамеренное нанесение вреда организму. С дерматологической точки зрения солярии следует упразднить.

С недавних пор и инфракрасное излучение типа А считается одновременно и риском, и сигналом об опасности. Если вам становится на солнце жарко, следует отнестись к этому серьезно и спрятаться в тень. Природа постаралась предусмотреть предупреждающие сигналы, и их не стоит игнорировать. Еще не придуманы солнцезащитные кремы, которые могли бы спасти от инфракрасного излучения, остается разве что нанести на кожу антиоксиданты и восстанавливающие ферменты, содержащиеся в некоторых аптечных продуктах, они в принципе могут нейтрализовать ущерб. Одежда или тень здесь более эффективны.

Более коротковолновое излучение UVB проникает в эпидермис и, прежде чем проникнуть на второй подземный этаж, на какое-то время остается там. Но в эпидермисе он безудержно свирепствует, нанося прямой ущерб наследственному материалу. Если эндогенной ремонтной службе не удастся устранить последствия этого ущерба, возникает рак.

Свободные радикалы — это вовсе не политическая организация, а сверхактивные агрессивные молекулы кислорода. Химический элемент кислород обозначается буквой «О». Вы наверняка знаете формулу кислорода — O_2. Это соединение двух атомов кислорода, которые вместе составляют двойную молекулу O_2. Для поддержания стабильности этой связки две молекулы, так сказать, крепко держатся за руки.

Однако при определенных обстоятельствах: при солнечном ожоге, курении, стрессе, в процессе старения, во время занятий спортом — то тут, то там образуются отдельные молекулы кислорода, так сказать, одиночки. Они нагло рыскают в поисках, куда бы прицепиться своей единственной свободной рукой. Увы, часто они находят себе местечко в тканях и в геноме, туда и присасываются. Этот опасный союз ведет к повреждению ткани с преждевременным старением кожи и провоцирует возникновение рака.

Любовь спасает жизнь!

Не всегда именно врач первым замечает кожный рак. Очень часто тревогу бьет любящий партнер, при условии если ему дорого тело его половинки и иногда он не выключает свет во время секса. Недавно ко мне на прием приходила одна супружеская пара, которая тщательно подготовилась к обследованию: муж пометил синим карандашом все точки на теле своей жены, показавшиеся ему подозрительными. Некоторые из них оказались просто выпуклыми наростами, муж их нащупал, когда гладил тело своей жены. Эти наросты, как правило, абсолютно доброкачественные, их можно легко удалить медицинскими ножницами. Хирурги иногда забавляются, перевязывая такие висюльки хирургической нитью, в итоге они отмирают и отваливаются. Со стороны дерматологов профилактика кожного рака состоит в том, чтобы отличить безвредные пятна от вредоносных. В первую очередь отфильтровываются невусы с пегим рисунком и/или не имеющие четко ограниченного контура, они таят в себе риск к перерождению. Если таковые обнаружены, за их развитием нужно регулярно наблюдать, либо их можно превентивным образом удалить.

При профилактическом осмотре пациент должен полностью раздеться, хотя некоторые любят оставаться в носках. Но диагнозы не ставят ни через штаны, ни через носки! Так что, будьте добры, разденьтесь полностью. **Кожный врач просто обязан осмотреть все без исключения места на теле, включая кожу головы под волосами, местечки за ушами, рот, глаза, ногти, складку между ягодицами и область гениталий.** Перерожденное пятно может затаиться даже под плотью.

При таком осмотре ни врач, ни пациент не должны испытывать чувства стыда. Я вспоминаю одну пациентку, с которой столкнулась во время обучения. Она попала в больницу с диагнозом меланома. Рак был в запущенном состоянии, уже начались метастазы. Но где же исходная опухоль? Женщину обследовали всеми возможными дорогостоящими методами, включая компьютерную томографию, но никто не нашел так называемый первичный очаг, то есть исходную меланому, породившую смертельно опасные вторичные очаги. Все были в недоумении. Как мог первичный очаг рассосаться? Или он был внутри, спрятался в лимфатических узлах или в сетчатке глаза? Хотя и редко, но такое случается.

И вот один ординатор решил еще раз внимательно заняться пациенткой. Он заново обследовал все тело и наконец догадался заглянуть под трусы. Смотрите-ка, именно там и прятался первичный очаг. Как можно было его проглядеть? Вероятно, какой-то неопытный или чрезмерно стыдливый врач при первом осмотре не настоял на том, чтобы женщина полностью разделась. **Опухоль можно было бы давно про-оперировать и сэкономить на диагностике, просто загля-ни кто-то под трусики.** Компьютерная томография не может найти на теле опасную меланому, потому что она для этой техники слишком тонкая, часто всего лишь один-два миллиметра. Здесь нужен личный осмотр врача.

Черный и белый

Есть два варианта кожного рака. В большинстве случаев черный рак кожи (меланома) развивается из родинок. До подросткового возраста меланомы встречаются очень редко. И все же в 10–20% случаев меланоциты перерождаются на доселе чистой коже. Черный рак может образоваться на любом месте, включая слизистые оболочки и даже такие укромные места, как лимфатические узлы или где-нибудь внутри организма. **У мужчин черный рак чаще бывает на верхней части тела, у женщин — на лице или на голенях.** Особенно опасны меланомы на стопах, там они часто прячутся под ороговевшей кожей, и их можно принять за грязь; к тому же у них высокий риск метастазирования.

К белому раку относятся так называемая *базалиома* и *плоскоклеточная карцинома*. Базалиома возникает вследствие перерождения младенческих клеток в эпидермисе и во влагалищах корней волос; плоскоклеточная карцинома — следствие перерождения шиповидных клеток, которые находятся в несколько более зрелом клеточном слое эпидермиса. Базалиома практически никогда не метастазирует, но зарывается глубоко в кожу и растягивается там внутри, она частично бесцветная, так что может долго оставаться незамеченной. За это время она успевает поразить важные тканевые структуры непосредственно на лице.

Базалиома относится к светлому виду кожного рака, поскольку опухоли, как правило, телесного цвета или красноватые. Очень часто раковые покраснения с пластинчатыми корками долгое время ошибочно диагностируют как экзему и безрезультатно лечат гормональными препаратами. На картинке в одном пособии по базалиомам опухоль украшает кромка, похожая на бусы, и через нее протянуты красные, чуть ли не художественно расположенные расширенные сосуды; посередине красуется открытая язва.

Главными факторами риска считаются интенсивное солнечное облучение, солярий и светлый тип кожи. Но плюс еще и генетические факторы, ослабленная иммунная система или контакт с канцерогенными веществами, например с мышьяком. Большинство базалиом появляются на наших «солнечных террасах», опасности в первую очередь подвержены лоб, нос, уголки глаз, скулы, уши, а иногда и торс.

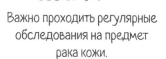

Важно проходить регулярные обследования на предмет рака кожи.

Плоскоклеточная карцинома тоже часто поражает наши солнечные террасы, но также и губы курильщиков; она может метастазировать, особенно если ей дать разрастаться и если ее клетки сильно дегенерированы. Факторы риска те же, что и для базалиомы, но есть предположение, что здесь может проявиться воздействие вируса папилломы человека, и как раз на местах, закрытых от солнца. Известно более ста подвидов этого вируса, в некоторых из них заложен большой потенциал перерождать клетки. В своей безобидной форме *вирусы папилломы человека* известны как тривиальные бородавки на пальцах или стопах. Генитальные бородавки тоже чаще всего безопасны, но есть несколько подвидов, которые задействованы в возникновении рака на коже, на шейке матки, на пенисе или в груди. Плоскоклеточная карцинома возникает и на слизистых оболочках, здесь она представляет повышенный риск к перерождению. Курение — это решающий фактор риска.

Заболевшие раком люди рассказывают разные удивительные истории о том, как долгое время принимали его за что-то другое. Они думали, что это всего лишь прыщик, что странное место на голове появилось после ушиба, а долго не проходящая болячка на верхней губе всего лишь результат неудачного влажного бритья.

Злокачественной меланомой — черным раком — в Германии ежегодно заболевает более 20 000 человек. Статистики говорят, что число новых заболеваний ежегодно растет на 10 процентов. Плюс не менее 200 000 человек ежегодно заболевают белым раком; из них 80 процентов — это базалиома и 20 процентов — плоскоклеточная карцинома. Для светлокожих людей риск в течение жизни заболеть кожным раком при условии, если они не принимают защитных мер и часто подвергаются ультрафиолетовому излучению, почти 100 процентов. Примерно 80 процентов предпосылок закладывается уже в первые 20 лет жизни. Но проявляются они с отсрочкой на два-три десятилетия.

Раньше считалось, что целевой группой белого рака являются лишь люди за 60. Моему самому молодому пациенту с базалиомой всего 28 лет, многим другим около сорока. У молодых женщин в возрасте 20–30 лет самый частый вид рака — это черный рак, в чем прежде всего винят увлечение солярием. У женщин 30–50 лет он на втором месте после рака груди.

Кстати, у афроамериканцев риск заболеть злокачественной меланомой на 20 процентов ниже, чем у светлокожих людей. Из светлокожих опять-таки австралийцы страдают чаще всех. Однако у африканцев, азиатов и людей испанского происхождения случается особо опасная меланома слизистых тканей, то есть та, что возникает в закрытых от солнца местах. Получается, что должны быть и иные провоцирующие факторы, например генетические.

Экспресс-проверка на кожный рак

Время от времени самостоятельно проверяйте состояние родимых пятен на себе и на своих любимых. Злокачественность или доброкачественность многих пятен вы можете определить сами. Подозрительное пятно кожный врач прооперирует за несколько минут, и тогда оно никогда не переродится.

 ВАЖНО: невус (родинку) никогда нельзя удалять лазером без предварительной пробы тканей, иначе нельзя будет направить образец ткани патологу для исследования под микроскопом.

Только так можно удостовериться, обычное это родимое пятно или оно потенциально опасно, а также узнать, не рак ли это.

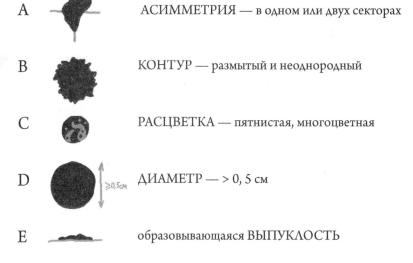

Проверка пятен. Правило ABCD(E)

Когда будете играть в доктора-дерматолога, воспользуйтесь правилом ABCDE, это делается так:

«А» означает асимметрию в одном или в двух секторах. Чем асимметричнее, тем больше риска.

«В» — это контуры. Если они нечеткие и неравномерные, то это плохой признак.

«С» — расцветка. Если в родимом пятне много цветов: коричневый, черный, серый, красный, белесый или лиловый, это дурной знак. Одноцветное пятно, от светлого до темно-коричневого, говорит, как правило, о том, что все в порядке.

«D» — диаметр. Родинка диаметром менее половины сантиметра в большинстве случаев доброкачественна. Если диаметр больше половины сантиметра и если наблюдается рост, это скорее не очень хороший знак.

«Е» означает выпуклость. Родимое пятно, которое всегда было выпуклым, припухшим, иногда меняло выпуклость формы, как правило, так и остается доброкачественным. Но если родимое пятно, которое когда-то было плоским, вдруг неожиданно утолщилось или припухло, то это тревожный сигнал. Такое пятно нужно срочно удалять.

Зудящие, кровоточащие и растущие пятна также являются тревожными признаками.

Безопасно ли выщипывать волоски из родинок, если таковые там есть, неизвестно. Но если вы случайно натерли родинку, например поясом брюк, нужно иметь в виду, что вероятность рака могла повыситься.

При такой экспресс-проверке попадаются кожные изменения, которые трудно классифицировать. Часто это шершавые, довольно большие коричневые наросты, большинство из них — это старческие бородавки. Непрофессионалам сложно отличить старческую бородавку от подозрительной пигментной опухоли. Старческие бородавки — это лишь доброкачественные роговые утолщения, окрашенные эндогенным красителем меланином. Под микроскопом видно, что здесь вообще нет никаких пигментных клеток, а только окрашенные в коричневое роговые массы. Бывает, что старческие бородавки крошатся под душем или от вытирания полотенцем, и они никогда не перерождаются. Если сомневаетесь, лучше все же сходить к кожному врачу, он может эти наросты просто соскоблить или обработать лазером. Здесь также имеет смысл направить кусочек ткани патологу на анализ, чтобы он подтвердил доброкачественность. Лазерное удаление без такой пробы — это всегда риск, и его следует избегать.

Поскольку выражение «старческая бородавка» может звучать оскорбительно или обидеть кого-то, дерматологи предпочитают называть ее *себорейным кератозом*, что переводится как «жирное ороговение». Здесь нет ничего общего с жирностью в классическом смысле слова, но иногда кератозы лоснятся жирным блеском, отсюда и название. Но, как уже упоминалось, гораздо чаще они шершавые и жесткие. Поэтому непрофессионалам легко перепутать их с вирусными бородавками, у тех тоже шершавая грубая поверхность. **Хорошая весть: в отличие от вирусных, старческие бородавки не заразны.**

Проверка пятен требует постоянного наблюдения за собой и регулярных визитов к врачу. Приложения для смартфонов, анализирующие родинки, к сожалению, недостаточно надежны. Дерматологи время от времени учатся на опыте. Вот с чем я недавно столкнулась: одна пациентка, сама врач, показала мне внезапно появившееся светло-коричневое пятно у стопы. Оно выглядело доброкачественным, почти как веснушка.

Она попросила быстренько удалить это пятно лазером, потому что оно выглядело не очень красиво. Я все же удалила его хирургическим способом и, как обычно, послала материал в лабораторию. **Результат шокировал**: стадия черного рака в очень опасной форме.

Как упоминалось выше, с диагнозом черного рака легко ошибиться именно на ступнях. Там его называют *акролентигинозной меланомой*. Дословный перевод: «находящийся на краю тела веснушчатоподобный кожный рак». *Lentiginös* означает «веснушчатый». К счастью для пациентки, в том случае злокачественные клетки еще не пробрались в базальную мембрану, то есть в волнистый, похожий на упаковку для яиц разделительный слой между эпидермисом и дермой. Если бы я пошла у пациентки на поводу и лишь удалила бы лазером пигмент или часть злокачественных клеток, то с большой вероятностью дело закончилось бы плохо.

Проверка по типу кожи

Есть целый ряд факторов риска, благоприятствующих возникновению черного рака кожи. Наряду с солнцем, солярием, солнечными ожогами как в детстве, так и во взрослом возрасте есть еще и такие: большое количество родинок (более 50 штук), случаи заболевания черным раком в семье, наличие более чем пяти атипичных, то есть неоднородных родимых пятен, а также большое количество пегих родинок у людей, страдающих *синдромом диспластического невуса* — синдромом пегих невусов.

Если у вас есть один или несколько из этих факторов, вам рекомендуется раз в год показываться кожному врачу, причем начиная уже с 20 лет, а не с 35, как это предписывают некоторые страховые компании.

Насколько важна профилактика, продемонстрировал один показательный проект, благодаря которому федеральная земля Шлезвиг-Гольштейн приобрела мировую известность. Там в 2003–2004 годах был проведен крупнейший в мире скрининг по кожному раку с участием 370 000 граждан. Было установлено, что благодаря систематической профилактике смертность от меланомы снизилась наполовину! Неожиданно было выявлено большее количество заболеваний меланомой, чем обычно, но все они в такой ранней стадии, что их можно было своевременно удалить и вылечить, прежде чем они дали метастазы. Не в последнюю очередь благодаря этому успешному проекту, доказавшему результативность систематической профилактики, с 2008 года скрининг на предмет рака кожи занесен в список услуг немецких больничных касс в системе законодательно установленного страхования на случай болезни. При толщине опухоли начиная уже с 1,5 миллиметра 33 процента заболевших живут не дольше 10 лет. Начиная с толщины в четыре миллиметра в течение десяти лет умирает 57 процентов заболевших.

Но профилактика — это одно, а защитные меры — это другое. Один из самых серьезных факторов риска — это солнечное излучение. **Для эффективной защиты вам следует прежде всего выяснить, какой у вас тип кожи и сколько солнца вы можете вынести.** По цвету и чувствительности кожи к ультрафиолету различают шесть типов кожи.

Разные генетические типы кожи адаптированы к определенным широтам и преобладающей там солнечной радиации. Так, у жителей Северной Европы кожа бледная, что позволяет подцепить хоть немного витамина D в редкие солнечные дни. А у тех, кто живет возле экватора, тип кожи темный, что обеспечивает достаточную степень защиты от вредоносной доли излучения.

Тип кожи	Описание	Солнечный ожог	Загар	Допустимое время пребывания на солнце без защиты
1	Кожа: очень светлая, розовая Веснушки: часто Волосы: светло-русые, рыжеватые Глаза: зеленые, голубые, редко карие	Всегда, сильный	Нет	10 минут
2	Кожа: светлая Веснушки: иногда Волосы: от светло-русых до каштановых Глаза: зеленые, голубые, редко карие	В большинстве случаев сильный	После солнечного ожога возможен легкий загар	15 минут
3	Кожа: светло-коричневая Веснушки: нет Волосы: от темно-русых до светло-каштановых	Реже, умеренно сильный	Хороший	20 минут

4	Кожа: светло-коричневая Веснушки: нет Волосы: темно-каштановые, черные Глаза: темные (Происхождение: Средиземноморье, Азия)	Очень редко	Быстрый и глубокий	30 минут
5	Кожа: очень смуглая Веснушки: нет Волосы: от темно- каштановых до черных Глаза: темные (Происхождение: Латинская Америка, Северная Африка, Индия, Азия)	В исключительно редких случаях требуется высокая доза ультрафиолета (например, на глетчере)	Ярко выраженный	Более 50 минут
6	Кожа: темная Веснушки: нет Глаза: темные (Происхождение: Африка, австралийские аборигены)	Практически никогда	Ярко выраженный	Более 60 минут

ПРЯЧЕМСЯ, ОДЕВАЕМСЯ, МАЖЕМСЯ

По счастью, в организме заложено несколько защитных механизмов против ультрафиолетовых лучей. Один из них — окрашивание кожи в темный цвет при контакте с солнцем. Лучи UVA вызывают быстрый загар, появляющийся сразу во время нахождения на солнце. При этом предварительно подготовленные частички меланина выдвигаются несколько ближе к поверхности кожи, и еще не покоричневевшие предшественники меланина становятся видимыми. Оттенок такого загара чаще всего серовато-коричневый. Загар этот нестойкий и лишь в незначительной степени защищает наследственный материал клеток.

А вот излучение UVB более эффективно, оно стимулирует образование новых пигментов, что может продолжаться до трех дней, но лучше защищает геном. В результате получается оттенок от медного до кофейного. Наше эндогенное красящее вещество — меланин — превентивным образом прикрывает собой ядра клеток, словно внутренний солнцезащитный крем, и таким образом защищает кожу от опасного ультрафиолетового излучения. В то же время производство меланина обуславливается именно этим видом излучения.

Для защиты клеток еще более важно утолщение эпидермиса, благодаря ему снижается уровень поступающей радиации. Образование этих так называемых гиперкератозов длится до трех недель. Так что если вы улетаете в отпуск бледным как поганка, то такое действительно полезное явление, как гиперкератоз, возникнет у вас самое раннее к концу долгого трехнедельного отпуска, аккурат к возвращению на работу. Отслужив свое, кожные утолщения отслаиваются. Поэтому после отпуска на солнце вы замечаете, что кожа становится сухой и покрывается крошечными чешуйками. И тогда мы говорим, что кожа шелушится. Втирать крем смысла, разумеется, нет, потому что кожа сделает то, что она должна сделать: отслоить, избавиться, навести порядок. Попрощаемся с гиперкератозом!

Эндогенные защитные механизмы в состоянии усилить защиту от ультрафиолета на одну-две единицы. У младенцев эта защита еще не функционирует. И мы тоже должны себя дополнительно защищать или же вообще воздерживаться от пребывания в регионах, не подходящих нашему типу кожи. Иначе не избежать отложенного ущерба.

Рубашка, брюки, шляпа… Когда мы, жители Северной Европы, оказываемся в южных широтах или если мы любим летом долго находиться на свежем воздухе, мы должны всемерно поддерживать наши эндогенные возможности защиты от солнца.

Основное правило дерматологов гласит: прятаться, одеваться, мазаться!

1-й и 2-й тип кожи называют также кельтскими типами, классическая иллюстрация такого типа — образ английского туриста на Средиземном море. Через 10, максимум через 20 минут ему грозит жестокий солнечный ожог — фототоксическая экзема, буквально отравление светом. Кожа красная, болит, появляются пузыри, местами геному клеток нанесен такой тяжелый ущерб, что он больше не поддается восстановлению, так что кожа отторгается. Английский пациент поступит верно, если наденет элегантную шляпу, которая подарит тень лицу, шее и ушам. Солнечные очки защитят его глаза и нежную кожу под глазами. Длинная, плотнотканная, но пропускающая воздух одежда — это оптимальный вариант.

Во время жаркого полуденного солнца, где-то между 11 и 15 часами, нашему кельту, следуя примеру местных жителей, нужно устраивать себе сиесту. В это время дня индекс ультрафиолета, обозначающий интенсивность излучения UVB, особенно высок. Защита рекомендуется уже начиная с индекса 3; в Центральной Европе такой часто бывает даже осенью. Возле экватора индекс может быть выше одиннадцати. Ежедневные показания UV-индекса можно отследить в Интернете; для Германии, например, на сайте Немецкой метеорологической службы или Федерального ведомства по радиационной безопасности.

Если вы подумали: «Ну ладно, тогда поджариться можно до и после сиесты», — будьте осторожны! Как вы уже знаете, лучи UVA также весьма сомнительны. Особенно сильны они между 10 и 16 часами, но и в остальные солнечные часы они присутствуют в воздухе в высоких дозах. Нахождение в тени или под зонтиком спасает от них только на 50 процентов. Они пробиваются даже через окна автомобиля и иллюминаторы самолета. **У пилотов очень часто обнаруживается рак кожи или его предварительные стадии; для них риск развития черного рака вдвое выше, чем у людей, работающих на земле.**

В воде тоже отнюдь не безопасно, это известно каждому, кто хоть когда-нибудь забывал о времени, плавая под водой: 60 процентов ультрафиолета проникает на глубину 50 см. Отражение от снега и от воды усиливает ультрафиолетовое излучение на 50–90 процентов.

 Облака понижают излучение лишь на 10 процентов, поэтому даже при, казалось бы, затянутом облаками небе можно получить солнечный ожог.

Даже если кельтской коже удастся более или менее произвести пигмент, это еще не означает лучшую защиту. Потому что при очень светлом типе кожи меланин недостаточно продуктивен. Так что солнцезащитный крем обязателен, причем с высоким фактором защиты, и наносить его надо в огромных количествах.

На тюбиках с солнцезащитным кремом всегда указано значение солнцезащитного фактора SPF. К примеру, SPF 50 означает, что для, скажем, первого типа кожи собственная десятиминутная защита может быть продлена в 50 раз. Так что наш англичанин мог бы оставаться на солнце 500 минут, то есть более 8 часов. Это в теории. А на практике это в любом случае слишком долго! Ведь солнцезащитный крем, в конце концов, не черная полимерная пленка и все-таки пропускает достаточно ультрафиолетового излучения. Кроме того, защитный крем все равно наносят чаще всего слишком тонким слоем.

Известно ли вам, что для того, чтобы крем выполнил обещанное, взрослый человек должен зараз нанести на себя такое количество солнцезащитного крема, которое уместилось бы в одну-две водочные стопки. Однако исследования показали, что, как правило, мы наносим всего 0,5–1 мг крема на квадратный сантиметр кожи вместо необходимых 2 мг/см². Если вы отправились с семьей в отпуск с одним тюбиком солнцезащитного крема и даже его не до конца использовали, то вы определенно недостаточно мазались кремом. К тому же следует учитывать, что часть крема испаряется вместе с пóтом, теряется из-за трения об одежду или во время купания в море. После купания в любом случае нужно снова нанести крем. При этом фактор времени допустимого нахождения на солнце не удлиняется, как многие полагают, а только поддерживается. Да мы еще и часто забываем помазать кремом целые участки кожи.

Прошлым летом я наблюдала, как мой сосед с обнаженным торсом работает в своем саду. Он уже установил палатку для детей и покопался в грядке, и тут жена ему напомнила: «Да намажься ты наконец кремом, пожалуйста!» Заметно раздраженный, что его отвлекли от важных занятий, он быстро выжал большую порцию лосьона в ладони, коротко провел ими по рукам и предплечьям и один раз хлопнул себя по спине. И на этом завершил свое солнцезащитное мероприятие.

В сумерках, за поливом цветов, я рискнула бросить еще один взгляд на обнаженную спину соседа. Теперь даже издалека, через забор, светилась настоящая солнечная татуировка: вся спина пылала красным, и только отпечаток руки остался белым…

Мужчины и крем? Знаю, что это огромная проблема! Наши мужчины, у которых и без того жирная кожа, избегают крема, он им кажется уж очень липким. На счастье, с некоторых пор в аптеках специально для этих бравых парней продаются солнцезащитные гели и флюиды. Они содержат значительно меньше жира, не забивают поры, быстро впитываются, и под ними не потеешь. Но какая польза от самого лучшего крема, если им не пользоваться?

Покупая солнцезащитный крем, обращайте внимание на то, чтобы наряду с высоким светозащитным фактором (50+) также была достаточно высокая защита от UVA. Как потребитель узнает об этом? В соответствии с директивой Европейского сообщества, на тюбике будет кружок с буквами UVA внутри. Крем без такой защиты хоть и помогает от излучения UVB и предотвращает солнечный ожог, но вредные лучи типа А будут беспрепятственно проникать в кожу, и вы этого не заметите, поскольку солнечный ожог, как предупредительный сигнал, не позовет вас вовремя домой.

Так что чтобы хоть как-то защитить себя от обоих видов облучения, обращайте внимание на высокий солнцезащитный фактор и на сокращение UVA в кружочке. Если на тюбике написано, что его содержимое «водоустойчиво», не слишком обольщайтесь. В данном случае «водостойкий» означает: после купания на коже осталось около 50 процентов светозащитных фильтрующих веществ. Обязательно помажьтесь кремом еще раз!

Детей до двух лет в принципе никогда нельзя подвергать прямому солнечному излучению. Но мы все знаем, что это не всегда получается. Рекомендуется легкая одежда, прикрывающая руки и ноги. Важно также пользоваться детским кремом с высоким солнцезащитным фактором, он не несет с собой серьезных рисков для здоровья. Напротив, риск — это солнечный ожог, он может иметь последствия на всю жизнь. Однако многие родители опасаются, не вызовет ли крем аллергии, не окажет ли гормонального воздействия и не лучше ли пользоваться кремами с химическими или физическими солнцезащитными фильтрами. Ответ таков: оба варианта приемлемы, поскольку на сегодня требования к хорошему солнцезащитному крему, если он куплен в аптеке и предназначен для маленьких детей, очень высоки.

Для того чтобы разработанный светозащитный фильтр стал привлекательным для крема, он, подобно соискателю на рабочее место, должен иметь не только основные профессиональные навыки (hard skills), но и личные качества (soft skills). Он должен быть светостойким, а не разлагаться от солнца, потому что разрушающийся фильтр может вызвать аллергию. Он не должен вредить здоровью, не должен оказывать гормонального воздействия, по возможности не должен слишком глубоко проникать в кожу и уж тем более нарушать пограничный слой — базальную мембрану. Кроме того, очень важна его способность к командной работе. Вообще-то современные солнцезащитные средства в большинстве своем сочетают химические и физические светозащитные фильтры.

Химические светозащитные фильтры перехватывают ультрафиолет. Когда молекулы принимают на себя световой энергетический пакет (помните про фотоны?), они на короткий момент впадают в энергетически возбужденное состояние. Тогда перехваченная энергия ультрафиолетового излучения преобразуется в видимые длинные волны или в тепловое излучение (инфракрасное). Разумно подобранная команда химических светозащитных фильтров может принимать на себя волны различной длины и таким образом тормозить как UVA, так и UVB. При этом сборная команда светозащитных фильтров работает в полном взаимодействии и обеспечивает самозащиту от разрушения солнцем всего фильтра в целом. Взаимодействие компонентов фильтра экономит трудозатраты, так что на круг нужны небольшие количества каждого из химических фильтров, что позитивно сказывается на «конечном пользователе» — коже: нет продуктов распада химических светозащитных фильтров, меньше аллергии.

По поводу химических фильтров по-прежнему ведутся дискуссии. Опыты на животных показали воздействие, подобное гормональному. Впрочем, подопытные мышки получили исключительно большие дозы фильтров. В хороших солнцезащитных кремах признанные рискованными химические светозащитные фильтры не используются, и все же солнечный ожог однозначно считается гораздо бо́льшим риском. **Если вы все-таки опасаетесь гормонов в солнцезащитном креме, то учтите: с питанием мы ежедневно потребляем гораздо более высокие дозы фитоэстрогенов, чем в принципе может содержать солнцезащитный крем.** Кроме того, с водопроводной водой мы порой получаем настоящие эстрогены (гормоны, которые после приема противозачаточных таблеток вместе с мочой снова попадают в воду). И к сожалению, в многочисленных прочих косметических средствах содержатся гормонально активные консерванты — парабены.

Тем временем надежные химические светозащитные фильтры есть даже для детей. Их часто смешивают с физическими светозащитными фильтрами. Под физическими здесь имеются в виду минеральные. Такие кремы содержат мелко размолотые частицы пудры из минералов — диоксида титана и оксида цинка. Они вовсе или почти не захватывают ультрафиолет, а, словно маленькие зеркальца, рассеивают его. Эти мелкие частички пудры можно представить себе в виде мини-зонтиков с отражающей верхней поверхностью. Преимущество в том, что они не пропускают весь спектр волн. Ультрафиолет не может их разрушить, они не слишком глубоко проникают в кожу, нет никакого гормонального воздействия, и случаев аллергии также не наблюдалось.

Без сочетания с химическими фильтрами физические вряд ли технически смогли бы обеспечивать степень защиты выше 20 единиц, не вызывая при этом на коже не очень красивый с косметической точки зрения отбеливающий эффект. Маленьким детям он не помешает, а взрослым нежелателен. Мы же хотим быть загорелыми, а не походить на привидения.

В последнее время этот отбеливающий эффект нейтрализуют добавлением физических фильтров в виде наночастиц. Они настолько малы (меньше 1000 миллимикрон, или 1 микрон), что глубже проникают в роговой слой. Таким образом, защита действует дольше, потому что она меньше подвержена стиранию, потению и долгому пребыванию в воде. Наночастицы не отражают видимый свет, так что и отбеливающего эффекта на коже нет. Огромное преимущество с косметической точки зрения.

Если у вас проблемная кожа, то имеет смысл сходить в аптеку и подобрать там правильный крем или хорошо переносимый легкий и нежирный гель.

Минеральные светозащитные средства очень хорошо переносятся, хотя иногда их делают на слишком жирной основе, что может спровоцировать прыщи и вызвать неприятные ощущения.

Многие женщины пользуются дневными кремами или тональной косметикой с фильтрами UV. Это обманчивая безопасность, поскольку такие кремы часто содержат защиту против UVB, но не против UVA. Так что если есть маркировка SPF 15, но нет значка UVA, то будьте осторожны: незаметно для себя вы можете в некоторой степени подвергнуться более высокому риску возникновения морщин и рака.

И кое-что еще. **Нанося с утра дневной крем, а позднее поверх него еще и солнцезащитный, вы перегружаете кожу.** Гораздо лучше позволить себе комбинированный препарат, в котором защита от солнца сочетается с уходом или с тональным эффектом (обращайте внимание на защиту от UVB и UVA).

Такие комбинированные препараты можно купить в аптеке в форме крема или тональника. Но всегда имейте в виду: **природа не любит слишком обильного ухода, он вреден для здоровья кожи. Здесь тоже действует правило: лучше меньше да лучше.**

Плюс еще несколько полезных советов

Формула из трех волшебных слов: прятаться, одеваться, мазаться — поможет избежать ультрафиолетовой катастрофы вселенского масштаба, но вы можете еще кое-что сделать. Например, с помощью антиоксидантов, таких как витамины А, С и Е. Они эффективны при наружном применении и потому по праву содержатся в некоторых продуктах для ухода за кожей и защиты от солнца. А лучше принимайте эти антиоксиданты внутрь. Ешьте цветные фрукты и овощи. Бета-каротин и прежде всего ликопин из томатной пасты (действует лучше, потому что в пасте его больше, чем в свежих помидорах), морковь, а также шпинат, капуста, свекла, зеленый чай и немного красного вина благотворны для кожи. Поскольку механизм возникновения кожного рака и морщин одинаков, вы получите двойную выгоду от приема антиоксидантных растительных веществ и витаминов.

Помимо этого, что еще? Я снова скажу о своем любимом витамине — витамине D. Будь то собственного изготовления, то есть из кожи, из аптеки в качестве пищевой добавки или в виде свежей жирной рыбы.

Он состыковывается с теми рецепторами в коже, которые подавляют возникновение опухолей. При этом рецептор, как замок, а витамин D — ключ к нему.

Витамин D защищает от всех видов кожного рака.

Носите большие и хорошие солнечные очки. Кожа под нижним веком тонкая и нежная, она как солнечная терраса над скулой, всегда открыта солнечному облучению и ожогам. Здесь защитой могут стать очки. Небольшое утешение для очкариков: у вас в принципе меньше морщин под глазами, чем у людей с хорошим зрением. Ведь даже нетонированные органические стекла защищают от ультрафиолета, потому что в них добавляют материалы, препятствующие пожелтению оргстекла под воздействием солнца.

И еще одна хорошая весть для милых дам: **губная помада защищает от рака губ**. И это даже несмотря на то что Немецкое общество по контролю за качеством товаров периодически констатирует, что в содержащих минеральные масла средствах по уходу за губами могут быть канцерогенные вещества, такие как ароматические углеводороды. Для безопасности вы можете просто переключиться на помады, не содержащие минеральных масел. Собственно для губ цветная защита — это хорошее превентивное средство против солнечных лучей.

Сладкий автозагар

Итак, вы узнали о методах защиты от солнца. Теперь я расскажу вам, как вы можете все же загореть. Здоровая альтернатива зловредному облучению — это загар с помощью углеводов.

Углеводы? Имеется в виду действующее вещество *Dihydroxyaceton* (дигидроксиацетон, сокращенно DHA) — сладкое на вкус сахаристое вещество, которое вступает в химическую реакцию с частицами белка на роговом слое кожи и вызывает эффект загара. Этот феномен может быть вам знаком из кулинарии: реакция Майяра придает коричневый цвет и специфический аромат жареным блюдам, хлебу, кофе и картошке фри.

Дигидроксиацетон — это излюбленное действующее вещество во всех современных автозагарах. Он безвреден и в несколько видоизмененной форме встречается даже в нашем обмене веществ. В кремах его иногда комбинируют с подобной же субстанцией, *Erythrulose* (эритрулозой), придающей коже несколько красноватый оттенок. Но автозагарщикам противопоказано лежать на солнце, ибо в этом случае могут выделиться небольшие количества ядовитого и аллергенного формальдегида.

К сожалению, автозагар имеет один большой недостаток. Цвет держится недолго и рисует на коже узоры, причем не только когда вы небрежно намазались. Как вы уже знаете, с кожи постепенно отслаиваются чешуйки, и они продолжают это делать даже после того, как их покрасили: там, где есть какое-то трение, коричневые частички кожи остаются на одежде. А места, где роговой слой толще или более шершавый, окрашиваются сильнее, и получаются из нас пятнистые леопарды или полосатые тигрицы.

Есть еще одно вещество, обещающее загар без солнца. Его всячески рекламируют в Интернете: это белок под названием мелатонин (меланотан), синтетический вариант нашего гормона меланина, стимулирующего меланоциты. Известный как наркотик для Барби, он нелегально продается в форме жидкой субстанции для самостоятельных инъекций и наряду с безупречным загаром якобы обеспечивает повышение сексуального желания и красивое подтянутое тело. Казалось бы, хэппи-энд. Отнюдь нет. Ему сопутствуют рвота, повышение давления, внезапная эрекция, неожиданно возникающая тяга зевать и потягиваться, а также возникновение родинок вплоть до возможного их перерождения в черный рак. Так что руки прочь от этого средства!

Прекрасная бледность?

Опасные последствия увлечения загаром нам давно известны. Не так хорошо в Европе знают о **противоположном тренде — о чрезмерных мерах для осветления кожи**, которые популярны среди африканцев, афроамериканцев, индусов и азиатов. Это увлечение тоже имеет опасные побочные явления. **В жарких странах светлая кожа считается привлекательной: она символизирует здоровье и высокий социальный статус.** Бледность ассоциируют с профессиональным и межличностным успехом. Вот почему в Азии женщины любят носить на море фейскини[1] — маски из материала для бикини с прорезями для глаз, чтобы во время купания не загорало лицо. Тональные средства там кукольно-фарфоровых оттенков.

С точки зрения дерматологов, отбеливание допустимо лишь при некоторых проблемах с кожей, сопровождающихся обширными коричневыми пятнами, то есть избыточной пигментацией. К ним относятся пятна, обусловленные женскими

---

[1] Facekini (*англ.*) — бикини для лица. — *Примеч. пер.*

гормонами, беременностью или приемом противозачаточных средств в увязке с солнечным светом. Подобные гиперпигментации часто возникают после воспалений, поскольку вследствие бурного воспаления красящее вещество меланин просачивается с первого подземного этажа на второй и остается там на месяцы.

 Согласно данным Всемирной организации здравоохранения, до 77 процентов женщин в Нигерии и до 40 процентов женщин в азиатских странах применяют отбеливающие средства, чтобы кожа выглядела более светлой. Самый известный пример — Майкл Джексон; когда-то он был темнокожим и, по всей вероятности, подверг себя этому эксперименту.

Отбеливание кожи может иметь смысл, если из-за солнца возникли некрасивые пятна. При этом применяются лекарственные средства, снижающие производство меланина. Их нужно наносить ненадолго и на не слишком большие поверхности. Кроме того, очень эффективны лазерные методы.

Очень опасно и в высшей степени вредно для здоровья применение на больших участках и в больших дозах гидрохинона, ртути и очень сильных кортизоновых кремов. В некоторых странах их можно найти на полках супермаркетов под видом лосьонов для тела под такими соблазнительными словами, как «белая роса», «прекрасное и белое» или «быстрое очищение». Последствия могут быть фатальными. Кожа теряет эластичность, возникают растяжки, воспаления с безобразными темными пятнами, прыщи и гнойники на лице, грибковые инфекции, нарушения заживления ран, усиленное оволосение тела, расширенные сосуды или гормональные нарушения (при приеме кортизона). У подопытных животных гидрохинон вызывает рак, ртуть наносит тяжелый ущерб почкам, мозговой и нервной деятельности человека и животных, к тому же она отравляет воду и землю и таким образом попадает в пищевую цепочку.

ПОЧЕМУ НАС ЛЮБЯТ КОМАРЫ И ОСЫ

Наступает лето, и на нашей коже начинают появляться красные зудящие точки. Комары! **Но почему одних они постоянно кусают, а других большей степенью щадят?** Добрые 20 процентов людей для комаров будто медом намазаны.

Нас любят только женские комариные особи, потому что содержащиеся в нашей крови белки и железо нужны им для откладывания яиц. Сами-то они могут прекрасно прожить, питаясь нектаром и сладким соком растений, а вот для потомства требуются отнюдь не веганские деликатесы, а кровяной «суп» человека или животного. Чтобы его добыть, мама-комариха метко прокалывает капилляры в дерме человека и животного. С каждым укусом она выкачивает из жертвы от 0,001 до 0,01 миллилитра крови.

 Несмотря на антибактериальную составляющую в слюне, расчесанный комариный укус может, разумеется, вызвать и бактериальное заражение, потому что при расчесывании человек нарушает кожный барьер и вносит в кожу находящиеся на поверхности микробы.

Комариная слюна — это хитроумный коктейль из обезболивающих веществ (чтобы жертва не заметила момента укуса), антикоагулянтов (разжижать кровь, чтобы она не свернулась в хоботке насекомого и не закупорила его), сосудорасширяющих веществ (чтобы добыть побольше крови), а также ферментов и белков (они помогают разлить коктейль по тканям, а заодно оказывают антибактериальное действие). Как реак-

Йаэль Адлер

ция на чужеродные вещества, попадающие в организм из слюны комара, из хранилищ нашей дермы — тучных клеток — выбрасывается нейротрансмиттер зуда — гистамин.

Вообще-то у комаров есть явные предпочтения, чей крови они хотят. Это должен быть человек-жертва с ярко выраженным характерным запахом. Индивидуальный запах возникает от того, что бактерии разлагают человеческий пот. Определенное сочетание молочной, мочевой и жирных кислот и аммиака поистине сводят комаров с ума. А для москитов нет ничего более заманчивого, чем запах ног. Они летят на дурно пахнущие ноги с их содержательным и сложным запахом.

 В Танзании перед дверями и окнами домов вывешивают вонючие носки, тем самым пытаясь сбить с толку малярийных комаров. А ученые-специалисты уже работают над созданием ловушек для москитов с ароматом «Eau de pieds» (ножной парфюм — фр.), чтобы локализовать распространение малярии.

В человеческом запахе большое число компонентов. Какие ароматы наиболее любимы комарами, точно не известно, но установлено, что наряду с запахом пота роль играют также гены. Также запах выдыхаемого углекислого газа, особенно во время занятий спортом, комары считают достойным укуса и летят на него с расстояния до 50 м. Запахи парфюмов, кондиционеров для белья, пахучих лосьонов для тела и гелей для душа тоже привлекают комаров. **Особый деликатес для них — это люди с первой группой крови**; к ним чаще других летят и кусают. В народе говорят, что у них сладкая кровь. А люди со второй группой крови, наоборот, гораздо менее привлекательны. Почему это так, никто не может точно сказать. Факт в том, что на кожной поверхности человека форми-

руется химический сигнал, сообщающий летающим кровосо-
сам группу крови.

Так что любимым лакомством комаров мог бы стать пах-
нущий жидкостью после бритья, сильно потеющий и тяжело
дышащий спортсмен с первой группой крови и дурно пах-
нущими ногами. А абсолютным хитом в ряду комариных ла-
комств могла бы стать разве что занимающаяся спортом бе-
ременная женщина, потому что у нее повышена температура
тела и она выдыхает еще больше углекислого газа.

Что же делать, чтобы комары не пользовались нами, как
шведским столом типа «ешь сколько сможешь»? Очень эффективны химические вещества диэтилтолуомид (ДЭТА) и
пикаридин (икаридин или салтидин), они отгоняют комаров
(и клещей тоже) часов на шесть. Впрочем, ДЭТА раздража-
юще действует на слизистые оболочки и нервную систему,
поэтому не рекомендуется детям младшего возраста и беременным. Пикаридин несколько менее агрессивен, но все
же далеко не биовещество. К сожалению, биоматериалы в
данном случае не лучшая альтернатива, потому что они действуют гораздо слабее, чем синтетические. Они быстро уле-
тучиваются, и их нужно заново наносить каждые два часа.
Биоматериалы, такие как кокосовое масло, растительные
эфирные масла: цитронеллол, масло чайного дерева, экстракты лаванды, эвкалипта, гвоздики, герани, кедра, бази-
лика, чеснока, перечной мяты — могут пахнуть неприятно
даже для человеческого носа, но зато они не токсичны. Но
если вы предполагаете, что биоматериалы безвредны, то
ошибаетесь. Контакт с некоторыми из этих натуральных
ароматических веществ вполне может вызвать аллергию. На-
дежнее всего тело защитит механический барьер: длинная
одежда и москитные сетки.

Ой! Меня укусила оса

А вот пчелы и осы жалят не преднамеренно, а только в целях самозащиты. Их укусы очень опасны для аллергиков.

Впрочем, они болезненны и неприятны и тем, кто не страдает аллергиями.

Есть целый ряд эффективных домашних средств после укуса. Мой личный фаворит — лук. Разрезать свежий лук и втереть выступивший сок в место укуса.

Ни в коем случае нельзя вынимать зубами оставшееся в коже жало. Такое иногда делают. Вынимая жало зубами, вы рискуете тем, что яд попадет на слизистые рта, а это чревато мощными отеками вплоть до удушья. Так что жало лучше аккуратно соскрести, но при этом не сжимать его, чтобы не выдавить в кожу еще больше яда. Затем приложить лед, если он у вас под рукой: холод сокращает сосуды, и яд не сможет быстро распространиться в коже.

Проникшему в ткани яду можно противопоставить высокие температуры. В аптеках продаются профессиональные средства для лечения укусов, их накладывают на место укуса, и они выделяют высокую, но терпимую для человека температуру. Можно воспользоваться и обычной столовой ложкой: ненадолго опустите ее в горячую воду, а затем на пару секунд прижмите к коже. Но осторожно, не слишком долго, а то можно обжечься.

Если удастся нагреть яд в тканях до температуры в 40–50 градусов по Цельсию, то белковые составляющие яда будут разрушены, и зуд спадет. К тому же для нервных окончаний высокая температура как отвлекающий маневр, так что они некоторое время не передают в мозг сигналы раздражения. **Итак, порядок таков: лук, холод, жар.** Эффективно умерить воспаление может также сильный гормональный крем.

Укусы зудят, краснеют и отекают прежде всего из-за гистамина, который в то же время и нейротрансмиттер аллергии. В случае аллергии на яд насекомых на всем теле может появиться сыпь, которую называют крапивницей по образцу контакта с крапивой. Гораздо серьезнее, когда гистамин расширяет сосуды так, что кровь, следуя закону земного притяжения, скапливается в ногах и не достигает мозга и сердца, и дело доходит до сужения дыхательных путей. Тогда аллергия на яд насекомых угрожает жизни, ведь анафилактический шок чреват летальным исходом.

Тут уж местная терапия антигистаминным гелем никак не поможет, тем более при наружном применении он и так недостаточно глубоко проникает в кожу. Антигистаминный препарат нужно теперь принимать внутрь — в форме капель, сока, таблеток или инъекции.

 Если у вас аллергия на пчелиный или осиный яд, на экстренный случай постоянно имейте с собой набор из трех предметов: жидкий антигистамин и жидкий кортизон (то и другое для наружного применения) и инъектор с адреналином, который при необходимости можно вколоть себе через джинсы в бедро. Так вы спасете себе жизнь.

Рекомендуется также гипосенсибилизация в течение трех-пяти лет. Это когда вызывающий аллергию яд периодически вводят в кожу крошечными дозами, и у иммунной системы есть время выработать антитела к этому яду; при новом укусе она нейтрализует его действие. Нередко после окончания курса гипосенсибилизации устраивают настоящий укус насекомого под врачебным надзором. В специализированных клиниках под надзором врача вас укусит оса или пчела, и, если вдруг даже после сенсибилизации наступит аллергическая реакция, помощь будет рядом.

Глава 7

УХОД ЗА ТЕЛОМ, или ДОЛОЙ МОЙДОДЫРА

Вам знакома такая сцена? Подруга ходила по магазинам и по пути домой заскочила к вам. И вот она ставит на стол элегантный бумажный пакет, полный красивых коробочек с тюбиками, ампулами и баночками: крем для глаз, тоник, мягкое очищение, дневной крем, ночной крем… Ах да! Еще, конечно, пилинги, один для лица и один для тела. Все это обошлось недешево, но чего не сделаешь для безупречного цвета лица и вечной молодости. Хорошо, что сегодня красоту можно купить. По крайней мере, так утверждает реклама. Именно она провоцирует нас на мысли: неужели я разок не могу позволить себе вот ЭТО? И вообще достаточно ли я вкладываю в уход за своим телом, а значит, в свою внешность и здоровье? Почему бы не попробовать средство с редкими водорослями или минералами? Или что-нибудь с блестящими частицами для соблазнительного мерцания кожи?

Того, что мы ежедневно делаем с собой – а иногда и по несколько раз на дню, – матушка-природа для нашей кожи не предусматривала.

Но для нашего кожного барьера и кислотной защитной мантии все это просто караул.

Когда мы еще несколько сотен тысячелетий назад жили в лесах, охотились и занимались собирательством, мы не ведали ни о мыле, ни о креме для кожи вокруг глаз и ни о каких ампулах с гиалуронкой. Мы не пользовались дезодорантами и не брили ноги. С тех пор наша кожа не претерпела никаких существенных эволюционных изменений, только цвет ее изменился.

Что ответила бы кожа, если бы ее без обиняков спросили, как часто она хочет принимать душ или мыться? Возможно, она бы ответила: «Максимум раз в неделю!»

А что же в действительности? Большинство из нас принимает душ минимум раз в день, а если вечером занимались спортом, то и два. При этом мы тщательно намыливаем все тело, моем головы шампунями, бреем ноги и подмышки, а иногда область гениталий и торс. Мы используем жидкое мыло с

До нынешних пор кожа исходит из того, что условия каменного века для нее самые оптимальные.

ароматом лимона или неотразимого мужчины, богатое консервантами. Плюс красящие вещества, напоминающие нам море, зелень альпийских лугов или фруктовый салат, и прочая химическая отрава, которая должна на радость нам пузыриться или пениться. Детям необходим запах клубники, аромат жвачки или блестки, как у феи.

И что делает индустрия? Она не только продает нам все эти чудовищные продукты, но и тут же готовит для нас новые, призванные устранять дефекты, которые она сама же и творит всеми этими мылами и пенками. По иронии на это заточены целые серии продуктов по уходу: сначала обезжирить мылом, сверху вода для очищения лица, чтобы тонизировать кожу, что преподносится не иначе как «укрепить» или «оживить» и тоже является выдумкой косметической промышленности, и, наконец, крем, чтобы восстановить жир и увлажнить.

На такую атаку даже самая здоровая и выносливая кожа реагирует раздражениями: сухостью, зудом, а иногда и контактной аллергией.

Помните, что эпидермису нужно четыре недели, чтобы создать тончайший верхний слой кожи, несущий на себе весь защитный барьер? И что мы делаем? Мы разрушаем этот с таким трудом созданный барьер, постоянно выщелачивая пенящимися пахучими и разноцветными моющими средствами жиры, то есть строительный раствор между кирпичиками стены. А заодно поставляем в кожу дополнительные раздражители:

То, чему мы ежедневно подвергаем нашу кожу, граничит с халатным отношением к своему телу.

ароматические и красящие вещества, эмульгаторы, консерванты и множество аллергенов… **Мы просто терроризируем свою кожу.**

МОЙ ДО ДЫР

Да-да, мне понятны ваши возражения; разумеется, наши представления о гигиене кардинально изменились с доисторических времен. Но не беспокойтесь: если вы здоровы и если вы не пробежали только что марафон в футболке, купленной на барахолке, ваше тело пахнет не так уж плохо. Люди воротят нос лишь от запаха старого высохшего пота.

К сожалению, многим запах собственного тела кажется нечистоплотным. Нас пугает видимая грязь и невидимые бактерии, мы носим в сумочке пузырьки с жидкостью для дезинфекции, и нам противен контакт с другими людьми. Кто-то из вас, вероятно, в общественных местах открывает двери локтем, чтобы не прикасаться к дверной ручке, или нажимает на спуск в общественном туалете ногой. С детства мы выучили: на крышке унитаза не сидеть, а лишь нависать над ней. Боимся инфекций и моемся до дыр. Часто одно с другим тесно связано.

Мы хотим перебить запах собственного тела ароматическими веществами — парфюмом. Я сама была недавно в одном таком храме запахов, хотела купить какой-нибудь хороший летний аромат. Не успела я войти в магазин, как ко мне с энтузиазмом подлетела продавщица и с очаровательным русским акцентом спросила: «Хотите, я вам сделаю облако?»

Я не совсем поняла, что имеется в виду, но подумала, что «сделать облако» звучит красиво, и заинтересованно кивнула. Не успела оглянуться, как она схватила какой-то флакон и широкими жестами начала опрыскивать меня с ног до головы каким-то супермодным парфюмом. Еще немного — и я бы задохнулась, но в последний момент мне удалось, что-то прохрипев, остановить ее и выскочить вон из магазина.

Подозреваю, что многие считают это нормальным: сразу после душа окружить себя дымовой завесой. Этого не выдержит и коровья кожа, и уж никак не человеческая. Если вы не хотите отказываться от парфюма, то имейте в виду, что его лучше всего наносить на одежду или на волосы; так вы подстрахуетесь от риска аллергической реакции на ароматические вещества.

Так что давайте пойдем на компромисс: **ежедневный душ дозволен, если вы используете в основном воду.** У воды нейтральное значение pH, и она не так сильно сушит кожу, как мыло. Если вы хотите использовать моющее средство, то есть гель для душа, он ни в коем случае не должен иметь запаха и яркого цвета и по возможности должен почти не пениться. Синтетическое моющее средство предпочтительнее классического мыла. Мыло производится из масел и жиров в сочетании с щелочью, а синтетические моющие вещества содержат искусственно созданные ингредиенты. Они лучше очищают и благодаря ухаживающим, влагосвязывающим и питательным маслам могут быть лучше подстроены под требования кожи; в них значение pH тоже регулируется в сторону большей кислотности. Любители-мыловары, добавляющие в свое мыло биологические растительные масла, хотя и создают по сравнению с продающейся в супермаркетах продукцией менее раздражающее и более питательное мыло, но оно щелочное, а это не всякая кожа вынесет.

Классическое щелочное мыло меняет кислотное значение pH нашей кожи вплоть до вредного показателя в 7–8 единиц. Коже нужно от двух до шести часов, чтобы с трудом восстановить свой pH-баланс. На это время здоровая бактериальная флора на коже остается беззащитной! Долгим периодом регенерации радостно пользуются нежелательные микробы, то есть вредные бактерии и грибки, да и вирусы быстрее попадают в кожу. И все потому, что мы сами мылом вывели кислотную мантию из строя, и живущие на нашем теле бактерии-стражники теперь не могут нас защитить.

 Пахнет от того, кто мылится! Потому что при нарушенном барьере начинают размножаться нехорошие микробы. Им созданы благоприятные условия, потому что значение pH изменилось. Эти микробы меняют запах нашего тела, скажем так, не в лучшую сторону.

Кислотный pH особенно важен, если ваша кожа и без того уже предрасположена к инфекциям, например, в складке между ягодицами, под грудью или в паховой области. Тут я и подавно советую вам пользоваться кислотными моющими средствами, и лучше всего в твердой форме, потому что с жидкими мы часто не знаем меры; и хорошо бы эти средства содержали парочку питательных веществ.

Впрочем, нет никакой необходимости каждый раз намыливать все тело. Достаточно чуть более интенсивно обработать критические места: стопы, подмышки, область паха и ягодичную складку. Во всех других местах вполне можно обойтись только водой, она прекрасно отмывает пот, пыль и отшелушенные клетки. А свой природный кожный жир, с таким трудом созданный в течение четырех недель, нам стоит вообще-то сохранять, а не выщелачивать мылом.

Еще один совет по поводу сухой кожи и неприятных телесных запахов: **для здоровья кожи лучше принимать душ, чем ванну**; и то и другое рекомендуется делать быстро, используя относительно прохладную воду. Если часами лежать в пенистой ванне, кожа выщелачивается. Это видно по белесым покоробленным кончикам пальцев. Здесь кожный барьер вымыт и сморщен от воды. В таком случае для устранения ущерба, нанесенного защитному барьеру эпидермиса, требуется увлажняющий уход.

Это подводит нас к теме крема. Руки и ноги особенно подвержены высушиванию, потому что здесь в общей сложности меньше сальных желез, и они небольшие по размеру. Эпидермальные жиры пополняются салом из желез, и то и другое смешивается в легкую эмаль, так что кожа приобретает бархатистый блеск. Кожного сала больше всего на голове, на лице, в ушах и на верхней части туловища, потому что там много больших и очень активных сальных желез.

Если бы мы не столь активно обезжиривали свою кожу, было бы меньше необходимости наносить столько крема. Когда кожа стянута, зудит или покрыта мурашками, достаточно обработать кремом лишь пострадавшие места. На лице это, как правило, только скулы, иногда губы. Зато Т-зона (лоб, брови, нос и подбородок), как правило, настолько жирная, что крем здесь не нужен.

А что насчет головы? И там действует волшебное средство — кожное сало. Известно ли вам, что волосы блестят оттого, что стержень волоса гладкий? Его микроскопические чешуйки не топорщатся, как на еловой шишке, а гладко прилегают к волосяному стержню, потому что кожное сало головы выравнивает волосы, подобно кондиционеру, ухаживает за ними и к тому же придает изысканный блеск. Только при длинных волосах кончики недополучают сала, потому что они слишком далеко от сальных желез. И тогда кончики начинают сечься. То же получается, если мы слишком часто моем волосы, обесцвечиваем их, красим, мучаем расческой или феном или если волосы такой длины, что кончики постоянно болтаются по плечам…

Мыть голову безвредно, только не стоит слишком усердствовать. Если у вас жирные волосы и вы вынуждены мыть их ежедневно, используйте мягкий шампунь с кислым значением рН. Совет для радетелей окружающей среды: ополаскивания с уксусом (а это кислая среда) очень полезны для кожи головы и для красивого блеска волос. А за поврежденными кончиками волос можно ухаживать немного подогретым чистым маслом ши или же просто их отстричь.

Внизу и наверху

Ну а теперь перейдем к щепетильной теме: **как мыть область между ногами**? Там же быстро начинает пахнуть, там близко стул, моча и прочие биологические жидкости. Будьте осторожны! В вульве и под крайней плотью находятся слизистые оболочки, как и во рту. Здесь не место ни мылу, ни моющим средствам, только теплая вода. Все загрязнения: выделения, моча, отшелушенные клетки — растворяются в воде. Поэтому только она и нужна. Или вы рот тоже намыливаете? Это разъедало бы слизистую и убивало бы защитную бактериальную флору, в результате все бы зудело и воспалялось. Именно так происходит с теми, кто пытается вывести мылом запах своих пахучих желез, считая, что это грязь. Пахучие железы постоянно производят дополнительные эфирные масла, и человек попадает в порочный круг: мытье, зуд и в конце концов поход к врачу.

Особенно чувствительным местом, как мы знаем, является анальный сфинктер. На нашем сфинктере тесно переплетены кожа и слизистые. Задний проход (розочка) очень чувствительно реагирует на откладывающиеся в складках остатки мыла. Здесь кожа прилегает к коже, воздух сюда не поступает, так что раздражающие ингредиенты мыла активно проникают в кожу. В результате зуд вплоть до анальной экземы, грибковые и бактериальные инфекции, о которых мы уже говорили в главе про складки тела. Так что если вы моете анальную складку мылом, то должны затем очень тщательно промыть ее большим количеством воды.

Средства для интимной гигиены здесь не помогут. Хотя у них очень кислый pH, примерно такой же, как в вагине, но если они вообще целесообразны, то только для внешних гениталий. Внутри — только вода.

А снаружи? Именно на лице, на самом видном месте, мы хотим все сделать правильно. Понемногу и мужчины подтягиваются, задают вопросы об оптимальном уходе и о средствах против старения кожи. Между тем есть некоторые особи, которых это не заботит, — и это хорошо. Эти парни отнюдь не выглядят неухоженными, просто они оставляют свою кожу в покое. И поэтому она находится в полном естественном равновесии.

В чем секрет этих детей природы? Они моют лицо лишь водой, только и всего! Потом вытирают его полотенцем —

и готово. Утром или на ночь. То же могли бы делать и женщины. Полотенца вполне достаточно для удаления возможных остатков косметики, особенно если это не толстый, как штукатурка, слой, который к тому же не содержит минеральные масла.

 Остающиеся после умывания следы косметики на лице доставят коже меньше неудобств, чем дополнительный уход спиртосодержащей жидкостью для очищения, обезжиривающим лосьоном или мылом.

Кроме того, если вы моете голову под душем, то пена от шампуня неизбежно попадает на лицо. Так что пресловутое глубокое очищение получается само собой.

 «Глубокая очистка пор» — это весьма сомнительное словосочетание: наши поры такие, какие есть, они не грязные. Они заполнены некоторым количеством кожного сала, клеток и парочкой благоприятных для жиров бактерий: Malassezia furfur, Propionibacterium acnes (так называется бацилла акне), возможно, клещ демодекс... Все это может и должно оставаться там, соскабливать это нельзя ни в коем случае.

Все это ведет меня к размышлениям по поводу еще одного продукта, который никому не нужен — *пилинги*. Или вы думаете, что наши предки-неандертальцы пользовались пилингами? То-то. Когда мы говорили про шелушение кожи, мы видели, что здоровой коже не нужен уход трением, потому что ороговевшие клетки отпадают сами. **Пилинги имеют смысл только тогда, когда кожа склонна к избыточному ороговению, что, как правило, встречается при акне.** Во всех иных случаях они нужны лишь производителям и могут быть даже опасными, ибо дырявят защитный кожный барьер.

Да, я знаю, что привела вас сейчас в замешательство, ведь косметолог рекомендует вам так много замечательных продуктов, в них суперингредиенты, и все они хорошо переносятся! Однако бо́льшая часть косметических процедур носит, к сожалению, лишь поверхностно-оздоровительный характер. На пару дней они удаляют чешуйки, если таковые есть, и оживляют роговой слой. Дольше эффект не держится. После очищения пор, что часто делается без всякой необходимости и в отсутствие медицинских показаний, риск воспалений даже возрастает, и тогда поры, причем на самых видных местах лица, выглядят уже совсем плохо.

 Даже самые дорогие действующие вещества, содержащиеся в изысканных сериях по уходу и омоложению, не попадают туда, куда им, собственно, нужно: их не пускает наш прочный кожный барьер.

Если вы все же не хотите отказываться от крема, выбирайте тот, что подходит для вашей кожи, а не тот, что стоит уйму денег и обещает золотые горы. Как это часто бывает, дорогое еще не значит лучшее. Особенно хорошо переносятся кремы, которые не забивают поры, не содержат минеральных масел, но зато содержат родственные коже липиды. Также очень хороши кремы с так называемой дерма-мембранной структурой — имитацией жиров эпидермиса, которая довольно схожа с нашим кожным защитным барьером. Особенно они подходят для чувствительной кожи, потому что, в отличие от классических кремов, это не эмульсии. Эмульсии состоят из воды, масел и эмульгаторов, которые вымывают кожные жиры и могут вызвать аллергию. Помимо этого, липиды не забивают поры, что, во избежание косметического акне, особенно важно для кремов для лица.

Йаэль Адлер

Моча для кожи

В отличие от лица, где много сальных желез, наше тело скорее склонно к сухости. Это касается рук и ног, а особенно ступней, ведь, когда вы моетесь под душем, они стоят в мыльной щелочи. **Интенсивно ухаживая за телом, не забывайте увлажнять ступни.** Кремы с подобными эпидермису барьерными липидами хорошо переносятся и оставляют приятное ощущение на коже, потому что они не забивают поры и не провоцируют потливость. Но можно использовать и обычные липолосьоны из аптеки. В них гораздо меньше аллергенных добавок.

Для сухой кожи особенно рекомендуется детский лосьон с добавкой уреа (Urea). Звучит по-научному, но за словом скрывается не что иное, как мочевина. Мочевина возникает в результате белкового обмена в нашем организме. У кого больные почки, у того уровень мочевины в крови повышен.

Мочевина прекрасно связывает воду и выступает в роли нетоксичного естественного увлажнителя кожи, поэтому ее любят добавлять в косметику.

В очень высоких концентрациях мочевина может размягчать роговые клетки, так что с ее помощью хорошо отмачивать ороговевшую кожу на стопах, а в сверхвысоких концентрациях она поможет привести в порядок даже пораженные грибком утолщенные ногти.

Чтобы извлечь пользу из мочевины, в прежние времена люди наносили на кожу непосредственно мочу. Но это изрядно вонючий вариант. А чистая мочевина запаха не имеет и не содержит микробов. Сегодня лосьоны с мочевиной производят синтетическими методами, дерматологи и аптекари рекомендуют их для всех видов сухости кожи. Однако при очень сильно поврежденной коже мочевина может жечь, так что, прежде чем наносить средство с содержанием мочевины, сначала следует хоть как-то восстановить стабильность защитного барьера кожи.

Масло: ущерб по недомыслию

Я часто слышу от разных людей, что они нашли самое лучшее средство для ухода за телом: чистое оливковое, аргановое, тминное, миндальное или какое-либо еще масло — по рекомендации якобы истинного знатока, секрет для посвященных. Но и здесь я вам, увы, вынуждена испортить настроение. Масло хоть и жирное, но жидкое, а значит, оно, по сути, агрессивная очищающая субстанция и для ухода за кожей не подходит.

Вспомните, так называемый меконий (первородный кал), то есть первая липкая черная какашка новорожденного, удаляется с кожи ребенка только с применением масла. Как и приставшая к коже твердая цинковая паста, и водостойкая косметика.

Как средство ухода масло абсолютно неприемлемо. Оно соединяется с ценными липидами нашего эпидермиса и просто вымывает их.

Беременные любят намазывать маслом тело и живот. Внимание! Отсюда сухие экземы, из-за регулярного использования масла кожа сохнет. Покраснения, зуд, трещины, то есть *Ekzema craquele*, гарантированы. Детей также любят с большой заботой «умасливать», и этим по недомыслию вредят им, потому что ребенок теряет много влаги. К сожалению, есть еще много «знахарок», которые упорно продолжают рекомендовать масло для детской кожи. Массажисты и физиотерапевты давно уже научены опытом: вряд ли кто из них работает сегодня только с маслом, чаще они применяют липолосьоны. Иначе грозит экзема на руках, а в долгосрочной перспективе и профессиональная непригодность.

Специальными масляными ваннами для сухой кожи тоже следует наслаждаться с осторожностью. Не только потому, что сама ванна становится скользкой и можно навернуться так, что получишь черепно-мозговую травму. Такие ванны приносят пользу, только если они применяются правильно. Смысл в том, чтобы после того, как вы вышли из воды, на влажной коже осталась масляная пленка, слой, защищающий кожу от потери влаги. Эту пленку можно лишь легко промокнуть. Если вы будете усиленно вытираться, масло растворит кожные липиды. Так что вы ничего от такой ванны не выиграете, только наоборот.

Более надежное средство увлажнения для сухой кожи — это жиросодержащий крем, мазь или липолосьон, и лучше всего с добавкой мочевины. Мой совет для тех из вас, кто является фанатом масла и сейчас недовольно ворчит: вы можете примешать немного своего любимого масла в жирный крем или в мазь, тогда вы будете использовать ценные жирные кислоты, но без присущего маслам вредного вымывающего эффекта. Или потребляйте масло с едой, таким образом вы будете кормить кожу изнутри.

Контактная аллергия

Типичный сценарий фильма ужасов: молодая мама задумчиво толкает коляску по магазину парфюмерно-аптекарских товаров. Она ищет что-нибудь очень нежное и мягкое для своего ребенка: мыло для купания, крем, мягкие салфетки для попки. И вот она доходит до полки со средствами по уходу за младенцами, где своих покупателей ждут баночки, тюбики и упаковки в пастельных тонах. Она открывает бутылочку с лосьоном и делает глубокий вдох. Нет, не то… он ведь совсем не пахнет! Открывает следующую бутылочку, нюхает — да! Чудесно пахнет. И — опа! — бутылочка в корзинке. Фатальная ошибка!

Кому нужно приятное на запах ароматическое вещество? Хорошо ли оно для кожи ребенка? Или оно будет радовать запахом маму и папу? Собственно, ни то и ни другое. **Ароматические вещества в косметических продуктах призваны прежде всего побуждать нас покупать. А на самом деле они, как и многие другие вещества, причина контактной аллергии.**

Как возникает контактная аллергия?

В эпидермисе нет кровеносных сосудов, но есть важный контрольный пункт иммунной системы — бдительные клетки Лангерганса. На входе в верхний слой кожи эти клетки отлавливают аллергены, являющиеся для организма абсолютно ненужными веществами; затем они аллергены дробят и порциями транспортируют их к лимфатическим узлам в качестве вещественных доказательств. В ответ на это лимфатические узлы приводят в действие целую армаду боевых клеток, включающую подразделения клеток-убийц и вспомогательных войск. Эта огромная иммунная армия очень мобильна. Она не только на месте самого контакта, но и успевает в отдаленные участки кожи. Вот, например, один случай.

Семилетняя девочка получила в подарок первые в ее жизни наручные часы. Симпатичные такие, розовые. Малышка так радовалась, что не снимала часы ни днем, ни ночью, пока под часами не начался зуд и родители не заметили покрасневшее уплотнение на коже, как раз под металлической поверхностью корпуса часов. Явный признак контактной аллергии на никель. Из-за пота и трения ионы никеля отделились от металла и проникли в эпидермис. Это они могут влегкую, потому что корпус часов подобен повязке из фольги, под ней влажно, потому что пот не может быстро испаряться. Влага размягчила защитный барьер, и ионы-аллергены смогли проникнуть в кожу.

Девочка с неохотой сняла розовые часики, но опасные процессы на коже продолжались. Зуд, покраснение и сыпь появились на новых местах, сначала немного поодаль от места контакта с часами, а затем даже на запястье другой руки!

Что же случилось?

Ретивые бойцы иммунной системы решили уйти с участка контакта и перекинуться в другие места, причем с самыми лучшими намерениями: ведь не угадать, не станет ли этот невежественный человек прикладывать предметы с аллергенами и к другим местам на своем теле. Т-лимфоциты — клетки, отвечающие за поимку аллергенов — очень мобильны и быстро передвигаются с одного потенциального фронта действий на другой, поэтому воспаление может проявиться и там, где непосредственного контакта не было. Если не вылечить локально выступившую экзему, позже может пострадать вся кожа. Это называют диффузной реакцией.

При таком остром состоянии кожному врачу запрещено проводить тест на коже спины. Ведь если аллергию вызвало одно из тестовых веществ, то дело может обернуться обширным пожаром: наполненные водой маленькие зудящие пузырьки, прыщики и покраснения покроют спину.

Если кожный барьер дырявый (опять-таки, из-за слишком усердного мытья), кожа сухая или если средства дезинфекции нарушили естественный липидный слой, в эпидермисе возникают повторяющиеся проявления контактной аллергии. Реакция на никель — это классический случай, как и аллергия на косметику и парфюм. Нужно быть исключительно внимательным при покупках, если у вас аллергия на что-то одно из этого топ-списка. Аллергены могут коварно скрываться; так, никель может оказаться в составе кнопок на джинсах, дешевой бижутерии, корпуса часов, оправы очков, монет и ключей, и это лишь несколько примеров.

 Часто случается перекрестная аллергия и с другими металлосодержащими материалами, например, кобальт или хроматы используются в кожевенном производстве для дубления, поэтому при носке обуви без носков может появиться нехорошая зудящая экзема.

Потребитель практически не может избежать аллергенных ароматических веществ, как бы он ни старался. Вы будете внимательно изучать список ингредиентов, но врага так и не распознаете: он будет замаскирован под отдушку, ароматическое вещество или натуральные эфирные масла, в то время как на самом деле это будет дубовый и древесный мох, изоэвгенол, коричневый альдегид, гидроксицитронеллол, циннамильный спирт, лираль, фарнезол, линалоол, бензилбензоат, эвгенол, перуанский бальзам лимонен, гераниол и тому подобные. Вы бы распознали их по запаху? Вряд ли… В принципе на упаковке всегда должно стоять «без отдушек», только тогда вы можете быть уверены.

Возмутительно, что Европейское сообщество хоть и предписывает обязательную маркировку для в общей сложности 26 потенциально аллергических ароматических веществ, но это предписание действует только начиная с определенной концентрации. К сожалению, для аллергии достаточно крошечных доз. К тому же постоянно разрабатываются новые отдушки, которых еще ни в каких предписаниях нет. Потом эти вещества в массовом порядке, причем поначалу без надлежащей проверки, попадают на рынок, а вместе с этим и на нашу кожу.

Очень досаден для аллергиков еще и тот факт, что при контактной аллергии симптомы возникают в основном лишь через 48 часов после контакта с аллергеном. К этому моменту многие давно уже забывают, с чем соприкасалась их кожа. Неужели вы утром в понедельник вспомните, что в пятницу вечером пользовались тональным кремом своей подруги?

И тут же еще одна дурная весть: контактная аллергия очень привязчива. Если что-то у вас однажды вызвало аллергическую реакцию, то она будет то и дело возвращаться. Это из-за неутомимых и хорошо организованных клеток памяти, которые постоянно патрулируют ткани и при каждом новом контакте бьют тревогу. Поэтому очень важно быстро идентифицировать злоумышленника, чтобы в дальнейшем по возможности избегать контакта с ним.

 Для предотвращения контактной аллергии необходимо поддерживать здоровый кожный барьер. Старайтесь избегать прямого соприкосновения кожи с ароматизаторами, консервантами, красителями и металлами, кроме платины и золота самой высокой пробы.

Кое-кто может предположить, что можно подстраховаться, используя биокосметику. Да, но, к сожалению, лишь условно. Некоторые растительные ингредиенты очень даже опасны, поскольку содержат многочисленные, частично еще не известные аллергены. Например, к потенциальным аллергенам относятся сложноцветные: арника, полынь, ромашка и тысячелистник. То есть именно те растения и экстракты из них, которые натуропаты наносят на раны и воспаления, аккурат на те места, где кожный барьер нарушен, и которые поэтому особенно восприимчивы к аллергии. Вы можете заметить, что в этой связи понятие «лекарственное растение» может вводить в заблуждение.

НОГИ

Как правило, в парилке я стыдливо прячу шлепки под полотенцем. Оставить шлепки перед парилкой и босиком проковылять пару метров по теплому влажному полу, на котором до полутора тысяч заразных частиц, — нет. Это не для тех, кто знает, что такое грибок стопы.

Периодически я за это подвергаюсь нападкам банных всезнаек, обслуживающего персонала и «детей природы» — приверженцев естественного образа жизни. Завзятые парильщики ссылаются на то, что сауна якобы улучшает защиту ног из-за повышенного кровоснабжения. Возможно. Но я все же не без успеха заставляю их замолчать: делаю невинное лицо, печально киваю и объясняю: да, вы правы, но знаете, я лучше останусь в тапках, потому что у меня на стопах ужасный грибок и бородавки. Критики тут же брезгливо отворачиваются, замолкают и в то же

Что общего у дерматологов, микробиологов, микологов и вирусологов? В сауне они обязательно в тапочках и никогда не соприкасаются босыми ногами с полом или со скамьей!

время рады, что я защищаю окружающих от себя. При этом никто не обращает внимания, что в этом маленьком жарком помещении сидит энное количество действительно заразных обнаженных людей.

Подошвенная бородавка и грибок стопы

По статистике, от вирусных бородавок или грибка стопы страдает от 30 до 50 процентов людей. Грибком стопы нас щедро награждают окружающие. Неуязвимых нет. Статистика говорит, что в европейском рейтинге немцы занимают место где-то посередине; процент заражений, в зависимости от климата и региона, — от 5 до 80 процентов. Инфекцию чаще всего можно подцепить на ковровых покрытиях в отелях, в общественных душевых, в бассейнах (особенно на трамплинах для прыжков и в раздевалках) и, конечно же, в саунах.

Поры грибка относятся к самым живучим тварям, каких только можно себе представить. Они могут месяцами терпеливо ждать своего часа. При этом холод и жар им нипочем. Грибок стопы вызывают различные виды кожных грибков, и все они любят ороговевшие ткани. Особенно охотно он селится на прохладных влажных ногах с температурой примерно 35 градусов на коже и на ногтях, поскольку там им есть чем поживиться. Для разведения грибков идеальны лыжные ботинки, тяжелая рабочая или вонючая спортивная обувь.

Если вы ходите босиком, то шанс подхватить грибок от предшественника очень высок, если учесть, что зараженная стопа при каждом шаге теряет до 50 инфицированных роговых чешуек. Если у человека потные или мокрые после бассейна ноги, слишком сухие стопы из-за обильного мытья с мылом или применения дезинфекционных средств или если защитные силы ослаблены нарушениями кровоснабжения, недостатком питательных элементов в крови, то этим «грибным подонкам» ничего не стоит преодолеть кожный барьер.

Кожный врач ежедневно сталкивается с огромным количеством пациентов с грибком стопы. Неудивительно, что в свободное время нам на каждом углу мерещатся стопы с грибком. Поэтому порой трудно сидеть в сауне бок о бок с тремя десятками таких же потеющих, подсчитывая в уме, что здесь по меньшей мере у десяти человек должен быть грибок...

У одних инфекция проявляется зудящим покраснением с приподнятой кромкой, гнойниками, размягченными чешуйками и пузырями. Но иногда это лишь скромные проявления в виде шелушения, похожего на мучную пыль. В таких случаях люди думают, что у них просто слишком сухая кожа на стопах, что им недостает крема. Конечно, пересушенные стопы можно и нужно обрабатывать кремом, чтобы восстанавливался барьер и чтобы грибку было трудно проникнуть. Здесь подойдут жирные кремы и мази с мочевиной. И все же для начала пройдите проверку, не обосновался ли уже на ваших стопах грибок и не маскируется ли он под обычную сухость.

Если вы подцепили грибок стопы, то следом может развиться и грибковое поражение ногтей. Кожные грибки любят кератин, то есть роговые ткани, климат на стопе для них исключительно благоприятен, вот и ногти тоже осваивают. При этом грибок просто перескакивает с кожи стопы на ноготь и медленно въедается в него, начиная с края. Ногтю от этого не очень хорошо: он желтеет, иногда становится коричнево-черным, утолщается, крошится и деформируется.

Грибок ногтя можно в виде бонуса получить на педикюре или маникюре в салоне, если процедура проводилась нестерилизованными инструментами. Я имею в виду стерилизацию, а не только дезинфекцию! Очистки в ультразвуковой ванне и дезинфицирующей жидкостью недостаточно, этим можно лишь уменьшить количество микробов. Кроме того, в инструментах для педикюра много кромок, углов и шершавых поверхностей. Именно там преспокойно укрываются остатки грибков. Только достаточно долгая и горячая стерилизация может полностью изничтожить грибки и их споры.

Если у вас грибок стопы и вы с босыми ногами надеваете трусики, то зараженные чешуйки вместе с трусами переезжают наверх, где они в складках тела и в паху находят превосходную среду обитания. Здесь и без того уже щелочной pH, контакт кожных поверхностей создает условия влажной камеры, о большем грибок и не мечтает.

Некоторые из наших 30 посетителей сауны страдают также и от *ножных бородавок*. Знали ли вы, что поражение бородавками — это инфекционное заболевание, вызываемое вирусом папилломы человека? Некоторые его подвиды любят ноги и руки, а некоторые предпочитают генитали.

Когда вирусы бородавок хотят где-то обосноваться, они строят себе маленькие домики из ороговевших тканей. Так возникают роговые образования, этакие заразные вирусные цитадели. На пальцах бородавки выпуклые. А на стопах из-за давления при ходьбе они вогнутые. Их можно распознать по кружку, затесавшемуся среди линий на коже стопы. Многие этих кружков вообще не замечают, потому что никогда не разглядывают свои стопы вблизи, тем более саму подошву. До стоп так далеко, что получается с глаз долой — из сердца вон.

Заметив такой кружок, вы можете принять его за чужеродное тело, на которое вы случайно наступили, или же за мозоль, возникшую на месте давления. Между бородавками и мозолями есть кое-что общее: на стопах они выбирают одни и те же места, а именно те, где кости стопы трутся о ткани изнутри или где есть внешнее давление о пол. Места сдавливания могут также возникать там, где давят косточки соседнего пальца или слишком тесная обувь, потому что здесь происходит точечное уменьшение кровоснабжения кожи. Утолщаясь, ороговевший слой защищает себя. Результат — мозоли или даже вирусные бородавки. Гнусные твари могут здесь закрепиться, потому что сосуды в месте давления пережаты и иммунная система не может выдвинуть свои войска на эту позицию.

Подошвенная бородавка похожа на шип или на ноготь, который твердо впивается в мягкие ткани стопы, поворачивается там и вызывает микротрещины вокруг рогового конуса. Эти роговые шипы болезненны и открывают бактериям ворота, через которые те прошмыгивают вглубь между шипом и мягкими тканями вокруг него и могут вызвать там инфекцию со страшными болями, температурой, чувством страха смерти и заражением крови. Если подошвенная бородавка проникла уже глубоко, маленькие капилляры дермы пережаты. Они закрываются, и снаружи видны маленькие черные точки внутри бородавки. Так что если вы увидите у себя в бородавках черные точки, знайте, что это не грязь, а очень глубокая бородавка с уже образовавшимся мини-тромбозом вследствие деформации капилляров.

У кого есть бородавки, тот заражает окружающих и себя самого. То есть **не чешите их ногтями, иначе вы этих тварей только распространите.** И пожалуйста, не занимайтесь самолечением, а обратитесь к специалисту. Иначе вы подвергаете себя серьезной опасности через микроскопические трещины занести злостные бактерии в мягкие ткани стопы. При сильных бородавках лечение начинают с ослабления давления, с тем чтобы в хронически недополучающем крови пережатом месте снова могла протекать кровь, принося с собой спасительные иммунные клетки. Затем принимаются за сами вирусы, здесь в ход идут кислоты, убивающие вирус медикаменты в форме лака или пластыря, удаление, а также лазер или холод в форме жидкого азота с температурой –196 °C. В свободной продаже можно найти холодящие спреи, но они недостаточно глубоко проникают и недостаточно холодны, всего –55 °C, потому и пользы от них мало. Также большим подспорьем станет настройка иммунной системы для того, чтобы она поддержала организм в его борьбе против бородавок. Здесь хороши такие питательные микроэлементы, как цинк, витамин C и витамин D. Они укрепляют иммунную систему. Тренируйте сосуды, ходите босиком (только не в бассейне и не в сауне), не используйте высушивающего мыла и ухаживайте за сухими ступнями жирным кремом. Наши стопы любят массаж с жирной мазью, содержащей от пяти до десяти процентов мочевины. А вот от агрессивного удаления ороговевшего слоя следует принципиально отказаться, поскольку он защищает мягкие ткани от возникновения мест сдавливания. Пилочкой можно аккуратно стереть избыток, но, усердствуя скребком или срезая мозоли, можно снять слишком много роговицы и даже поранить себя.

Ороговевший слой может высыхать и становиться шершавым, возникающие трещины открывают ворота для опасных бактерий. Жирная мазь поможет связать влагу в нем. Если уже возникли более серьезные трещины, например на пятках, то их нужно сначала немножко подзатопить жиром. Мазь нанесите перед сном и оберните стопу пропускающей воздух пленкой. Такие пленки из полиуретана продаются в аптеках. Они хорошо способствуют глубокому прониканию мази в толстый ороговевший слой.

Всегда как следует вытирайте стопы, в том числе между пальцами, это затруднит проникновение бактерий. Стирайте носки при 60, а еще лучше при 90 градусах! Стирка зараженного грибком носка при 40 градусах, наоборот, запускает механизм размножения грибков в воде для полоскания. Возможно, после стирки носки станут еще более заразными, чем были до того, как они туда попали.

Не пользуйтесь душами для дезинфекции стоп, они только выщелачивают защитный барьер кожи. К тому же возле этих душей довольно много грибковых спор, потому что никто не соблюдает установленного времени воздействия, люди держат стопы под душем обычно секунд пять вместо положенных пяти минут. Так дезинфекционные средства не могут подействовать, а вот резистентность можно спровоцировать.

И еще одно предупреждение: если у вас уже есть подошвенная бородавка, а вы идете на педикюр, есть опасность, что при шлифовке ороговевшего слоя заразные частицы распределятся по стопе, в результате чего вырастут новые бородавки. Нужно сначала вылечить бородавки, а потом идти на педикюр, но никак не наоборот.

Расширенные вены

Некоторые кожные заболевания связаны с венами. Вены — это транспортные пути кровеносной системы, обеспечивающие обратную доставку бедной кислородом крови от всех органов и из самых удаленных уголков нашего организма к сердцу и к легким, для воспроизводства.

На ногах две большие системы вен — *поверхностные* и *глубокие* вены. Поверхностные мы можем видеть невооруженным глазом. Это те самые синие прожилки под кожей, заметно выступающие на суставах и на твердых мышцах. У них два основных «шланга» и много боковых, по мере разветвления они становятся все мельче, вплоть до крошечных капилляров. На многих местах есть связки с глубоко залегающими венами, но их можно увидеть только радиологическими методами, например ультразвуком.

Всю свою жизнь вены вынуждены противодействовать земному притяжению, чтобы транспортировать кровь снизу вверх, в конце концов и вода никогда сама по себе вверх не потечет. Выполнение этой задачи обеспечивают три механизма: помпаж, шлюзы и насос.

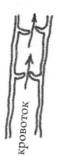

Здоровая вена   Расширенная вена

Венозные клапаны

Сначала сердце левым желудочком качает кровь наверх (в мозг и в руки) и вниз (в корпус и ноги). Проделав путешествие по телу, кровь течет обратно к правому желудочку, поскольку, во-первых, венозные клапаны дают крови течь наверх, одновременно препятствуя обратному оттоку вниз. Во-вторых, икроножные мышцы и артерии качают кровь наверх.

Так что очень важно иметь подтянутую икроножную мускулатуру, она играет роль внутреннего компрессионного и поддерживающего чулка. И кроме того, предсердия и диафрагма при дыхании отрицательным давлением подсасывают кровь к себе.

Но когда вены в ногах потихоньку изнашиваются (это обусловлено генетически, подарок от родителей или бабушек/дедушек) и стенки вен раздвигаются, то венозные клапаны теряют способность полноценно закрываться. Кровь постоянно как бы падает назад, вниз. Организм тут же пытается направить кровь снова наверх, ведь с каждым ударом сердца поступает новая кровь, но это толком не удается.

Обратный отток получится, только если принять горизонтальное положение и/или поднять ноги вверх. Поэтому в течение дня, когда человек в основном сидит или стоит, вена переполняется старой кровью, из-за чего она еще больше растягивается и с течением времени становится визуально различимой. Это и есть синие и толстые расширенные вены, продольно пролегающие под кожей ноги. Прежде всего на икрах (это классический случай), но иногда и на бедрах. Первопричина этого недуга заложена годы назад.

Вопреки распространенной гипотезе, расширенные вены не вызывают судорог, а создают ощущение тяжелых ног. Ведь из-за постоянного оттока крови некоторое количество тканевой жидкости все время выдавливается из изношенных вен в окружающие области. Из-за вязких на ощупь отложений жидкости в тканях появляется отек.

Если вы хотите проверить, есть ли у вас расширенные вены, ответьте на следующие вопросы:

- Врезаются ли вам в кожу носки, если вы долго сидите или стоите?
- В жаркие дни, когда сосуды расширяются из-за жары, оставляют ли резинки от носков особенно четкий отпечаток?
- Можете ли вы пальцем сделать вмятинку в ткани и остается ли она на несколько секунд после того, как вы убрали палец?

Да? Мне жаль, но, возможно, у вас варикозно расширенные вены.

Расширенные вены долгое время не вызывают жалоб, ну разве только портят внешний вид. И это опасно! Они коварны. Скопление тканевой жидкости ведет к тому, что кислород вынужден проделывать долгий путь, стимулируются клетки рубцовой ткани, ткани стареют. Под изношенными венами участки сосудов, которые еще в порядке, из-за постоянных заторов крови также постепенно сдают, не выдерживая нагрузки. Это хорошо видно на стопе под медиальной лодыжкой, особенно у мужчин в определенном возрасте. Ну-ка, проверьте быстро сами, не нарисовалась там *Corona phlebectatica* — флебэктатическая корона.

Стопа и голень постепенно меняют окраску, растекание крови вызывает желто-коричневые пятна и точки, дерматологи называют это по-французски элегантно *Purpura jaune d'ocre*, что означает «пурпура цвета желтой охры». Да и ткань иногда становится тонкой и белесой, как рубец, но без всяких внешних повреждений. Здесь это результат затяжного внутреннего процесса (помните ключевое слово — стимуляция клеток рубцовой ткани). Диагноз — *Atrophie blanche (белая атрофия кожи*). Когда-нибудь в такой поврежденной ткани может развиться застойная экзема, флебит или язва — так называемая «открытая нога». Подобные состояния кожи лечатся только склерозированием или удалением варикозно расширенной вены.

Сосудистая сеточка

Возможно, вы до сих пор замечали у себя «всего лишь» сосудистую сеточку? Сейчас я, вероятно, развею ваши иллюзии: это тоже расширенные вены, но только самые мелкие их ответвления. Они портят внешний вид, но не считаются болезнью. Однако игнорировать их не стоит: они могут указывать на то, что под ними, в глубине, пролегают большие расширенные вены, просто они пока не видны невооруженным глазом.

Многие хотят удалить сосудистую сеточку, потому что выглядит она некрасиво. Как говорит само название, ее тонкий рисунок напоминает метлу из тонких веточек. Убирают ее инъекциями склерозирующих средств или с помощью специального лазера. Прежде чем пойти на это, обязательно пройдите тщательное обследование крупных вен, коллатералей и перемычек между поверхностной и глубокой системами вен нижних конечностей. Иначе терапия сосудистой сетки может оказаться безрезультатной, потому что большие вены давят на мелкие сосуды, и все усилия будут тщетны.

Представьте себе это так: крупные вены — это мощный поток, большая река, как Рейн, например. У реки много протоков, а у тех, в свою очередь, есть небольшие обводные каналы. Сосудистая сеточка — это и есть те самые маленькие каналы. Их можно перекрыть, только если ограничить поток реки, потому что, если полноводная река постоянно несет свои воды, она будет вновь и вновь затапливать каналы. Выступающие тканевые воды — отеки — в нашей картинке —

заболоченная местность. Если в стоячую воду накачивать влагу и не предусматривать стоков, то когда-нибудь вода выйдет из берегов и превратит местность в болото. Нечто подобное происходит и в голени, когда застаивается венозная кровь и просачиваются тканевые воды.

Помимо генетических факторов, расширенным венам и сосудистой сеточке способствует также беременность, потому что при беременности увеличивается давление в животе, что препятствует венозному оттоку. Ребенок лежит, так сказать, на пути; плюс еще выбрасываемые гормоны размягчают сосуды. Поэтому беременным самое милое дело носить компрессионные чулки: они противодействуют расширению вен и предупреждают связанные с этим риски тромбоза или флебита.

 Современные компрессионные чулки не имеют ничего общего с допотопными бежевыми резиновыми чулками. Нынче их делают из воздухопроницаемых высокотехнологичных материалов, и они могут быть самых разных модных расцветок. Для дам даже есть чулки с кружевными подвязками.

Еще пара важных советов и сведений:

Расширенные вены, равно как и геморрои и плоскостопие, являются проявлениями врожденной недостаточности соединительной ткани. Часто присутствуют все три явления сразу.

Расширенные вены — даже те, что еще не обнаружены, — ослабляют защиту и дееспособность стоп и ног. При любых заболеваниях стоп и ног имеет смысл разведать, как обстоят дела с венами.

Носить врезающиеся носки и гольфы, а также сидеть нога на ногу очень вредно для вен. Никогда не сидите и не стойте подолгу, двигайтесь и при любой возможности тренируйте мышцы голени. Для сосудов очень хорошо водолечение. Поможет также экстракт конского каштана, в виде таблеток или мази; он немного уплотняет вены, предупреждая проступание тканевой жидкости.

 Наличие сосудистой сетки и расширенных вен у вас самих или у кого-то в семье должно побудить вас пройти тщательное ультразвуковое обследование вен.

Если по работе вам приходится много и долго стоять, у вас бывают длительные авиаперелеты или вы беременны, купите компрессионные чулки. Они на порядок более действенные, чем обычные поддерживающие чулки. Даже марафонцы носят компрессионные чулки для поддержания физической формы и для эффективной разгрузки после бега.

Глава 8
ПЕРЕД ЗЕРКАЛОМ

В то время как про ноги мы иногда забываем, лицу и другим видимым частям тела мы уделяем очень много внимания и заботы; мы декорируем кожу: красимся, размалевываемся, делаем пирсинги и татуировки, проделываем всякие прочие манипуляции. В этом списке «краситься», пожалуй, самое распространенное мероприятие по наведению красоты, по крайней мере что касается женщин.

Стремление оформить свою кожу, боди-арт, раскраска и украшение тела — все это, конечно, не новые явления, они берут свое начало из ритуалов древних племен. Украшательство подчеркивает сексуальную привлекательность. Мы красим губы красным и обводим глаза, чтобы выглядеть моложе и по возможности приблизиться к современному нам идеалу красоты. Создавать видимость молодости в зрелые годы, представлять кожу как фетиш — все это может декоративная косметика, если мастерски ею пользоваться.

Но иногда макияж наносят таким толстым слоем, что за ним не видно человека, лицо кажется маской. Такое лицо скорее отталкивает, смотрящий на него человек настораживается. Что скрывает эта замазанная личность? Или кое-кто так недоволен собой, что хочет спрятать свое «я» и выдать себя за кого-то другого?

Красота всегда в глазах наблюдателя, это признавали еще древние греки. Это познание порой может вылиться в психическое нарушение. *Дисморфофобия* — это страх быть собой, или «самовнушенное уродство». Таким людям кажется, будто их лицо, нос, фигура безобразны. Окружающие в большинстве своем относятся с непониманием, потому что очень часто одержимость собственным уродством овладевает как раз весьма и весьма привлекательными людьми.

Рассматривая себя в зеркало, они фиксируют внимание на мнимых или действительных недостатках, а всего остального — а оно может быть очень даже благообразным — не замечают. Они сверх всякой меры занимаются собой и своим телом, придирчиво смотрятся в каждую попадающуюся по пути витрину и постоянно ищут подтверждения со стороны окружающих. У них серьезно нарушено чувство собственного достоинства, причины этого чаще всего надо искать в детстве, симптомы начинают проявляться с подросткового возраста. Идеалы красоты, которыми нас постоянно кормят реклама и СМИ, причиняют им особенную боль. Они обивают пороги пластических хирургов и дерматологов; они воспринимают себя настолько искаженно, что готовы бесконечно себя оптимизировать. Такая печальная красавица, разумеется, никогда не примирится с собственным отражением в зеркале. Психотерапия — единственный путь к излечению.

БОТОКС, или ВСЕ ДЕЛО В ДОЗЕ[1]

Подобная мания оптимизации часто сопровождается страхом старости. Иногда с гротескными последствиями.

Она руководящий работник, ей около 40. Стройная, хорошо одетая, успешная. Она приходит ко мне на прием около полудня. Я начинаю анамнез и спрашиваю о при-

---

[1] Отсылка к высказыванию Гиппократа «Все есть лекарство, и все есть яд — все дело в дозе». — *Примеч. пер.*

нимаемых лекарствах, перенесенных ранее заболеваниях, менструальном цикле… Короче, обо всем, что врач должен знать о своем пациенте.

Но вскоре я начинаю недоумевать. Что с пациенткой не так? Почему она все смотрит как-то странно, обиженно, что ли? Я нарушила ее личное пространство? Или ее задели мои вопросы?

Я стараюсь сконцентрироваться на дальнейшем анамнезе. Нет, детей нет. Аллергий нет. И под конец задаю вопрос: «Делали ли вы ботокс?»

— Да!!! Конечно! — восклицает она чуть ли не возмущенно.

— И где именно?

— Да везде! — ответ прозвучал так, будто это само собой разумеется.

Везде ботокс! У меня тут же отлегло от души. Так, значит, высокомерная и безучастная мимика не имела никакого отношения ко мне: дело в том, что эта дама не может иначе. Она попросту не в состоянии приводить в движение лицевые мышцы, поэтому ее лицо не отражает того, что она в данный момент чувствует или говорит. Все парализовано. Лишь губы открываются и закрываются, как у выброшенной на сушу рыбы, да глаза ворочаются в глазницах. Болезнь называется «маска». Очевидно, женщина стала жертвой какого-то чересчур усердного врача.

Собственно, причиной ее визита были пятна от солнца, увеличенные поры и неустойчивая текстура кожи. Чтобы ей помочь с этим, я предложила лазерную терапию. Не мелочь, но после процедур обе стороны испытали облегчение. Я была довольна результатом и под конец отпустила еще одну шутку. В ответ она громко расхохоталась. Любопытно наблюдать, как выглядит приступ хохота на полностью парализованном лице. Рот широко раскрывается, раздается смех, похожий сначала на бульканье, а затем на треск, и в такт вибрирует тело. Единственное, что никак не вписывается в картину, — это гладкий, неподвижный лик. Ни смеющихся морщинок возле глаз, ни наморщенного носа, ни округлившихся щек, ни танцующих бровей. Мне нравится, когда люди смеются самозабвенно, от всего сердца. Я была бы рада видеть всю эту мимику на лице своей пациентки, мы почувствовали бы в этот момент особую связь. А так между нами оставалась гротескная, почти комическая дистанция.

Что общего между ботоксом и тухлятиной

Вообще-то «ботокс» — это коммерческое название продукта. Правильное название — *Botulinum toxin type*. Но поскольку название действующего вещества звучит как яд и отпугивает, находчивые коллеги сократили его до «ботулинум». Звучит как что-то из биологии, почти мило, и под таким названием лучше продается. Пугливые покупатели не должны бояться ядовитых (токсичных!) уколов. В действительности же лишь доза делает яд. Это касается и ботулинума.

Ботулотоксин — это один из самых сильных ядов, которые мы знаем. Это яд, действующий на нервную систему. Его образуют бактерии *Clostridium botulinum*. Название происходит от латинского слова *botulus* (колбаса), поскольку в прежние времена часто случались отравления испорченной колбасой или грязными консервами. Ботулотоксины в тухлом мясе вызывают паралич дыхательной мускулатуры и функций легких.

Но как же вышло так, что такой опасный яд стали использовать в терапевтических целях? Ведь всего одного грамма ботулотоксина достаточно, чтобы убить более миллиона человек; одному человеку хватит приема через рот 70 микрограммов, при введении внутримышечно или в вену хватит и 0,1 микрограмма. Это ничтожно мало, но все же несравнимо намного больше, чем содержится в ампуле ботулинума. Смертельным он станет, ну, наверное, если ввести в тело 50–70 ампул. Для сравнения: во время эстетического сеанса против морщин или, кстати, против чрезмерного потения (в этом случае вещество вводят в кожу подмышек) расходуют одну-две ампулы.

 Против морщин ботулотоксин стали применять благодаря случайному открытию. Это было в 80-е годы в Америке. Медики ввели пациентке ботокс для ослабления судорог глазной мышцы, а затем констатировали удивительное побочное явление: плюс к тому, что спало мышечное напряжение, со временем и морщины вокруг глаз разгладились, как по мановению волшебной палочки. Почему? Поскольку мышцы расслабились, они уже больше не сминали обтягивающую их кожу. Вот так и родился ботокс против морщин. С 1989 года его широко используют во всем мире.

В качестве медикамента ботулотоксин используется уже с 1978 года. Им лечат косоглазие, глазные судороги, кривошею и спазматический паралич у детей, вызванный кислородной недостаточностью при рождении. Иными словами, болезни, при которых сильно напряжена или скована мускулатура. Инъекции ботулотоксина размягчают мышцы, убирают стянутость, что позволяет приступить к эффективной лечебной гимнастике.

Ботулотоксин препятствует передаче нейротрансмиттера ацетилхолина (*Acetylcholin*) от нервных окончаний к мышцам. Эффект наступает через несколько дней и держится около пяти месяцев. После этого все возвращается практически на круги своя. **Однако есть один очень интересный побоч-**

ный эффект. За то время, в течение которого обработанные лекарством мышцы выведены из действия, человек может в какой-то мере разучиться мимике: выражать лицом злость, ярость или принимать озабоченный вид. Это как бицепс у культуриста. Если бицепс постоянно не нагружать, он быстро теряет в объеме. Так и мимические мышцы ослабевают, и кожа над ними все больше теряет способность собираться в морщины. В результате эффект против морщин остается и после того, как действие ботулотоксина проходит и человек снова может управлять своими мышцами.

Мистер Спок и маленькое чудо-оружие

Обрабатывая межбровную морщину (ее еще называют морщиной гнева), врач вводит немного ботулотоксина в пять точек между бровями, в форме буквы V. Через несколько дней начинают расслабляться мышцы между бровями, в области около одного сантиметра вокруг мест уколов. Теперь если человек хочет выказать гнев, мимика его вряд ли послушается.

 Мужья вечно сердитых жен часто почитают ботокс за благо: даже если жена не в духе, отныне ее лицо остается открытым и приветливым.

В мышцах лба происходит перераспределение нагрузки. Области, не получившие ботулотоксина, становятся эффективнее и работают с большей нагрузкой, чем когда бы то ни было раньше. В результате области сбоку над бровями поднимаются, что в лучшем случае несколько открывает взгляд, чего, собственно говоря, и добиваются женщины. Но иногда мышцы перебарщивают. Тогда брови поднимаются так сильно, что лицо принимает удивленное выражение. Такие приподнятые брови называют симптомом Спока в честь коммандера Спока из фильма «Космический корабль из сериала "Звездный путь Энтерпрайз"» (в России это явление получило название «брови Мефистофеля»). Но этот эффект не такая уж драма. Два дополнительных крошечных укольчика над бровями быстро поставят их на свое место.

Кстати, противогневный эффект используют и в психиатрии. Там ботулотоксин вводят в качестве антидепрессанта. Это делается прежде всего для обратной связи — передачи сообщения от мышцы, выражающей гнев, к мозгу. Потому что если мышцу гнева лишают способности этот самый гнев выражать, то есть складываться в гневной гримасе, мозг задумается: «Ага, значит, повода сердиться больше нет, и я могу быть всем доволен!»

 Кто много смеется, даже если порой через силу, когда не до смеха, тот в конечном итоге почувствует себя лучше. Чувства создают мимику, а мимика создает чувства.

Везде, где мышцы могут спазмироваться или проявлять ненужную гиперактивность, ботулотоксин оказывает добрую службу. Так, неврологи вводят его пациентам с головными болями и мигренями, вызванными давлением сильно напряженных мышц на нервы. Стоит расслабить мышцу, как боль отступает. Зубные врачи применяют ботулотоксин, чтобы сократить большие жевательные мышцы, что помогает против скрежетания зубами и к тому же оптически формирует челюсть.

В урологии этот яд используют в борьбе против сверхактивности мочевого пузыря, в ортопедии — против локтя теннисиста, в лечении инсультов — против мышечных судорог, в гинекологии — против кольпоспазмов, а в проктологии — против трещин ануса, то есть болезненных трещин кожи в области заднего прохода.

Однако использование этого маленького чудо-оружия оказывает удивительное воздействие не только на мускулатуру. Если человек страдает от болезненного потения, особенно на ограниченных участках тела (подмышки, руки или ноги), то хорошо поможет пара маленьких уколов. Потовые железы находятся в дерме. Так же как и мышцы, *Acetylcholin* их активирует, а ботулотоксин блокирует. Пот иссякает в течение двух дней, и эффект держится несколько месяцев. Медикамент вводится быстро и просто и, как правило, хорошо переносится. Впрочем, не так хорошо иногда переносится его цена.

Ботокс от морщин: за и против

По всему миру в индустрии красоты крутятся миллиарды и миллиарды денежных средств. Не иссякает фонтан все новых и новых идей, побуждающих клиентов выкладывать деньги. Огромные средства вкладываются в рекламу, чтобы преподнести обычные, вполне нормальные морщины как неприятные диагнозы. Достаточно лишь придумать какое-нибудь неблагозвучное название для морщины, а потом объявить, что проблему решит ботулотоксин: вот и появляются на свет морщины гнева между бровями, гусиные лапки возле глаз bunny lines («кроличьи складки») на носу, поперечные морщины на лбу, морщины марионетки (носогубные), булыжная мостовая на подбородке (большое количество неровностей на подбородке), каучуковая улыбка (десневой тип улыбки), морщины-плиссе на верхней губе (кисетные морщины) и, наконец, индюшачья шея.

При большей части этих «страшных деформаций» применение ботулотоксина вообще не разрешено официально, однако его упорно вводят вне всяких инструкций.

Весьма сомнительно применение ботулотоксина в области рта. Его иногда вводят по кромке губ: придают губам объем и убирают складки на верхней губе. Увы, результатом может стать нарушение функции сжимания рта, что приведет к нарушениям речи и скажется на способности смеяться, целоваться, пить и есть. Да ладно, главное, что губы гладкие… Иногда проходят месяцы, прежде чем все приходит в норму и рот перестает беспомощно дергаться.

Врач должен исключительно ответственно относиться к инъекциям ботокса в лицо, делать их лимитировано и точечно.

Мимика — это то, что делает нас живыми, молодыми, эмоциональными, чувственными, да и привлекательными, наконец! Мимика должна читаться. Человек почти всегда реагирует на других людей подсознательно, рефлекторно. Так что самые приветливые слова пропадут втуне, если лицо останется безучастным или, чего доброго, вообще сердитым.

Применяя нервно-паралитический яд целенаправленно и в умеренных дозах, можно достичь впечатляющих косметических результатов. Пациенты счастливы, риск минимальный.

Ни в коем случае нельзя допускать, чтобы лицо цепенело от ботокса!

А врач рад, что смог помочь, и спит ночами спокойно, не опасаясь каких-либо серьезных осложнений. Однако граница между «тонкой настройкой», чуть подправляющей лицо и приносящей радость, и манией безграничного омоложения и стремления к эфемерной красоте очень зыбкая. На конгрессах врачей-косметологов просто диву даешься, что иногда врачи творят сами с собой. Некоторые коллеги делают себе инъекции перед зеркалом в ванной комнате, а затем, подобные монстрам, с перекошенными мятыми и неподвижными лицами рассуждают о красоте.

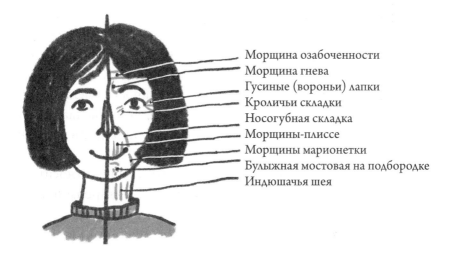

Морщина озабоченности
Морщина гнева
Гусиные (вороньи) лапки
Кроличьи складки
Носогубная складка
Морщины-плиссе
Морщины марионетки
Булыжная мостовая на подбородке
Индюшачья шея

Морщины с провоцирующими названиями

Я не согласна с тем, будто морщины автоматически старят и уродуют человека. Понятно, что в 60 лет не будешь выглядеть на 20. Да и зачем? Зачем нужно разглаженное ботоксом лицо, венчающее старую шею, возвышающееся над старым декольте, да еще эти старые плечи, на которых висят старые руки... Что-то можно затушевать, но старое, пусть даже и разглаженное лицо не выглядит молодым.

Но я тоже делаю инъекции ботулотоксина своим пациентам, и даже весьма охотно. При аккуратном применении результаты бывают восхитительны. Самый оптимальный вариант — это когда окружающие вообще не замечают, что сделан ботокс, а думают, будто человек только что из отпуска, таким отдохнувшим и свежим он выглядит.

Так что если вы задумываетесь об инъекции ботокса, не бросайтесь с головой в омут. Кашу маслом не испортишь — это не про ботокс! Решившись на ботокс, учтите, что без уколов шприцем вам никак не обойтись: действующее вещество не может быть введено в виде крема, его молекулы слишком крупные, чтобы проникнуть за кожный барьер. Поэтому не верьте, пожалуйста, рекламе кремов с ботоксом. Да и вообще ни одна баночка с чудо-кремом не содержит того, что на ней написано.

ВОЛШЕБНАЯ ГИАЛУРОНКА, или СОСИСКА НА ЛИЦЕ

Дверь открывается, в проеме появляется одна губа. За ней следует женщина. Я буквально не могу отвести глаз от этой огромной, выступающей из профиля красно-розовой сосиски, да еще участок кожи между носом и губой тоже выдается вперед.

Красивые красно-розовые полные губы на самом деле сексуально привлекательны. Но то, что сейчас возникло передо мной, скорее напоминает карикатуру на хорошо кровоснабженный чувственный женский орган, ну прямо по Фрейду. Но что делает эта мегавульва на лице женщины? Да она еще и живет собственной жизнью, вон как странно шевелится.

Я иногда задаюсь вопросом, как можно настолько потерять чувство меры, да еще и в том, что от природы и так нормально и не требует вмешательства? Так было задумано? Или что-то пошло наперекосяк?

Помимо уколов ботулотоксина есть еще один метод борьбы за внешнюю красоту, тоже с более или менее болезненными уколами: подкалывание морщин и придание объема гелем на основе гиалуроновой кислоты.

Многочисленные страшные примеры из косметологической практики подпортили репутацию гиалуронки. При этом кислота, так же как и ботулотоксин, давно и с огромной пользой и признанием используется в медицине. Во многих случаях, будь то больные суставы, недоразвитый сосочек десны, сухость глаза, ввалившиеся рубцы, дефекты на теле, появившиеся после несчастных случаев или из-за аномалий развития, гиалуроновая кислота — это надежное, полезное и, как правило, хорошо переносимое средство коррекции. Филлеры с гиалуронкой быстро и эффективно оптически поднимают ввалившиеся рубцы к поверхности кожи.

В косметологии гиалуроновая кислота может вполне мило рисовать, осветлять потемневшие места, устранять дефекты участков кожи и придавать тканям сочность, эластичность, смягчать контуры. Ею можно формировать губы, делая их более чувственными: придавать объем, милые очертания, пропорциональное соотношение между верхней и нижней губой, мягко приподнимать уголки рта, моделировать лук Купидона на верхней губе. Все это создается как произведение искусства, как скульптура. Однако анатомия и тип лица устанавливают естественные ограничения при моделировании губ, и это надо обязательно учитывать. Но бывают такие «скульпторы», которые очень произвольно обращаются с материалом для моделирования — вот вам и надувная шлюпка вместо губ.

Гиалуроновая кислота содержится в нашем организме, она часть наполнения тканей. Наши ткани содержат волокнисто-скользкое основное вещество, которое называют внеклеточным матриксом. Если бы этот матрикс можно было потрогать, то на ощупь показалось бы, будто нажимаешь на собственное глазное яблоко: такой он упругий и эластичный. Он у нас повсюду в теле, особенно его много в коже, в суставной жидкости, в глазах, в межпозвоночных дисках и в хрящах.

В матриксе гиалуроновая кислота играет роль накопителя влаги. Один ее грамм связывает шесть литров воды и делает нашу кожу свежей и эластичной. К сожалению, с годами уровень содержания гиалуроновой кислоты в организме значительно понижается. Хотя запасы истощаются медленно, но все же, когда нам под 70, остается всего лишь 20 процентов от исходного количества. А иногда и вообще ничего. Поэтому в старости мы буквально высыхаем, а следовательно, выглядим мятыми, в морщинах.

Гиалуроновая кислота состоит из очень крупных молекул, которые, если их нанести на кожу, могут проникнуть максимум в самые верхние слои. Глубже не получится. На поверхности они тем не менее могут связывать влагу и освежать кожу. Но эффект держится всего лишь пару часов.

Если же вы хотите, чтобы это вещество проникло туда, где его с возрастом все более не хватает, а именно на второй подземный этаж гаража, то это можно сделать только иголками, которые доставят лекарство через верхний слой кожи и базальную мембрану в дерму. Дорогие ампулы с гиалуронкой для нанесения на кожу, обещающие антивозрастной эффект, — это надувательство. Они хороши для косметической промышленности, плохи для вашего кошелька и абсолютно нейтральны для вашей кожи — никакого долговременного эффекта омоложения.

 Раньше гиалуроновую кислоту добывали из куриных гребешков, то есть в кожу человека вводили чужеродный продукт. Это часто приводило к аллергическим реакциям иммунной системы с уродливыми проявлениями — воспаленными красными узловатыми прыщами и уплотнениями.

Сегодня гиалуронку производят при помощи биотехнологий; в процессе задействованы бактериальные культуры, под конец вещество очищают от всех белков, которые могут вызвать аллергию. Таким образом вещество становится очень хорошо переносимым. К тому же молекулы техническим образом связывают в сеть, чтобы они дольше оставались в тканях. Когда-то ткань переварит гель, и тогда надо подкалываться. А до тех пор он служит хранилищем жидкости и придает тканям эластичность и увлажненность.

Гиалуронка помогает также при лечении ран, свертывании крови, для привлечения целительных клеток и для стимуляции восстановления соединительной ткани — и именно благодаря этой способности она наряду с насыщением кожи со временем вызывает настоящее омоложение. **Но и здесь надо знать меру: используйте гиалуроновую кислоту умеренно и относитесь к ее введению только как к «тонкой настройке», только так вы избежите печальных последствий.** Если же вдруг что-то пошло не так, то на крайний случай гель с гиалуроновой кислотой можно растворить последующим введением одного фермента *(лонгидаза)*, эффект наступит через несколько часов.

А вот неудачу с ботоксом не исправить: и придется на недели, а то и на месяцы примириться с нежелательными эффектами и побочными явлениями.

МАНИЯ КРАСОТЫ: НА ЛОЖНОМ ПУТИ

Когда человек молод и ему кажется, будто юность — это все и из этого всего красота — самое важное, социум начинает давить на него. Звезды и звездочки поют об этом с экрана, бульварная пресса подливает масла в огонь, и человек начинает верить, что после 40 женщину списывают со счетов. Стоит появиться первым морщинкам, как место перед камерой следует освободить, по крайней мере до тех пор, пока актриса не сможет блистать на экране в роли бабушки. Но даже бабушек нынче часто играют женщины, которые пока сами могут быть только матерями.

Это давление ощущают не только публичные люди. Безукоризненность — общая тенденция, и это ложный путь. Я сама не так давно видела одну известную актрису на сцене, где яркие лампы высвечивали все подкожные запасы гиалуроновой кислоты на ее лице: имплантированные румяные щечки, чересчур натянутая носогубная складка, искусственные горы, впадины, холмы и бугры. А на одной лекции по коррекции морщин за трибуной оратора стоял именитый заокеанский дерматолог, у которого было столько ботокса во лбу, что лоб сам по себе уже не держался, а чуть не заваливался ему на глаза. Чтобы нейтрализовать эффект, он еще и валики в брови накачал. Ну чисто неандерталец!

Таких примеров не счесть, но они ничего не объясняют. Вопрос остается. Зачем люди это делают? Или есть нечто, выходящее за рамки стремления к совершенству, нечто, что побуждает людей валом валить в салоны красоты?

Очевидно, да. Недавно ко мне на прием пришла новая пациентка с просьбой: не могла бы я быть так добра выровнять гиалуроновой кислотой небольшую (мне почти незаметную) асимметрию на губе. Она-де не хочет больше ни одного дня терпеть этот «изъян» на своем лице. Дама, совсем недавно переехавшая в Берлин, со всеми подробностями описала мне, как ее прежний, «поистине божественный» врач обрабатывал губу:

— Сюда, вот сюда он приставил шприц и — ах! — голос ее повысился до визга, и в нем слышалось ликующее блаженство, — затем он сделал это, он сделал укол!

Поскольку я интересуюсь психоанализом, я не могла удержаться от мысли, что эти уколы в губы казались ей невероятно восхитительным событием. Ее «ах!» и самозабвенное, с придыханием произнесенное «он сделал укол… вот сюда» привели меня к несколько сексологической мысли об отношениях между врачом и пациенткой. Действительно, в медицине красоты порой возникают парадоксально мазохистские ситуации: это и боль, и наслаждение, и подобострастная готовность отдаться мастеру шприца — скульптору и художнику, который создает что-то новое или, по крайней мере, устраняет досадный изъян. **Врач, сулящий довести красоту до совершенства, остановить разрушительные процессы, уже даже не полубог в белом халате. Он бог!**

В страхе перед старостью, в создании ботоксных масок и колбасных губ психоанализ усматривает некую форму защиты. Точнее, страха смерти. При этом мы начинаем стареть уже со своего первого вздоха и с каждым днем немного умираем. Как говорится, жизнь смертельно опасна и всегда заканчивается смертью. Мы же должны научиться примиряться с этим и наслаждаться жизнью, какой бы она ни была, вместе со всеми теми историями, что она пишет на нашем лице.

ТАТУИРОВКИ,
или ОЧЕНЬ СТРАШНОЕ КИНО

Давайте представим, что мы сидим на полу второго подземного этажа в нашем гараже. Вдруг потолок над нами прокалывает гигантская острая игла, и вниз плюхается черная краска. Потом еще и еще. Лишь через какое-то время это безобразие заканчивается, но мы еще долго слышим рокот, сотрясения поврежденной кожи, нас окружают боль и чужеродные ядовитые вещества. Куда ни кинь взгляд, всюду шмыгают нейротрансмиттеры воспалительных процессов: наш организм тут же распознал, что какое-то постороннее вредоносное вещество проникло через защитный барьер.

Йаэль Адлер

Сюда вторглась краска, часть ее по пути зависла на несущих колоннах, часть прилипла к потолку, остальное расползается по изувеченным лимфатическим щелям. Местами даже пол пробит, и краска хлещет в третий подземный этаж — жировую ткань. Ну чисто преисподняя, как в кровожадных ужастиках, страшный сон.

Татуировка. Примерно так воспринимал бы ее обитатель здания нашей кожи, случись ему испытать такое несчастье.

Что делать с грудой ядовитого мусора? Вредные частицы чужеродных тел, пигменты, угрожающие раком или аллергией, консерванты и сильные яды — они всюду, спасения нет.

Базальная мембрана скоро заживет. Но поскольку она подверглась насилию, то, возможно, оказавшись в затруднительном положении, она образует рубец. То же происходит, если человеку разонравилась татуировка и он выводит ее лазером. И хотя сегодня техника на высоком уровне, на месте прежнего орнамента могут остаться некрасивые воспоминания: там, где когда-то была краска, будет красоваться рубцовая ткань, как белый призрак былой татуировки.

Внутри дермы команды уборщиков (фагоцитов) и наряды по вывозу мусора (лимфа) пытаются устранить ущерб и вынести сор. Иммунные клетки захватывают часть пигментов, и те навсегда залегают в дерме, как некий сверток с чужеродными материалами. Другая часть татуировочных красок уводится лимфой в надежде, что лимфатические узлы смогут что-то с этим сделать. Но и те, разумеется, не знают, как утилизировать ядовитый мусор. И поэтому они становятся своего рода могильником.

Последствия могут быть фатальными. Пострадавшие лимфатические узлы меняют окраску. Только специалист, который будет исследовать ткани под микроскопом, увидит разницу между татуированными лимфатическими узлами и

236

метастазами черного рака кожи на узлах. Но прежде чем он вообще сможет исследовать ткани, потребуется оперативное вмешательство. 32-летняя американка из США заболела раком шейки матки. У нее были татуировки на обеих ногах. Для поиска метастаз применили медицинскую визуализацию, и она показала подозрительные лимфатические узлы в нижней части живота. На этом основании молодой женщине сделали радикальную операцию. Но оказалось, что изменения в лимфатических узлах были вызваны не метастазами рака, а татуировочным пигментом. То есть радикальная операция вовсе не требовалась.

Однако могильниками становятся не только лимфатические узлы, чужеродные пигменты депортируются и в другие органы, тоже в надежде, что организм найдет возможности их утилизировать. Но таких возможностей нет. В большинстве случаев частицы так и остаются в организме, как исправно тикающие бомбы замедленного действия.

Бомбы замедленного действия

Законодательные предписания относительно красящих веществ, содержащихся в упаковке, в косметике, в текстильных материалах и в продуктах питания, предельно строги, а вот татуировочные пигменты пока не попали в эти списки. Это полный абсурд. В отсутствие единых законных нормативов человек, решившийся на татуировку, вынужден мириться с тем, что краски могут содержать вредные вещества.

В красках для татуировки часто присутствуют тяжелые металлы, такие как никель, свинец, кадмий, хром, марганец, кобальт, а также яды мышьяк, алюминий, ртуть и промышленно произведенные вещества, которые частично высокоаллергенны и канцерогенны. **Возможно даже повреждение генома, что может сказаться на продолжении рода.**

Потребитель не имеет об этом никакого представления, и едва ли есть какая-то возможность проверить, что входит в состав краски. В косметических средствах выше перечисленные ядовитые вещества категорически запрещены, а ведь косметику наносят лишь на кожу, и ее можно смыть, если возникнут сомнения. Татуировка же вводится прямо в тело. И даже если через пару лет вывести ее лазером, вредные частицы так и останутся в организме.

В принципе татуировочные краски, подобно лекарствам, должны подвергаться строгой проверке, допустимы ли содержащиеся в них вещества для попадания в организм человека и в каких количествах. Как вы знаете, медикаменты тестируются годами, это очень дорогое мероприятие, при том что в итоге разрешение выдается не всегда. В нашем организме медикаменты хотя бы мало-помалу распадаются и выводятся из него. А от красок татуировки никак не отделаться, бо́льшая их часть остается в организме. Но, несмотря на это, их не подвергают тщательным и строгим проверкам.

Хорошо, скажете вы, но организм много чего может вынести, а учитывая, что каждый десятый житель Германии старше 14 лет (а в возрасте от 30 до 39 лет даже целых 23 процента) имеет татуировку, да и во всем мире это массовое явление, не так уж много мы слышим об ущербе для здоровья. По счастью, это так, но увы, это еще ничего не означает, потому что в токсикологии наблюдается суммарный эффект. Когда-нибудь наступит критическая масса, и организм заболеет.

 Учитывая то, воздействию скольких вредных веществ организм подвергается в течение жизни, следует задуматься, стоит ли подвергать его еще большей нагрузке и делать татуировку? Чем больше отравы, тем выше риск.

Мир озабочен наличием алюминия в дезодорантах, который, возможно, в небольших количествах может попадать через кожу в организм (риск деменции и рака груди), хотя основное количество алюминия поступает с питанием и с медикаментами. Мы рады вкушать выпечку из биомуки из спельты, мы беспокоимся, как бы радиоволны или канцерогенные вещества в кремах для тела не повредили нам. А про татуировки почему-то не задумываемся.

Во врачебной практике постоянно сталкиваешься с гнойными воспалениями после наколок, а также с сильными аллергиями, сопровождающимися покраснениями, зудом, образованием пузырей, сочащимися ранами, шелушением и отеками. Есть много медицинских свидетельств о единичных случаях, когда татуировку признавали причиной солнечной аллергии, кожного рака и воспалений глаза. В последнем случае иммунная система как бы путает глаза с красками татуировки, именно с красками она хочет бороться.

Особенно плохо переносят татуировки те, кто страдает псориазом. Их кожа реагирует на любые раздражения: простуду, сухость, медикаменты, стресс. Она краснеет, утолщается, шелушится. То же происходит вследствие давления, трения, операционных ран, в том числе возникающих от иглы и красок, которыми делают татуировку. На свежей наколке кожа нехорошо воспаляется. И ваш дикий и ужасный дракон становится вдруг еще и толстым, красным, шелушащимся — ни дать ни взять шедевр в технике 3D!

Особенно опасно, если проколоты родинки, потому что потом врач не сможет проводить обследования на предмет кожного рака. Если плотно вколотые татуировочные пигменты находятся как раз на месте обследования, МРТ может показать искаженные результаты.

239

Иногда в татуировочных красках, как, впрочем, и в некоторых красках для перманентного макияжа, содержатся микроскопические частицы железа, которые под сильным магнитным полем томографа нагреваются и могут вызвать в тканях ярко выраженные глубокие ожоги второй или третьей степени с сопутствующими им болью, отеками и рубцами.

Зачем вам рога на попе?

Понятно, что то, что изнутри, с точки зрения кожи, выглядит катастрофой, снаружи может казаться забавным. В юности человек согрешил или в зрелых уже годах поддался модному тренду, но наступает день, когда наколотые надписи или пестрые рисунки на коже начинают нервировать. Тату остается, а жизнь продолжается, кожа со временем стареет. Когда-нибудь она начнет потихоньку обвисать, и наколотая роза завянет. А иногда бывает, что художник не угодил вкусам клиента. То есть рисунок не удался. Что делать?

Во многих случаях удаление лазером — это надежный способ. Но сегодняшние методы удаляют не все краски, особенно сложно удалить красный и желтый цвета.

 Удаление татуировки лазером может повысить ядовитость пигментов с уже известными нам последствиями: это аллергия, аутоиммунные реакции, возможен и повышенный риск рака.

Черные татуировки в большинстве своем удаляются лучше. Но и от них иногда остается серая тень. И очень уродливо выглядит, если от воздействия лазером происходит так называемое резкое изменение цвета. Такой риск очень вероятен при удалении перманентного макияжа, который делают в натуральных тонах. У меня была одна пациентка: молодая женщина, которая захотела удалить красный перманентный макияж на губах. Передо мной она явилась глубоко несчастная, с зелеными губами после неудачной обработки лазером в студии тату. Могла ли я что-то с этим поделать? Отчаянная попытка, вновь вмешательство лазером, но без гарантии на удачный исход.

Удаление перманентного макияжа в области глаз тоже чревато неудачами. Здесь ко всему прочему зеленый цвет может попасть в отводящие лимфатические сосуды на висках.

Во время врачебных приемов мы, конечно, имеем дело с целой палитрой случаев, когда что-то пошло не так: либо когда кололи татуировку, либо когда пытались удалить неудавшийся шедевр.

На самом деле благом татуировки являются только в том случае, если они призваны закрывать некрасивые шрамы. Поскольку татуировки многим нравятся, а побочные явления весьма скверные, мой призыв к вам таков: «Think before you ink!» («Подумай, прежде чем разрисовывать себя!»)

ЧАСТЬ III

ЭКСКУРСИЯ К ГЕНИТАЛИЯМ

Глава 9

СЕКС И КОЖА

Мы любим говорить о сексе. В хорошей компании всегда флиртуют и кокетничают, там не обходится без бабочек в животе, порой отпускаются непристойные шутки. Секс имеет для нас поистине огромное значение, выходящее далеко за пределы продолжения рода: с биохимической и неврологической точки зрения он оказывает вполне измеримое воздействие на все наше бытие, на наше здоровье и на душу.

Во всем, что касается секса, большую роль играет кожа. Секс, эротика и кожа неразделимо связаны друг с другом.

ЭРОГЕННЫЕ ЗОНЫ И СЕКСУАЛЬНАЯ ТРОИЦА

Не только гениталии, но и многие другие зоны кожи передают возбуждение в нервную систему. Прикосновение, поглаживание, вибрация — наша кожа так богата чувствительными сенсорами, что все регистрируется, обрабатывается и используется.

Тут еще и мозг со своими фантазиями, и вот у нас уже собрались три основных спусковых механизма, ответственных за возбуждение и развязку оргазма. **Гениталии, кожа и мозг — бравая тройка для удачного секса.**

Эрогенные зоны кожи были системно исследованы лишь в 2012 году. При этом выяснилось, что у мужчин и у женщин они находятся практически в одних и тех же местах, разве что женщины несколько интенсивнее мужчин чувствуют эротическое возбуждение от прикосновений. Эрогенные зоны не ведают ни социализации, ни сексуальной ориентации, ни национальности. Так что для того чтобы в любовной игре достичь успеха и осчастливить партнера, необязательно проходить вводный курс на тему о региональных традициях.

И еще раз учит нас кожа: никакого расизма. Мы все одинаковы. Однако эрогенная зона только тогда является таковой, когда тот, кого гладят, к кому прикасаются или кого целуют, эмоционально настроен на это. Иначе попытки безуспешны. Выяснилось это с помощью электростимуляции: испытуемым передавали возбуждение в те области мозга, которые соотносятся с эрогенными зонами на коже (вспомните модель гомункула). Участники эксперимента, которым стимулировали мозг, не чувствовали никакого возбуждения, они описывали только электрический фон или зуд в местах возбуждения, что к эротике никакого отношения не имеет.

 Самые любимые эрогенные зоны кожи находятся на гениталиях, на сосках груди, на ушах и на попе. Ступня же, которая для многих фетиш, не попала даже в первую десятку излюбленных эрогенных зон, хотя там высокая плотность нервных окончаний.

Секс и красота

У природы в запасе бесконечное количество способов устанавливать баланс между нашим телом и нашей психикой. Кожа, в свою очередь, отражает любое состояние организма и может нам кое-что рассказать о сексуальной жизни человека.

Когда мужчина разговаривает с женщиной, которая ему нравится, в его слюне тут же повышается уровень тестостерона. Когда мы сексуально возбуждены, и тем более когда испытываем оргазм, в нашем организме зажигается гормональный фейерверк, который не только делает нас счастливыми и поддерживает здоровье, но и улучшает состояние кожи. А когда мы несем в себе много сексуальных гормонов, мы становимся более привлекательными для окружающих.

 Женщины кажутся мужчинам особенно обворожительными в период овуляции, а когда человек после длительного воздержания вступил в новые отношения и снова имеет регулярный секс, он в какой-то момент вдруг обнаруживает вокруг себя целый рой поклонниц (или поклонников): потенциальные партнеры почуяли, что здесь есть что-то многообещающее...

Во время секса и при прикосновении к коже в мозге вырабатывается окситоцин, который повышает сексуальный интерес, снимает страхи, умеряет боль, успокаивает и способствует укреплению социальных связей. Высвобождаемый гормональный коктейль из дофамина, эндорфина, серотонина, пролактина и вазопрессина приносит счастье, расслабление, уравновешенность и удовлетворение. Мы чувствуем себя вознагражденными. По мере растущего возбуждения повышается и уровень адреналина, он обостряет наши чувства и вызывает прилив сил.

Благодаря повышению уровня *эстрогена* во время секса у женщин исчезают прыщи, волосы становятся гуще, а кожа — глаже. В свою очередь, *тестостерон* у мужчины положительно влияет на мускулатуру, на рост бороды, но в то же время способствует и облысению, поэтому когда у юноши появляется первая подружка, он может потерять пару волосков с головы.

Секс снижает риск инфаркта и остеопороза, противостоит депрессиям, формирует тело и делает женщин более женственными, а мужчин более мужественными.

Читая все это, вы понимаете, что не так важны размер груди, форма пениса или симметрия вагины. Людей сводят или, наоборот, отталкивают друг от друга эмоции и фантазии, внутренняя готовность и страсть. Здесь работают биохимические критерии — запах, гормональный коктейль, реакция иммунной системы и то, насколько все это подходит партнеру. Значение имеют также и психологические факторы, а именно то, насколько партнер стыкуется с собственными воспоминаниями из раннего детства; ведь чаще всего мы ищем партнера, в какой-либо форме связанного с сознательными, а прежде всего с бессознательными воспоминаниями детства. Когда наличествуют все эти факторы, нас тянет друг к другу — на короткую связь или на долгие годы совместной жизни.

Интимная стрижка и укол в точку G

И все же, когда люди общаются в более приватном кругу и касаются темы гениталий, они нередко высказывают озабоченность: мужчины — размером пениса, а женщины — размером груди (возбуждают ли они партнера? удовлетворяют ли его?). А по сути дела, ни то ни другое никакой роли в возбуждении не играет. Биохимические процессы происходят без нашего участия и без надувных силиконовых подушек в груди. Однако мы, люди, склонны к инсценировкам, постоянно стремимся предстать в лучшем виде, чтобы привлекать потенциального партнера. При этом некоторые из нас не останавливаются перед украшательством интимной зоны.

Как вы уже знаете, волосы на голове и в интимной зоне служат, помимо прочего, приманкой: они выделяют роскошный, привлекательный для противоположного пола телесный запах. Сегодня люди гораздо чаще, чем десять лет назад, удаляют волосы в подмышках и в интимной зоне. Этому много причин — это и религиозные мотивы, и соображения гигиены, и следование веяниям моды.

 Волосы усердно удаляли еще в античные времена. Депиляция интимных волос и волосяного покрытия на других участках тела делалась не только для красоты, но и хорошо защищала от паразитов. На Востоке удаление волос сахаристо-клейкой пастой — это часть культуры ухода за телом. То, что в Древнем Египте для Клеопатры было еще «восточным шугарингом», сегодня называется «бразильской депиляцией воском».

В исламе и по сей день депиляция интимной зоны как у мальчиков, так и у девочек является религиозной заповедью чистоты. Уже 20 лет назад ко мне обращались по поводу депилированных зон пациенты и пациентки мусульманских стран. У многих из них были проблемы с химическими кремами для депиляции, которые сильно раздражают нежную кожу гениталий и от которых быстро возникает контактная экзема.

Вообще-то волосы в интимной зоне призваны защищать гениталии: они распространяют влекущие запахи, предотвращают контакт кожи с кожей и тем самым предохраняют от возникновения эффекта «термостата» в теплых складках кожи.

Но и эстетические соображения тоже играют роль. Бритые мужские гениталии выглядели бы очень специфически, если бы над ними нависал волосатый живот, а из-под них торчали бы волосатые ноги.

Во всяком случае, благодаря современной моде на обнаженное тело некоторые люди впервые стали обращать внимание на то, как они выглядят там, внизу. Есть женщины, которые даже пугаются, все ли с ними нормально, а то одна половая губа длиннее другой или внутренние детали бесцеремонно смотрят наружу и не до конца закрыты больши-ми губами... Хотите верьте, хотите нет, но некоторых такое открытие приводит к интимному хирургу-пластику. Скаль-пелем половым губам можно придать симметрию. Среди женщин в возрасте распространены также методы введения гиалуроновой кислоты в половые губы, в клитор и точку G. Я отдаю себе отчет, что слово «введение» звучит здесь не-сколько скабрезно. Но слово когда-то пришло из области борьбы с морщинами…

Есть три разных типа женской вульвы:

1. Внешние половые губы полностью закрывают вну-тренность. И снаружи не догадаешься, что внутри что-то спрятано.

2. Внутренние половые губы дерзко выглядывают из внешней плоти, передняя щель немного открывается и ча-стично открывает вид внутрь.

3. Внутренние половые губы вытеснены наружу, явствен-но видны, они одного размера, что и внешние губы, или не-много длиннее.

Но, разумеется, это только основные типы. Половые губы могут быть самых разных вариаций — одни симметричны, другие нет; одни полные, другие узкие. Так что если ваши по-ловые губы не соответствуют какому-то усредненному типу, вам не нужно к хирургу. Все в порядке, так задумано.

Крайняя плоть

Иногда мужчины удаляют волосы в интимной зоне с вполне определенной целью: пенис должен выглядеть длиннее. Некоторые «венцы творения» идут дальше и при-дают своему мужскому достоинству еще более впечатляющий вид уколами гиалуроновой кислоты. Для этого иглу надо вво-дить в оболочку пениса, что небезопасно, особенно если руку приложит непрофессионал. Описываемые в литературе побочные явления звучат поистине устрашающе: закупорка сосудов, деформация пениса, рубцевание, ограничение чувствительности, сексуальные проблемы, опухолевые затвердения и воспаления.

 Как это часто бывает, причина увеличения пениса — субъективное восприятие. В действительности же только примерно у двух процентов мужчин крайне маленький или невероятно большой член. Это выяснилось в ходе проведенного в 2015 году крупного исследования с участием более 15 000 мужчин, представлявших различные этнические группы. Ни одно из распространенных клише не подтвердилось. Средний размер пениса у исследованных мужчин — 9,16 см в состоянии покоя и около 13,12 см — в эрегированном состоянии.

Природа позаботилась о разнообразии и мужских гениталий, не только у женщин они разные: пенисы бывают маленькие и большие, толстые и тонкие, они могут быть изогнутыми или прямыми, а головки члена могу иметь формы стрелы, гриба, шляпы, конуса... Пенис украшает авангардное прикрытие — защитная крайняя плоть; она может быть более или менее длинной, если она вообще есть, потому что иногда ее обрезают, что, впрочем, оптически заметно, только когда член в спокойном состоянии. Если пенис возбужден, крайняя плоть так и так отодвигается назад, и тогда обрезана она или нет — все едино.

В зависимости от социально-культурной среды крайнюю плоть могут считать красивой или некрасивой, гигиеничной или негигиеничной, рациональной или нецелесообразной. *Обрезание* делают по медицинским показаниям или по религиозным соображениям. Как врач, я хочу здесь прежде всего остановиться на медицинских основаниях. Крайняя плоть защищает уязвимую головку, что было очень важно много-много лет назад, когда не носили трусов. Кроме того, в головке много чувствительных нервов, и она удобная сексуальная игрушка для ее владельца и его партнерши. Если головку под крайней плотью регулярно мыть теплой водой, то с точки зрения гигиены все будет в порядке. Но при недостаточной гигиене и при частой смене половых партнеров под крайней плотью обосновываются бактерии, и можно запросто подхватить заболевание, передающееся половым путем. И все же на практике медицинские показания для удаления крайней плоти есть только тогда, когда наличествует какое-то заболевание, например сужение крайней плоти (фимоз) или ее хроническое воспаление.

Яички, так же как и крайняя плоть и головка, могут быть разными по внешнему виду и размерам: круглые и тугие, длинные и болтающиеся, маленькие или большие. Форма пениса тоже может быть разной. Очаровательно выглядит сочетание мясистого и кровяного пениса; ведь, естественно, есть и такая смешанная форма.

Мясистый член отличается тем, что в расслабленном состоянии он довольно длинный, а кровяной пенис в состоянии покоя становится маленьким, но возбуждаясь и наполняясь кровью, он вырастает до внушительных размеров.

Кремастерный рефлекс

А вот яички живут своей собственной жизнью. Они висят в сторонке от всего хозяйства, как бы снаружи мужского тела, охлажденные. Это необходимо для того, чтобы сперматозоиды не перегревались, иначе грозит бесплодие. Поэтому юноши, у которых яички расположены близко к паху, а может, даже прячутся в паховом канале, должны срочно пройти лечение, чтобы не было опасности для потомства.

Но если яички уж слишком свободно и беззащитно расположились снаружи, то это тоже небезопасно. Поэтому природа позаботилась о том, чтобы они обладали особой болевой чувствительностью. И она даже придумала для них защитный механизм: *кремастерный рефлекс*.

Если мужчину погладить по коже на внутренней поверхности бедра, то приводится в движение своего рода подъемник, и мошонка чудесным образом поднимается на пару этажей наверх, к телу. Механизм приводится в движение особым мышечным слоем, покрывающим яички. Этот рефлекс был важен для мужчины, который шел на охоту в одной набедренной повязке. Когда до верха внутренней стороны его бедра доставали травы, ветки или сучки, которые могли поранить яички, защитный рефлекс быстро уводил яички наверх.

Любовь как источник молодости

О человеческих прикосновениях и гормоне окситоцине вы уже читали выше. Еще одно чудесное творение природы — *сперма*: в ней содержатся тестостерон, эстроген и другие половые гормоны и еще множество нейротрансмиттеров. Как показало одно научное исследование, **женщины реже страдают от депрессии, если у них с партнером незащищенный секс**. Ибо в таком случае часть гормонов поступает через влагалищную слизистую в организм женщины и там проявляет свое воздействие.

Если секса какое-то время не было, подступают депрессивные чувства.

Хотя презервативы хорошо защищают от венерических болезней, женщина из-за них все же недополучает своей порции счастья, да и кожа своей пользы не получает. Ведь все эти гормоны влияют на наше настроение, кожный баланс, здоровье кожи и на рост волос.

Недавно ученые обнаружили, что находящееся во всех клетках организма вещество *спермидин* — а в сперме оно содержится в высокой концентрации — может продлить жизнь мух, червяков, дрожжевых грибков, мышей и иммунных клеток человека. Понятно, что сперма сейчас в центре внимания как вероятный новый источник молодости. Спермидин содержится также в зародышах пшеницы, цитрусовых фруктах, соевых бобах, в сыре и во многих других продуктах питания, но с некоторых пор, естественно, именно сперма у всех на устах как потенциальное антивозрастное средство. Часто в кругу близких подруг женщины обсуждают тему «глотать или выплевывать», хотя ни омоложение, ни 5–7 килокалорий, поступающих с эякулятом, не могут играть большой роли.

Одно, надеюсь, понятно всем: **при оральном сексе могут передаваться болезни.**

Секреты слизистой оболочки

В ходе нашего путешествия по гениталиям мы не можем обойти вниманием *слизистые оболочки* — они у нас в носу, во рту, в женской вульве и на внутренней стороне крайней плоти и головки мужского члена. Строение слизистой подобно строению кожи, только у нее нет ороговевшего слоя. В отличие от ороговевшего внешнего кожного покрова слизистая оболочка, как уже явствует из ее названия, всегда во влажном, слизистом состоянии — это результат деятельности секретов из маленьких желез. Впрочем, на местах давления во рту или при воспалительных процессах в слизистой, то есть в тех случаях, когда слизистая испытывает воспалительное или механическое раздражение, она тоже может ороговеть. Тогда она неожиданно становится белесой и разбухшей — отечной. Если вы заметили такое, обязательно покажитесь врачу, потому что, если не повезет, это может стать причиной рака слизистой оболочки. Иная картина в случае с обрезанной крайней плотью пениса: когда головка члена лишена природной защиты, она автоматически образует ороговевший слой, но рака это за собой не влечет.

Губы и поцелуи

Так что же, губы — это слизистые оболочки или лишь эрогенные зоны? И то и другое.

Нежные губы в поцелуе — это одно удовольствие. Однако, как вы уже знаете, губы быстро высыхают, потому что у них нет собственных сальных желез. Постоянно облизывая их языком, вы усугубляете проблему. Пав жертвой высыхания губ, вы ищете помощи, а реклама побуждает вас хвататься за гигиеническую губную помаду. Нередко из потребности то и дело смазывать губы развивается настоящая мания.

Во многих гигиенических помадах содержатся минеральные масла, они ложатся на губы как пластиковая пленка. На какой-то момент губы становятся мягкими, но плохо то, что теперь выступающая из кожи губ влага не может испаряться. Вместо этого она собирается под не пропускающим воздух слоем жира. Как на попке под памперсом, скопление влаги ведет к тому, что естественный защитный жир вымывается из кожи и губы становятся еще суше и еще сильнее трескаются. Наличие большого количества глицерина усиливает этот эффект. Хотя глицерин в нашем организме играет роль естественного удерживающего влагу фактора, он, будучи нанесен в слишком больших концентрациях, скорее забирает воду, чем передает ее в нежную кожу губ.

Так что классическая гигиеническая помада — это не решение. Вместо нее я бы порекомендовала вам ухаживающую мазь из натуральных растительных жиров, подобных кожным, — таких как масло ши, масло какао, и из восков, например пчелиного или шерстяного (ланолина); иногда можно использовать и просто мед.

 Если сухость и воспаление не проходят, стоит провериться на содержание в крови питательных микроэлементов, особенно это касается железа, цинка и витамина B$_{12}$, ииследовать статус гормонов щитовидной железы.

Также имейте в виду, что продукты по уходу за губами могут вызывать контактную аллергию.

В любом случае, покупая продукты ухода за губами (да и вообще за кожей), учитывайте, что мазь жирнее крема и содержит меньше воды, если вообще ее содержит. Поэтому за сухими губами мазь ухаживает намного эффективнее, чем крем: она возвращает губам жир, препятствует быстрому испарению и дольше удерживает влагу в тканях. Впрочем, **лучший метод взаимно обменяться салом на губах — это поцелуи.** Потому что когда вы целуетесь, кожное сало с кромки губ распределяется по красной части губы, улучшается кровоснабжение, а заодно еще и усиливается иммунная система. Короче говоря, нет лучше ухода за губами, чем поцелуи!

Ежедневно мы производим от одного до полутора литров слюны.

Во время поцелуев слизистые оболочки соприкасаются, и, естественно, всегда происходит обмен слюной. Слюна — это особая тема. Ее вырабатывают три различных типа пар желез во рту: околоушные слюнные железы, подъязычные слюнные железы и подчелюстные слюнные железы. Их производное частично слизистое, частично водянистое.

У нас во рту живет около 22 миллионов бактерий семисот различных видов. Целуясь, люди щедро ими обмениваются.

Но тот, кто хоть когда-то целовался, знает, что не факт, что подхватишь болезнь. Наоборот, **для нашей иммунной системы разнообразный бактериальный контакт — это самое важное, что вообще может быть.** Она как высокоодаренный человек, которому вечно нужны новые идеи, иначе ему скучно и он начинает заниматься всякими глупостями. Иммунная система должна многому учиться, чтобы получать необходимые знания, обретать навыки защиты и эффективную боеспособность, а также набираться мудрости и терпения. Как и во многих других областях, здесь тоже для развития важен межкультурный обмен!

Поранившись, мы интуитивно используем *слюну* в качестве средства первой помощи. Вылизывая раны языком, и слюной можно удалить грязь. К тому же слюна содержит многие белки, антитела и природные вещества, действующие против болезнетворных бактерий и вирусов. Они умеряют боль и способствуют быстрому заживлению ран, прежде всего ускоряя свертываемость крови, содействуя поступлению свежих клеток кожи, доставляя ингибиторы ферментов и оберегая от ферментов, разрушительных для тканей. Так что слюна на полном основании служит моделью для разработки новых медикаментов, способствующих заживлению ран.

Для этого чудо-средства — слюны — исключительно важна гигиена зубов и рта. С тех пор как мы отказались от пищи каменного века, потребляем слишком много углеводов (особенно мы любим клейкий сахар) и мало жуем всяких корешков, микрофлора нашей полости рта заметно ухудшилась. Мир бактерий стал менее разнообразным, распространились нехорошие их виды — те, что вызывают кариес, воспаление десен и запах изо рта. При крапивнице, некоторых формах экзем и псориаза ухудшение состояния кожи часто сопровождается очагами инфекции во рту. Поэтому хороший дерматолог направит пациента к зубному врачу на фокусное инфекционное обследование, как мы это называем.

При воспалении десен во рту поселяются особенно мерзкие и очень стойкие бактерии, которые могут вызвать заболевания всего организма. Так, у пациентов с *пародонтозом* инсульты случаются в три раза чаще, чем у здоровых людей; риск сердечного инфаркта возрастает на 25 процентов; чаще наблюдаются диабет, ревматизм, заболевания дыхательных путей. У беременных с пародонтозом в 7,5 раза увеличивается риск преждевременных родов, новорожденные часто весят ниже нормы. Пародонтоза, как и кариеса и запаха изо рта, можно избежать, если выполнять простые профилактические меры — смотрите список в конце этой главы.

У слюны есть только один неприятный аспект: за пределами рта она пахнет довольно неприятно. Причина этого затхлого запаха в бактериях, что живут во всех закоулках в зубах, в пародонтальных (зубодесневых) карманах и в биопленке на языке. Они не любят кислорода и производят химикалии, например, летучие компоненты серы, диамины и жирные кислоты с короткой цепью. Во рту эти вонючие компоненты разбавлены слюной, напитками и пищей. А вне полости рта вода высыхает, и остаются лишь пахучие вещества. Представьте себе слюну как морскую воду, испаряющуюся на берегу, — там от нее остается лишь пахучая соляная корка. Кстати, одно из этих вонючих веществ (кадаверин) называется трупным ядом, что само по себе уже достаточно неприятно. Так чего же тут удивляться.

Меры для профилактики запаха изо рта:
- Чистить зубы дважды в день.
- Ежедневно прочищать межзубные пространства зубной нитью, так вы пропускаете к бактериям воздух (а они его ненавидят) и соскребаете затхлый зубной налет.

- Чистить язык щеткой, так вы ограничиваете буйство бактерий.
- Массировать миндалины, «выдаивая» из них дурно пахнущие плотные образования — конкременты.
- Регулярно пить воду — она смывает пахучие бактерии.
- Регулярно есть — в процессе принятия пищи соскабливаются пахучие бактерии.
- Продукты, требующие интенсивного жевания, стимулируют приток слюны — бактерии вымываются.

Глава 10
ВОЗБУЖДЕНИЕ И ВОЗБУДИТЕЛИ

Кожный врач всегда обследует наружные области гениталий. Он также смотрит под крайнюю плоть и заглядывает в вульву, нет ли там венерических заболеваний с везикулами, пятнами, покраснениями, воспалениями, выделениями или мокнущими язвами и бородавками. В слизистых оболочках гениталий много нервных окончаний, поэтому они могут немного зудеть, болеть или жечь, но именно благодаря нервным окончаниям у гениталий такая хорошая чувствительность и они умеют наслаждаться.

В верхней части входа в вульву расположен, подобно жемчужине, *бугорок клитора*. Как и мужскую головку, его окружает слизистая оболочка — *«мини» крайняя плоть*. Многие думают, что это и есть клитор, на самом же деле это только верхушка айсберга, в действительности сам клитор намного больше. Он, так сказать, уходит вглубь, опираясь на два пещеристых тела, переходящих в ножки длиной от шести до девяти сантиметров; клитор расходится внутри вправо и влево вдоль вульвы, вплоть до вагины и таким образом обеспечивает точку G приятными ощущениями.

 В видимой снаружи части клитора сходятся 8000 нервных окончаний и клеточных рецепторов – это вдвое больше, чем в головке мужского члена. Ни одно другое место на теле человека не имеет столько нервных окончаний, как клитор, который предназначен исключительно для женского наслаждения.

Под крайней плотью клитора, как и под мужской крайней плотью, собирается белесая *смегма*, называемая также «сыром внешней оболочки», потому что у нее запах пикантного сыра. Впрочем, дамскую версию следовало бы назвать «щелевым сыром». **Смегма — это смесь клеток, кожного сала, некоторых бактерий и мочи, и она легко смывается водой.** Там, где в складках слизистой собирается женская смегма, в этих теплых и легко потеющих местах, и тем более, если область гениталий и ануса замучены мылом и бритьем, заводятся порой мерзкие твари: грибки, бактерии, вирусы и паразиты. Если не повезет, то они там обосновываются и передаются во время полового акта. И тогда наслаждение во всех смыслах заразно.

 В последние 15 лет в США и в Европе наблюдался сильный рост заболеваний, передающихся половым путем. Возможно, причина в том, что ВИЧ уже научились медикаментозно контролировать, и незащищенный секс снова обретает популярность.

Венерические заболевания мы получаем через внутренний кожный и сексуальный контакт. Я хочу вам представить парочку возбудителей этих болезней.

СИФИЛИС И ТРИППЕР (ГОНОРЕЯ)

Один из моих пациентов жаловался на какие-то выделения и слизистые сальные налеты во рту. Он признался, что мог подхватить эту гадость в комнате для секса в одном из берлинских ночных клубов. Это был оральный секс. Предположение, что оральный секс безопасен, может быть верным, когда дело касается предохранения от беременности, но не в том случае, когда мы говорим о передаче заболеваний. При оральном сексе можно подхватить много всякой заразы, поэтому находчивые люди кое-что придумали. Вместо презерватива они разработали специальную прокладку на основе использующейся в стоматологии зубной защитной прокладки. Это пленка как в домашнем хозяйстве, ее накладывают на вульву или на анус, прежде чем приблизиться к ним ртом.

Критики сетуют на то, что эти прокладки от избытка чувств приходят в негодность. К тому же весьма сомнительно, насколько они эротичны. Возможно, «зубная прокладка» вызывает столь же «сильное» сексуальное желание, как если перед сексом подложить полотенце во избежание пятен или заниматься сексом в носках. И все же: **если человек не знает, с кем имеет дело и здоров ли сексуальный партнер, ему стоит задуматься об использовании такой защитной пленки вместо презерватива.**

Во время ночных дежурств в отделении экстренной медицинской помощи я часто сталкивалась с пациентами, которые очень рьяно приветствовали меня рукопожатием. Ну очень рьяно, от всей души. И всякий раз, когда это случалось, я подозревала: **так, здесь у кого-то гонорея или сифилис.** По какой-то загадочной причине пациенты именно с этими диагнозами особенно сердечно трясут врачу руку. Мне кажется, что это научно недоказуемое, но часто наблюдаемое явление должно иметь какую-то психологическую основу. Нет ли здесь желания поделиться с кем-то своей заразой? Или проверить, не считает ли врач его заразным? Не могу утверждать, не знаю.

Гонорея не перескакивает от рукопожатия, это факт. Но еще как перескакивает при генитальном, оральном и анальном сексе. А вот в туалете, кстати, вряд ли. «Должно быть, я подхватил это в уборной» — любимая отговорка жертв внезапно подхваченной венерической болезни. А ведь там гораздо меньше бактерий, чем вы думаете. Сиденья унитазов, как правило, регулярно очищаются, да к тому же вы ведь не садитесь интимными естественными отверстиями непосредственно на зараженные стульчаки или кромки унитаза, скорее, бедрами их касаетесь.

Неприятные симптомы выглядят так: у мужчин с гонореей по утрам из пениса течет гной консистенции сливок, их называют каплями Bonjour — «доброе утро». У женщин же симптомы на первый взгляд не так легко идентифицировать. Жжет, сочится и болит при мочеиспускании, или все происходит с клинической точки зрения «втихомолку», без каких-либо признаков болезни. Последний вариант особенно печален, поскольку нераспознанная гонорея может повлечь за собой тяжелые последствия, вплоть до бесплодия.

А вот при сифилисе рукопожатие при некоторых обстоятельствах может оказаться заразным — если бактерии сифилиса уже оставили свои следы на коже рук. Сифилис протекает стадиями, и если его не диагностировать, то пострадать могут не только половые органы, но и кожа, спинной мозг, головной мозг, аорта, кости и внутренние органы.

Дерматологи называют сифилис «мартышкой всех болезней», поскольку он может имитировать практически любое кожное заболевание, проявляя такие симптомы, как выпадение волос, сыпь, экземы и бородавки. Поэтому поставить диагноз не всегда просто.

Однажды ко мне на прием пришел молодой человек с жалобой на необычные высыпания с кровоподтеками. Они были на всем теле. На участках кожи в середине были черные корки, остатки отмерших тканей. Он уже долгие месяцы ходил по разным врачам, его лечили кортизоном и даже сделали биопсию. Но даже это исследование не подсказало причины заболевания.

Я решила взять у него анализ крови и проверить ее также на сифилис — прямое попадание! Не кортизоном надо было лечить, а, конечно же, антибиотиками от бактерий.

Особенно часто передающиеся половым путем заболевания встречаются у мужчин, имеющих секс с мужчинами. Женщины иногда тоже носят в себе изрядные скопления бактерий, причем это не обязательно представительницы древнейшей профессии. Ну, скажем, случается жене предпринимателя подхватить бактерию — подарок мужа из его последней деловой командировки; да и сама она могла в отсутствие мужа пуститься во все тяжкие с садовником.

Тот, кто заполучил венерическую болезнь, должен пройти тесты и на других заразных возбудителей, поскольку часто беда не приходит одна. Бывает, что ВИЧ-пациенты между делом подхватывают свежий сифилис — то ли забыли презерватив, то ли с умыслом им не воспользовались.

ГРИБКИ

Многие женщины страдают от *дрожжевых грибков в вульве*, заболевание может распространиться и на влагалище. Тогда во влагалище и в вульве ощущается зуд, жжение, появляются кремообразные рассыпчатые выделения. У мужчин такие грибки скапливаются под крайней плотью, вызывая припухлость и покраснение, при этом вероятны болезненные ощущения во время полового акта.

Хотя современные противогрибковые средства помогают хорошо, у некоторых проблемы возникают снова и снова. Это может иметь иммунологические или гигиенические причины, может быть связано с приемом противозачаточных таблеток или антибиотиков, с несбалансированным питанием, нарушениями кишечной флоры, а может передаваться хронически инфицированным партнером.

Инфекции дрожжевых грибков — их называют также инфекциями *Soor*, или *Candida* (молочница, кандидоз), — это заболевание, передающееся половым путем. Дрожжей довольно много всюду, но не всегда они закрепляются в одном месте и становятся причиной заболевания. Они любят влагу и тепло, и потому им нравятся слизистые оболочки. Они с удовольствием селятся под крайней плотью или где-нибудь в вульве, где много всяких углов и закоулков, а просмотреть и промыть их под душем можно, только если развести и раскрыть отдельные части и складки. Мыть следует только водой, без мыла, чтобы не нарушить постоянно проживающую там оседлую бактериальную флору — она должна оставаться на месте и добросовестно выполнять свои защитные функции, служить привратником.

Во время полового акта дрожжи разыгрывают пинг-понг между партнерами. Если у одного ничего не было, то он может получить дозу грибков из половых органов партнера. Так что при поражении грибком все возможные половые партнеры должны пройти лечение. Женщины должны наносить антигрибковые кремы как внутрь вагины, так и снаружи на вульву. Причем делать это тщательно, чуть смазал, и хватит — это здесь, увы, не прокатит. Все складки и кармашки нужно промазать по отдельности, иначе где-то может остаться затаившаяся клетка, и все начнется по новой. Мужчина-партнер делает то же самое — под крайней плотью и, разумеется, снаружи.

Еще одним источником гадких дрожжевых грибков может стать задний проход. Когда кишечник заселен дрожжевыми грибками, при подтирании возбудители могут попасть из анального отверстия в вульву. Поэтому женщинам рекомендуется после стула вытираться всегда спереди назад. Если в кишечнике обосновалось слишком много бактерий, имеет смысл провести очищение кишечника, рекомендуется богатая балластными веществами пища, кефир, пробиотические бактерии, а иногда и медикаменты. Все это создает в кишечнике среду, существенно сокращающую количество болезнетворных дрожжевых грибков, и освобождает место для хороших бактерий, несущих защитные функции.

КОГДА ПРЕЗЕРВАТИВ ВАС НЕ ЗАЩИТИТ

Против многих заболеваний, передающихся половым путем, можно вооружиться. Так, **презервативы, при правильном их использовании, довольно хорошо предохраняют от ВИЧ и гепатита**, поскольку перекрывают непосредственный контакт болезнетворных секретов со слизистой. После того как мир узнал о ВИЧ, была развернута широкая пропаганда безопасного секса. А сегодня? С глаз долой, из сердца вон! По-видимому, сексуальное просвещение, как выразился один мой коллега, действует нынче по тому же принципу, что и реклама моющих средств. Не инвестируешь постоянно в рекламу — теряешь долю на рынке. Именно это и случилось с продажей презервативов. Их используют меньше, чем всего пару лет назад. Доля гетеросексуалов не так уж велика, а люди ведут себя так, будто не знают, что ВИЧ отнюдь не только не «гомосексуальная зараза», как ее поначалу некрасиво называли.

«Резинка», в любой ее форме, защищает от основных возбудителей во время возбуждения. **Но есть целый ряд передающихся половым путем заболеваний, которые можно заполучить невзирая на презерватив или «зубную прокладку».** Потому что есть возбудители, обитающие не только в секретах слизистой или в сперме, но и свободно располагающиеся на коже; такие очень любят места возле половых органов, то есть вне зоны презерватива. Они передаются при любовных утехах, при трении о партнера. Чесотка, лобковые вши, контагиозные моллюски — против них мог бы защитить разве что презерватив на все тело.

ЛОБКОВЫЕ ВШИ И ЧЕСОТКА

Недавно один молодой отец семейства наивно уверял меня, что маленькие, похожие на паучков зверюшки, которые прицепились к волосам на его гениталиях и падали с пижамы на матрас, это наверняка детки клещей с новогодней елки. Он ее собственноручно выбросил. На самом деле это были *лобковые вши* (мандавошки), они радостно копошились на его гениталиях, но, естественно, иногда и отлетали. Он подцепил их в каком-то отеле.

В этом случае терапия проста: основательное бритье и лечение порошком или маслом от вшей.

Чесотка также случается независимо от того, был ли секс. Но если у человека на коже уже есть *чесоточные клещи* и он занимается сексом, то с большой вероятностью он передаст их дальше. В больницах и домах престарелых клещи распространяются и без половых связей. У пострадавших чаще всего примерно по 20 клещей, и они начинают особенно активничать вечерами, в теплой постельке. Зудит и покалывает, могут появиться изменения на коже рук и ног, у грудных сосков, у пупка и вокруг гениталий. В трудных случаях, например при ослабленном иммунитете, клещи могут размножиться в миллионы раз. Тогда мало не покажется.

Когда человек ударяет рукой, или стелет кровать, или накладывает манжету для измерения давления, клещей выбрасывает в воздух и они цепляются туда, куда попали. Так дело может дойти до настоящей эпидемии, как случилось однажды в клинике, где я работала. Все — от последнего пациента до главврача — вынуждены были пройти лечение. Полгода спустя в нашей больнице появился пожилой мужчина с непонятным зудом. У него были все признаки хронической чесотки. И вот что удивительно: этот пациент был нам знаком. Его выписали из клиники как раз в то утро, когда туда поступил пациент номер один — тот самый, что всех нас заразил. И когда мы обнаружили эпидемию клещей, старичок был уже дома. Пока мы предпринимали защитные меры, лечили всех сотрудников и пациентов, ничего не знающий экс-пациент уже распространял «своих» клещей в доме престарелых, где он обитал.

КОНТАГИОЗНЫЙ МОЛЛЮСК

К венерическим заболеваниям, которые могут переноситься и без секса, относится также *контагиозный моллюск*. Его возбудителем являются вирусы *Molluscum contagiosum*, относящиеся к поксвирусам. В переводе название означает «прилипчивая улитка», что отнюдь не про горячую женщину с венерическим заболеванием, а про маленький нарост с лункой посередине. Центр этой лунки, в свою очередь, наполнен заразной вирусной кашей, как в угревом прыще. У взрослых это венерическое заболевание возникает в области гениталий, у детей с сухой кожей и предрасположенностью к нейродермитам оно может появиться где угодно. Поскольку моллюски особенно легко проникают в организм при размокшей коже, болезнь иногда величают также «бассейными бородавками».

Мне когда-то рассказывали довольно забавную историю о том, как можно заполучить свеженьких моллюсков. Один женатый мужчина уезжал на профессиональное обучение, а вернувшись домой, вдруг обнаружил у себя на пенисе и на лобке огромное количество бугорков. Когда его спрашивали о внебрачных контактах, он истово клялся, что ничего такого не было. Ну разве что он был в отельном джакузи, вытерся там гостиничным полотенцем, после чего имел в своем номере «аутоэротический ручной контакт». Проще говоря — мастурбировал. Получается, что моллюсков он получил без контакта с кем-либо, а затем основательно сам их по себе распространил…

Где в этой истории правда, где вымысел — поди теперь разберись. Но что верно, то верно: **моллюски действительно могут передаваться через инфицированное полотенце.**

ГЕРПЕС

И вирусы *герпеса* тоже кочуют не только по тем областям, что могут быть прикрыты презервативом. Они поражают кожу и в отдаленных местах, так что могут передаваться при обычном контакте. Большинство людей когда-нибудь в своей жизни являются носителями вирусов герпеса, и чем старше мы становимся, тем выше степень заражения. Но проявляется заболевание не у всех. Симптомы возникают, когда у человека есть соответствующая общая предрасположенность. Это может быть стресс, температура, инфекции, это может случиться во время менструации или же от яркого солнца, поскольку ультрафиолет подавляет иммунную систему.

 Если у вас герпес, вам хорошо бы обследовать кишечную флору, иммунную систему и содержание питательных микроэлементов в крови, потому что все это тесно связано с вирусной защитой.

Вирусы герпеса поселяются в местах соединения чувствительных нервов. Будучи спровоцированными, вирусы отправляются вдоль чувствительных нервов к губам или к гениталиям. Это перемещение можно даже почувствовать, оно иногда вызывает докучливый зуд. **Добравшись до цели, вирусы разрушают клетки эпидермиса, и тогда на коже появляются маленькие пузырьки и корочки.**

Различают **два вида герпеса** по месту его проявления: *Herpes labialis* и *Herpes genitalis*. Первый тип любит губы, второй — гениталии. Но оба они не всегда верны своим предпочтениям, поэтому при оральном сексе инфекция может переместиться снизу вверх или сверху вниз. Так что осторожнее с петтингом и кунилингусом.

Заразны всегда только пузырьки. Корочки, образующиеся примерно через неделю, уже не заразны. Лечат герпес, как правило, кремами или таблетками, такими как ацикловир и пенцикловир. Хорошая альтернатива — гель сульфата цинка, он недорогой и продается в аптеках без рецепта. По сравнению с другими веществами, преимущество сульфата цинка в том, что он действует как на начальной стадии, когда чешется, так и когда герпес уже высыпал. А классическое средство ацикловир действует только в ранней, зудящей стадии. Если уже пошли пузыри, то ацикловир ничего не даст; кроме того, уже вырабатывается невосприимчивость к ацикловиру — но не к сульфату цинка. Световой низкоуровневый лазер, лазер на красителе — все эти средства, основанные на концентрированном тепле, также помогут в лечении герпеса.

ОСТРОКОНЕЧНАЯ КОНДИЛОМА

На одном приеме некий гость, с которым я лишь полчаса как познакомилась, спросил, не мог ли бы он мне показать кое-что на животе, чтобы не ходить на прием к кожному врачу. Памятуя о девизе «врач — твой лучший друг и помощник», я согласилась; мое «нет» в данном случае было бы отказом оказать помощь, не так ли? В ходе выполнения профессионального долга кожным врачам нередко приходится оказываться с малознакомыми людьми то в общественных уборных, то в туалетных комнатах для гостей.

Мы оставили других гостей с их шампанским и канапе и удалились в укромное место, где он сразу обнажил свой живот. Но я там ничего не увидела. Затем он расстегнул ремень, приспустил джинсы и краешек трусов. Зажатая между дверью и унитазом, я никак не могла найти правильную с точки зрения врача дистанцию, чтобы профессионально осмотреть эту область. После некоторой возни мне удалось найти достаточно безопасное и в то же время дающее обзор положение, и я, наконец, добралась до того, что он назвал «животом». И на тебе: **лобный бугорок украшали пять бородавок, похожих на петушиные гребешки.** Мой случайный знакомый смущенно признался, что у него был внебрачный контакт, вероятно, тогда он их и подцепил. Когда мы вернулись к закускам и шипучим напиткам, нас уже с нетерпением ожидала его жена. По счастью, будучи связанной обязательством о неразглашении врачебной тайны, я не должна была отвечать на ее вопрос о диагнозе — пусть муж разбирается сам.

Так что заметьте: **презервативы недостаточно защищают от остроконечных бородавок, или кондилом.** Эти мерзкие бородавки появляются на лобке, на теле полового члена, на головке, на наружном отверстии уретры (меатусе), на яичках, а также на половых губах, в вульве, во влагалище, в анусе и даже в прямой кишке. Подросшие экземпляры можно распознать по их поверхности, похожей на петушиный гребень. Они цвета кожи или красно-бурые, а потому их можно спутать с припухлыми невусами или с незаразными фибромами.

Остроконечную кондилому вызывают вирусы папилломы человека (ВПЧ), которых известно более ста. Парочка из них специализируется на бородавках на ступнях и пальцах, остальные — генитальные бородавки. Среди генитальных есть, к сожалению, и такие, что вызывают рак.

Иногда инфекции ВПЧ в области рта и глотки задействованы в возникновении плоскоклеточной карциномы слизистой оболочки. Очень опасен также рак шейки матки, однако его в значительной мере можно предотвратить прививкой против ВПЧ. Риск такого рака растет по мере увеличения числа сексуальных партнеров в течение жизни. Кстати, теперь эксперты рекомендуют эти прививки не только девочкам до момента полового созревания, но и юношам. Юноши и мужчины могут носить вирусы в себе, передавать их, и они тоже могут становиться жертвами вызываемого ВПЧ рака.

Согласно последним исследованиям, такая прививка действует не только профилактически. Даже если пациент уже заболел острой кондиломой или раком маточного зева, прививка против ВПЧ способствует выздоровлению или хотя бы положительному прогнозу. Это открытие пока не известно широко, но скоро положение может измениться.

ЧАСТЬ IV

КОЖА ЗНАЕТ, ЧТО ТЫ ЕШЬ

Глава 11

ВСЕ О ПИТАТЕЛЬНОМ РАЦИОНЕ ДЛЯ КОЖИ

Кожа и питание тесно связаны. Дерматологи ежедневно сталкиваются на практике с вопросами о пищевых аллергиях, непереносимости, нарушениях пищеварения или о том, чем питаться, чтобы вечно оставаться молодым. Нас спрашивают, какие ингредиенты служат здоровью кожи, какие для нее неблагоприятны или вообще вредны. И часто возникает вопрос, что можно самому сделать или улучшить.

Поскольку состояние кожи зависит от того, что мы едим, то здоровье кишечника имеет для нее большое значение. Потому что прежде чем пища в разложенной форме достигнет кожи, она должна пройти через кишечник.

Кишечник и кожа хорошие друзья, они взаимодействуют между собой и защищают организм – один изнутри, другая снаружи.

Несколько лет назад это взаимодействие привело меня к решению получить дополнительное образование, и я пошла учиться на врача-диетолога. Как в старые университетские времена, я сидела в аудитории, только на этот раз вместе со своими коллегами, большей частью терапевтами, и училась анализировать питание с медицинской точки зрения. Говорилось об обмене веществ, лабораторных показателях, подсчете калорий. Местами довольно скучный материал, поэтому я обрадовалась, когда однажды лекцию читал профессор психосоматики. Но когда профессор обратился к группе, многие мои коллеги — все они признанные врачи с большим опытом в своих областях — почувствовали себя не совсем в теме.

— Дорогие коллеги! В чем разница между питанием и едой? — спросил профессор.

В ответ тишина, растерянность. Безмолвие грозило стать неловким. Так что я решилась и прокричала через всю аудиторию:

— Питание служит биохимии, а еда — удовольствию!

Профессор с радостью принял к сведению мой ответ и смог наконец продолжить лекцию.

Во время перерыва я оказалась в кругу коллег, одни смотрели на меня во все глаза, другие казались сконфуженными. Мне было не совсем понятно, с чего бы это, пока один с упреком не выдавил из себя такие слова:

— Ты сказала — УДОВОЛЬСТВИЕ!!!

Очевидно, для будущих диетологов казалось немыслимым, что еда может быть связана с удовольствием, а значит, и с душой. Для них речь шла больше о технической стороне — о замерах веса, толщине кожных складок, об индексе массы тела, соотношении объема талии и бедер, об основном обмене веществ, о доли телесного жира и мышц, о сахаре и жирах в крови. Кто больше потребляет, чем сжигает, тот, мол, набирает вес. Это все математика и биохимия. Не более того! То, что еда может иметь и другие аспекты, тем более эротические, казалось коллегам глубоко подозрительным.

Среди врачей-диетологов широко распространена орторексия — невротическое нарушение приема пищи с навязчивым стремлением к здоровому питанию. Именно эксперты часто сами стоически придерживаются последних веяний в правилах питания. При этом удовольствие от еды быстро пропадает.

Еда имеет большое влияние на наше здоровье. И здесь снова в игру включается кожа. В нашей коже помещается крупный концерн — наш огромный организм с его бесчисленными процессами обмена веществ, которые частично еще не до конца разгаданы. Пища, которую мы потребляем, влияет на этот организм и на все эти обменные процессы. Она поставляет энергию, с тем чтобы концерн вообще мог работать, а также весь строительный материал для клеток нашей кожи.

 Недостаток питательных веществ, избыток калорий, аллергии или непереносимость продуктов питания, нарушения пищеварения и состав пищи — все это отражается непосредственно на коже.

Пока мы жуем, пищеварительные ферменты во рту предварительно переваривают то, что мы едим, затем в желудке это разлагается кислотами, а дальше в тонком кишечнике ферменты расщепляют пищу на отдельные компоненты, прежде чем они с кровью и лимфой попадут в организм. Эти конечные составные части можно грубо разделить на две группы: во-первых, это питательные макроэлементы — углеводы, белки и жиры; а во-вторых, ценные, но гораздо менее калорийные питательные микроэлементы (минералы, следовые микроэлементы, витамины, аминокислоты, фитонутриенты и эссенциальные жирные кислоты).

ПИТАТЕЛЬНЫЕ МАКРОЭЛЕМЕНТЫ: ЭНЕРГИЯ ДЛЯ ОРГАНИЗМА

Питательные макроэлементы — углеводы, белки и жиры — это основной материал, из которого состоит наш организм, и тот самый материал, из которого он вместе с пищей черпает свою энергию. Кстати, и алкоголь как особая форма источника энергии тоже относится к питательным макроэлементам. И хотя, строго говоря, вода тоже питательный макроэлемент, ее чаще рассматривают отдельно, потому что она не дает организму энергии, то есть калорий. **Вода — это тот материал, от которого наш организм меньше всего может отказаться, ведь как-никак он на 60 процентов состоит из воды.** Потеря всего половины процента воды уже вызывает жажду, при потере семи процентов мы тяжело больны и недееспособны. Для белков такой показатель 15 процентов, а для жиров даже целых 90 — только тогда состояние станет критическим. Так что потеря воды опаснее, чем недостаток в нашем организме какого-либо другого питательного вещества.

Углеводы

Для превращения твердой пищи в кашу полость рта во время жевания орошается *слюной* из трех парных желез. **Слюна бывает жидкой, слизистой или жидко-слизистой консистенции** и содержит фермент альфа-амилазу. Так что во рту делается уже первый шаг к перевариванию углеводов.

Мы проглатываем разжеванную пищу, и «каша» продвигается по пищеводу к следующей «производственной площадке» — к желудку. Теперь сюда, в желудок, для уничтожения по возможности всех болезнетворных возбудителей впрыскивается кислота. Возьмем, например, сосиску: белок, содержащийся в ней в больших количествах, разлагается кислотами, а жир расщепляется на маленькие капельки. Далее дополнительные пищеварительные соки разлагают углеводы вплоть до моносахаридов, таких как глюкоза, галактоза и фруктоза; затем они через слизистую оболочку тонкого кишечника попадают в кровь. Следующим шагом кровообращение разносит все эти маленькие энергетические пакеты по всему организму. Глюкозу, например, оно доставляет в ткани, а значит, и в кожу, где глюкоза нам нужна как горючее для поддержания работы клеток. Избыток в форме гликогена хранится в печени; в отсутствие новых поступлений глюкозы с пищей она будет поступать в кровь из этого хранилища.

Наш организм смешивает глюкозу и всякие прочие углеводы с белками и тем самым создает каркас для формирования исходных веществ, таких как соединительные и опорные ткани, на всех этажах — во всех слоях — кожи. Кроме того, на этой основе создаются ферменты, защитные антитела, гормоны, свертывающие вещества и вещества, определяющие группы крови. Из углеводов строится также генетический материал, хранящий нашу наследственную информацию. Аминокислотный обмен и метаболизм жиров также происходят лишь при участии глюкозы.

Алкоголь

20 процентов попавшего в организм алкоголя поступает в кровь сразу из желудка, а остальные 80 процентов затем через тонкий кишечник. Алкоголь быстро распространяется по всему организму и постепенно расщепляется в печени. В печени уничтожаются, перерабатываются, хранятся или обезвреживаются всевозможные вещества: питательные макроэлементы, углеводы, белки и жиры, а также медикаменты и токсичные вещества, такие как алкоголь, наркотики, пищевые яды. Здесь также синтезируются важные белки свертывающей системы крови (они важны для остановки кровотечений из ран) и желчные кислоты для расщепления жиров. Печень служит в качестве депо для гликогенов, микроэлементов (железо, медь, цинк, марганец) и витаминов, это хранилище на случай повышенного спроса.

Стоит алкоголю попасть в кровь, как он непосредственно изменяет кровоснабжение нашей кожи. Выбрасываются гормоны, воздействующие на сосуды, и тогда у некоторых людей краснеют щеки. Красное вино само по себе содержит сосудосуживающее вещество под названием тирамин, которое ведет к повышению давления, головным болям и покраснению кожи. К тому же тирамин блокирует расщепление нейротрансмиттера гистамина, что у некоторых людей может вызвать сыпь, насморк, проблемы с кровообращением и с желудочно-кишечным трактом. Также избыток алкоголя неблагоприятно влияет на мужскую потенцию.

Кроме того, из-за алкоголя организм теряет воду, кожные ткани сохнут. Ведь он действует как диуретик, то есть мочегонное средство, а с мочой из организма выводится большое количество жидкости и минеральных веществ. Почему так получается? Алкоголь связывает так называемый антидиуретический гормон в гипофизе. Этот антимочегонный гормон особенно активно вырабатывается ночами, чтобы сдерживать образование мочи во время сна и не вынуждать нас постоянно вставать и сливать воду. Если вечерами пить много алкоголя, ночами не набегаешься в туалет. Из-за потери жидкости, магния и калия утром у нас морщины и круги под глазами, похмелье, сердцебиение или нарушения сердечного ритма.

Хроническое употребление алкоголя понижает уровень тестостерона у мужчин, они становятся женоподобными: теряют волосы на теле (но в меньшей степени на голове), мужское достоинство сморщивается, у них намечаются груди. Излишек алкоголя вредит и нервам, управляющим сосудами в коже: в повседневной жизни кровоснабжение перестает правильно реагировать на тепло, холод, стресс, травмы и возбуждение. Люди, страдающие кожной болезнью **розацеа**, у которых и без того сверхчувствительная кожа с покраснениями и прыщами, могут столкнуться с дальнейшими ухудшениями, вплоть до ринофимы, именуемой в просторечии «винным» носом, или «носом алкоголика».

В принципе, **уже два стакана вина в день понижают защиту организма от возбудителей**, поэтому при начинающейся простуде алкоголь контрпродуктивен. Более того, хронический алкоголизм ухудшает снабжение организма питательными микроэлементами, особенно цинком, витамином D, фолиевой кислотой и другими витаминами группы В. Что касается кожи, это ведет к быстрому старению клеток, росту кожных инфекций, к воспалениям и к нарушению процессов заживления ран.

Белки

Белок состоит из самых разных белковых структур, которые, в свою очередь строятся из различных аминокислот (всего их 21) в различной последовательности. После проглатывания белок оказывается в желудке и сталкивается там с желудочной кислотой. Ее pH-показатель составляет 1,5, и под ее воздействием белок для начала как следует перерабатывается в кашу, а затем фермент пепсин разрезает его на короткие белковые фрагменты.

Из желудка белок поступает в тонкий кишечник; поджелудочная железа поставляет туда большое количество пищеварительного секрета и вместе с разлагающими ферментами, поступающими из клеток слизистой оболочки тонкой кишки, дробит его на ультракороткие протеиновые частицы. И так до тех пор, пока переносчики не транспортируют в кровь свободные аминокислоты (а все существующие белки состоят из аминокислот).

Разумеется, наша кожа тоже получает свою частичку протеинового лакомства, благодаря чему возникают новые белковые структуры кожи, питающие защитный барьер.

С помощью белков вырабатывается кератин, то есть роговое вещество; он нужен нам для скелета клетки, для клеточного обмена веществ, для соединительных и опорных тканей каждого слоя нашей кожи и не в последнюю очередь для поверхностной структуры наших клеток (это важно, чтобы организм признавал в них свои клетки с их соответствующими функциями). Кроме того, белки нужны иммунной системе кожи и всем нейротрансмиттерам.

Аминокислоты, из которых состоит белок, это своего рода специальный энергетический деликатес для иммунных клеток: при необходимости они могут преобразовываться также в глюкозу и являются предшественниками тканевых гормонов, таких как гистамин и нервные нейротрансмиттеры, без которых наша кожа не смогла бы ощущать ни прикосновений, ни зуда и не могла бы доносить до мозга информацию о них.

У каждого белка нашего организма есть своя собственная последовательность аминокислот. **Непереваренные белки таят в себе риск**: если организм примет их за чужаков, он может ответить аллергией или выработать против таких белков защитную реакцию. Поэтому организм делает все возможное, чтобы при переваривании как можно тщательнее разложить белки на мелкие нейтральные аминокислотные компоненты.

Жиры

Жиры жизненно необходимы человеку. Наряду с углеводами они служат нам основным источником энергии, долговременным хранилищем энергии с аварийным запасом на голодные времена, а еще они наши теплоизоляторы. Плюс к этому жировая подушка защищает наши внутренние органы от давления и сотрясений.

Употребляя пищевые жиры, мы одновременно поставляем в организм и исключительно важные жирорастворимые витамины E, D, K и A, которые проникают в кровь только в присутствии жира. Составные части жиров — триглицериды, холестериновый эфир (это химическое соединение молекул холестерина и жирной кислоты) и жиры клеточной мембраны — также достигают тонкого кишечника. Там они с помощью пищеварительной моторики и желчных кислот эмульгируют в крошечные жировые и масляные капли, то есть они смешиваются друг с другом. В завершение ферменты из сока поджелудочной железы разлагают жиры на самые мелкие частицы — свободные жирные кислоты и холестерин, а затем упаковывают их в тельца-переносчики. Вместе с этими переносчиками, так называемыми мицеллами, частички жира попадают в клетки слизистой оболочки кишечника. Там они заново комплектуются и связываются с транспортными белками; эти новые элементы конструкции, называемые Chylomicron (хиломикронами), плавают по лимфе, пока не будут переданы в кровь.

 После жирного жаркого из свинины или гусятины в крови оказывается такое огромное количество хиломикронов, что из-за них плазма (жидкая часть крови) приобретает мутно-молочный цвет.

Короткие и среднецепочечные жиры, например те, что присутствуют в кокосовом масле, могут попасть в клетки кишечника и в неупакованном виде, то есть без помощи тельцов-переносчиков; их жирные кислоты также передаются в кровь в чистом виде. Прежде чем разложенные и вновь скомпонованные элементы жира попадут наконец в качестве жировых запасов в ткани, внутри клеток они должны быть снова разложены и заново собраны.

В нашей коже эти частички жира используются многократно. Вместе с белками они участвуют в строительстве защитного барьера кожи, формируют клеточные мембраны и взаимодействуют с воспалительной системой. Из жиров состоят наши барьерные жиры и природный лосьон для тела — кожное сало. В состав клеточной мембраны входит также холестерин, который мы получаем извне, но можем производить и сами. Он важен для синтеза витамина D и многочисленных гормонов (например, кортизола), которые отвечают за исправность функций кожи.

Кстати, **для похудения жир очень полезен.** Он насыщает на долгое время и придает еде вкусовые ощущения, которые делают ее удовольствием. Но на самом деле здоровым можно считать только ценный жир с высокой плотностью питательных микроэлементов. Это нерафинированные, не подвергшиеся промышленной обработке жиры из рапса, кокоса, льняного семени, орехов, авокадо и жирной рыбы — в нашем рационе это самые лучшие, первоклассные жиры.

 Орехов обычно опасаются из-за их калорийности. В действительности же эти калории используются лишь частично. Зубами мы не до конца разжевываем орехи, и пищеварительный аппарат не может их полностью переработать, так что большая их часть, так и не переваренная, двигается к выходу и выводится. Кроме того, белки едят очень много орехов, а видели ли вы когда-нибудь жирную белочку?

Если у вас нет аллергии на орехи, вам следует ежедневно съедать по паре орешков — и вот уже снижен риск сердечно-сосудистых заболеваний, рака и воспалений в органах. Они способствуют росту показателя вероятной продолжительности жизни, кожа выглядит молодо, и все из-за уникальной комбинации ненасыщенных жирных кислот, минералов, балластных веществ и фитонутриентов.

Маслом и сливками в умеренных количествах тоже не стоит пренебрегать. А вот диета с низким содержанием жиров не приводит к цели, потому что в конечном счете потребитель ест намного больше, ведь без жиров в пище он никогда не почувствует себя по-настоящему сытым. Еда, в которой нет носителя вкуса, жира, обычно пресная и скучная, что отнюдь не способствует стойкости того, кто сел на диету. И вот еще что: во многие готовые продукты, в рекламе которых превозносится низкое содержание жира, для компенсации просто добавляют больше углеводов. Какой уж тут эффект похудения…

ПИТАТЕЛЬНЫЕ МИКРОЭЛЕМЕНТЫ: ТОНКАЯ НАСТРОЙКА ОБМЕНА ВЕЩЕСТВ

Сегодня люди живут дольше, но не факт, что они здоровее. С точки зрения генетики, биохимии и физиологии мы не отличаемся от наших предков из каменного века, но есть большая разница в том, что касается нашего рациона. Человек каменного века ел высококачественные белки, много ненасыщенных (но малонасыщенных) жирных кислот, много балластных веществ и благодаря этому получал постепенное и сбалансированное количество углеводов. Продукты питания были богаты питательными элементами и фитонутриентами. Так что рацион каменного века (ныне вновь актуальный в виде палеодиеты) был в сравнении с нашим «индустриальным» питанием настоящим хитом фитнеса и профилактики: в нем было в три раза больше витаминов и в два раза больше минеральных веществ, чем мы потребляем сегодня. Мы обгоняем предков разве что только по количеству калорий.

Блюда наших далеких прародителей были основательнее, ибо в них содержалось много кальция и калия; богатое белками мясо диких животных содержало большое количество жирных кислот омега-3. Сегодня мы едим мясо животных, выращенных в промышленных условиях, оно в некоторых случаях содержит более 30 процентов жира и совсем не содержит омега-3. Почти 70 процентов наших продуктов питания проходит промышленную и тепловую обработку, они рафинированы и «обогащены» красителями, консервантами и вкусовыми добавками. Хлебобулочные изделия большей частью производят из рафинированной пшеничной муки, в них мало балластных веществ.

 Это парадоксальная ситуация: мы живем в обществе изобилия и едим пищу, в которой не хватает самого главного. А именно — питательных микроэлементов, благотворно влияющих на наш организм и очень нужных ему.

Не хватает нам и питательных микроэлементов, что сказывается на нашем здоровье: в частности, это вредно для клеток и генома, клетки преждевременно стареют. От этого страдают все органы, но прежде всего недостаток микроэлементов проявляется на коже — она становится дряблой, морщинистой и больше подвержена раку.

Питательные микроэлементы исключительно важны, и это не оспаривается. Но медики и всякого рода целители продолжают спорить о том, какова ежедневная потребность в питательных микроэлементах и как ее можно оптимально покрыть. Но давайте сначала немного подробнее остановимся на самих питательных микроэлементах: это вещества, которые нужны нашему организму, хотя они, в отличие от макроэлементов, не снабжают его энергией. Но без них не были бы возможны многие обменные процессы. К этим микроэлементам относятся в первую очередь витамины, минеральные вещества, следовые микроэлементы, фитонутриенты и эссенциальные жирные кислоты.

Йаэль Адлер

Витамины

Наш организм не может самостоятельно вырабатывать витамины или делает это в недостаточных количествах, поэтому мы должны получать их с пищей. Витамины выполняют в организме роль биокатализаторов и регулируют обмен веществ.

Для здоровой кожи важен витаминный баланс. Особо большое значение имеют витамин D (об этом уже говорилось выше), витамины A, C и E (их охотно употребляют внутрь или используют в кремах приверженцы антивозрастного ухода), а также большая группа витаминов B, к которой принадлежат также биотин и фолиевая кислота. Витамины группы B часто употребляются в виде пищевой добавки. Но рекомендуется делать это не огульно, а только в случае, если наблюдается их недостаток в крови и в организме. О недостатке витамина B кожа дает знать трещинами в уголках рта, воспаленными губами или языком (глоссит), себорейной экземой на лице, на голове или на ушах, а также воспалениями на коже, шершавой кожей, выпадением волос, ломкостью ногтей и кожными инфекциями.

Веганам часто недостает витамина B_{12}, ведь он содержится в животных, и едва ли в растениях. Животная пища — это наш самый важный источник витамина B_{12}. Как правило, «всеядные» такого дефицита не испытывают, а вегетарианцы могут по крайней мере прибегнуть к яйцам и молочным продуктам. А вот веганы в этом случае вынуждены употреблять пищевые добавки. Возможным, хотя и недостаточно надежным источником может стать свежая (то есть непастеризованная) кислая капуста, в которой витамин B_{12} производят бактерии.

У людей с заболеваниями слизистой желудка также могут быть проблемы с поступлением достаточного количества витамина B_{12}: из-за воспалительных процессов им не хватает важных протекторов и переносчиков этого витамина. В сложных случаях его вводят инъекциями.

Недостаток витамина B_{12} ощутимо влияет на состояние здоровья, следствием могут стать анемия, трещины на коже и экземы, видоизменения слизистых (например, так называемый лакированный язык — абсолютно гладкий, блестящий красный язык), выпадение волос, нервные расстройства, которые могут выражаться в зуде, потере слуха, болях и даже в неуверенности при ходьбе.

Биологически активные добавки

Витамины — это пищевая добавка второстепенного значения. Ведь в них лишь выборочные элементы, они не оптимальный природный коктейль, в котором были бы представлены различные питательные микроэлементы. Но они хорошая альтернатива на случай, если у вас какое-то продолжительное время нет возможности питаться сбалансированно и потреблять натуральные продукты. Во времена все большей индустриализации сельского хозяйства, в условиях массового применения удобрений и истощения почвы это отнюдь не ошибочный вариант. Натурального осталось мало, даже если не рафинировать продукты.

Прием биологически активных добавок может также быть целесообразным, если, например, вследствие болезни анализы крови показывают дефицит того или иного элемента. Принимать витаминные препараты или микроэлементы слепо, без предварительного анализа крови, не всегда разумно — хорошего понемножку.

Мнения специалистов по поводу пищевых добавок до сих пор сильно расходятся, есть среди них и противники, и сторонники добавок, а есть и те, кто посередине. Научные исследования могут поддержать любую из этих позиций.

Периодически исследования выдают тревожные результаты — например, что прием витамина Е в высоких дозах может способствовать смертельному исходу от сердечно-сосудистых заболеваний или что избыточный прием витамина B_{12} вызывает прыщи акне, а бета-каротин может повысить риск рака легких у курильщика.

Ясно одно: **богатое витаминами питание сохраняет молодость и предупреждает раковые заболевания.** Имеют ли такое же воздействие витамины из пищевых добавок — споры ведутся. Еще слишком мало надежных рекомендаций, касающихся рациональности и прежде всего дозировки биологически активных добавок. Анализ крови — это, несомненно, хорошая отправная точка для принятия решения за или против добавок. Терапевт должен также проверить, нет ли других факторов стресса, которые оправдали бы прием дополнительных доз витаминов (это может быть болезнь, например), или, наоборот, нет ли противопоказаний (например, какие-то из принимаемых лекарств). Чаще всего принимать добавки имеет смысл, если анализ крови выявил недостаток каких-то витаминов — вот тогда его и можно восполнить приемом препаратов.

Оксидативный стресс и ловцы радикалов

Старение, рак, воспаления — эти три понятия тесно связаны с *оксидативным стрессом*. Нет, это словосочетание не про замученного стрессом менеджера, вырвавшегося наконец в отпуск на море и внезапно глотнувшего слишком много кислорода[1]. Здесь речь идет о химической реакции тканей в связи с агрессивным одноруким кислородом-бандитом. Оксидатив-

---

[1]   Игра слов: кислород = Oxygenium, отсюда оксидативный. — *Примеч. пер.*

ный стресс (или его называют еще окислительным стрессом) наносит вред тканям и клеткам.

Свободные радикалы, эти наглые хулиганы, образовываются каждый день хотя бы по той причине, что мы живем. Да, даже когда мы чистим зубы, ковыряем в носу или спим. Их возникновению способствуют солнце, курение, воспаления и телесные нагрузки. Это были плохие новости. А хорошая — наш организм готов достойно встретить этих агрессоров. У него есть наготове собственные боевые единицы, в рядах которых некоторые ферменты и другие вещества, все они единым строем выходят на схватку с однорукими бандитами и нейтрализуют их.

 Хорошая новость: занимаясь спортом, вы увеличиваете боеспособность своих природных оборонительных сил, необходимых для этого ферментов и антиоксидантов.

Охотники за радикалами шныряют по организму в поисках нарушителей спокойствия. Многие из этих антиоксидантов мы постоянно производим сами, причем в больших количествах.

Вот несколько известных примеров таких веществ собственного приготовления, результатов деятельности наших обменных процессов: глутатион, мочевая кислота, билирубин, мелатонин, коэнзим Q_{10}. Поскольку наш организм в большинстве случаев производит достаточно коэнзима Q_{10}, то дополнительные поставки в виде крема или таблеток рекомендуются только в исключительных случаях, например, при тяжелых заболеваниях или серьезных нагрузках, но ни в коем случае не огульно, следуя рекламе, обещающей очередной источник молодости.

Хотя что касается антиоксидантов, наш организм делает очень много, в одиночку он не может осилить все. Ему нужна помощь извне. Если вам удается с питанием получать дополнительную порцию антиоксидантов, вы дольше сохраните молодость, у вас будет меньше морщин, вы будете менее подвержены раку и другим органическим заболеваниям, таким как атеросклероз, воспаление щитовидной железы, ревматизм и нервные болезни.

Эти дополнительные антиоксиданты должны быть частью растительных, не обработанных промышленным способом продуктов — в этом случае вы получите многократную выгоду. Разнообразные овощи, фрукты, орехи, семена, злаки, травы, цельное зерно — это и есть коктейль из витаминов, балластных веществ и фитонутриентов, где, как говорится, «все в одном». С таким коктейлем ваш организм «в одном флаконе» получает много всего полезного, и, конечно же, ему быстренько придумали модное название: superfood (*суперпища, англ.*). Правильный суперфуд должен непременно происходить из вашего региона, здесь не нужна импортная экзотика, в которой к тому же зачастую содержатся тяжелые металлы и пестициды.

Еда, богатая питательными микроэлементами, это противоположность фастфуду. «Быстрое питание» отличается лишь высокой плотностью макроэлементов — жира и углеводов, а в остальном оно пустое.

Питаемся красочно

К антиоксидантам относятся не только витамины, но и *фитонутриенты*.

Фитонутриенты — вторичные растительные вещества — содержатся в любой растительной пище, даже в кофе, чае и вине. Они выполняют одновременно разные функции: придают растению цвет, вкус и определенные защитные свойства. Например, защищают их от вредных ультрафиолетовых лучей или от бактерий, от порчи или от врагов (например, от насекомых), которые захотят ими полакомиться. Когда мы употребляем такие растения в пищу, то эти же самые вещества защищают и нас.

 Дубильные вещества, содержащиеся, например, в черном чае, используют при лечении естественными средствами ран или воспалений на слизистых оболочках и на коже. Очень эффективный и безопасный метод.

А теперь краткий обзор полезных растительных красителей.

На первом месте *оранжевые каротины* из желтых, оранжевых и красных овощей и фруктов. В природе встречается более 600 видов каротинов, из них примерно 50 проявляют активность провитамина А. Для нашей кожи абсолютными суперхитами являются *бета-каротин* и *ликопин*. Одна их молекула в состоянии обезвредить сразу 1000 разрушительных радикалов. Бета-каротин в организме преобразуется в витамин А. Он важен для нашей иммунной системы, для защиты от рака, для роста клеток и обновления кожи, а также для глаз. Ну и, конечно, ликопин; для тех, кто в курсе: потребление томатной пасты, содержащей ликопин в высокой концентрации, превзойдет по эффекту любой дорогой крем. На самом деле любой! Томатный сок тоже хорош, а если в него добавить капельку масла, то жирорастворимый витамин будет лучше абсорбироваться в кишечнике. **Ликопин — это эффективная профилактика морщин**, он защищает кожу от вредных воздействий солнца и при этом еще хорош против инфаркта миокарда, рака груди, желудка, кишечника и простаты, а также против дегенеративных заболеваний глаза.

Очень полезен **зеленый хлорофилл** — это, к примеру, шпинат, салат, брокколи, петрушка и порей. Важны также желтые флавоноиды из зеленого чая, цитрусовых фруктов, садово-ягодных культур, лука, боярышника и черного шоколада; голубые антоцианы в темном винограде, красном вине, красной капусте, в баклажанах, в вишне и чернике. В такой пестрой смеси из природного сада есть все, что могут пожелать себе сердце и кожа.

А если вы к тому же еще и занимаетесь спортом, достаточно спите и выделяете время для отдыха, то у вас солидные шансы сохранить здоровье, молодость и бодрость.

Важные следы

Некоторые минеральные вещества, относящиеся к питательным микроэлементам, имеют значение для нашего организма, но нужны нам лишь в минимальных количествах; их называют следовыми микроэлементами. Нехватка таких веществ может привести к заболеваниям. Но вспомните — яд делает доза; это правило здесь тоже применимо, перенасыщение ими может нанести вред. Причина возможного дефицита опять-таки в наших привычках питания. **Я хочу вам представить некоторые из важнейших для здоровья нашей кожи следовых микроэлементов.**

Селен. Микроэлемент с сильными антиоксидантными свойствами, играющий важную роль в защите клеток кожи, волос, ногтей и щитовидной железы. Многие люди страдают аутоиммунным тиреоидитом, и им целенаправленно прописывают селен. Из-за больной щитовидной железы, кстати, портится и кожа. И вниманию мужчин: селен — это один из компонентов спермы, он участвует в обеспечении плодовитости мужчин. Представители альтернативной медицины применяют селен для вывода тяжелых металлов, также этому элементу приписывают антиканцерогенное воздействие.

Селена много в бразильских и кокосовых орехах, в таких сортах капусты, как брокколи или белокочанная капуста, в луке и чесноке, в грибах, спарже и в бобовых, например в чечевице. Животная пища частично обогащена селеном, так что мясо, рыба и яйца в наших краях также хорошие источники селена.

Цинк. Цинк очень распространен в нашем организме. Он помогает более чем тремстам ферментам в их ежедневной работе. Ферменты — это состоящие из белка биокатализаторы, сопровождающие и регулирующие химические реакции в ходе обмена веществ. Цинк участвует в бесчисленном количестве процессов в организме и в коже, например, в формировании наследственного материала, в производстве белков, в делении клеток кожи, ногтей и волос. Он помогает процессу ороговения кожи, участвует в создании защитного барьера и укрепляет волосы. Он оказывает поддержку в заживлении ран и иммунной защите. К тому же он еще и антиоксидант, действует против сверхактивных мужских гормонов, бактерий и вирусов герпеса. Поэтому при кожных воспалениях, инфекциях, акне и выпадении волос дерматологи прописывают цинк для нанесения на кожу и для приема внутрь, и всякий раз с непременным успехом.

Нехватка цинка сильно сказывается на коже, слизистых, волосах и ногтях. Любопытно, что когда в кишечнике нарушается усвоение цинка, помимо пальцев и ногтей удивительным образом страдают и отверстия в теле — рот, анус, ноздри. К симптомам относятся выпадение волос, ломкость ногтей, кожные экземы, трещины в уголках рта, болезненные афты и склонность к образованию бородавок и грибка ног. Нарушения потенции, потеря сексуального желания и чувство усталости — это тоже неприятные последствия недостатка цинка.

Чтобы избежать этого, включайте в рацион потроха, мясо, молоко, сыр и яйца, а также орехи, цельные зерна и моллюсков.

Помимо упомянутых симптомов **о недостатке цинка расскажет анализ крови**; когда на прием приходит пациент с непонятным диагнозом, врач, скорее всего, отправит его на анализ крови. Мне, например, часто приходится иметь дело с детьми, которых детские врачи безуспешно лечили кремами и кортикостероидами от предполагаемого нейродермита. В некоторых случаях анализ крови раскрывает истинную причину проблем с кожей: экзема вследствие недостатка цинка. Через три недели приема цинка кожа приходит в порядок. Но с цинком связаны и аллергические экземы, так что будьте аккуратны при длительном лечении: цинк понижает уровень меди, поэтому его нельзя принимать без перерыва дольше трех месяцев, или же надо регулярно контролировать кровь.

Медь. Медь — это помощник многих ферментов. В коже он нам нужен для сильных, упругих и эластичных соединительных тканей, для синтеза нашего кожного красителя — меланина, для обезвреживания свободных радикалов, для производства регулирующих кровоснабжение нейротрансмиттеров, а также для передачи генетической информации.

Кремний. Кремний тоже считается супермикроэлементом. С точки зрения количества он у человека на третьем месте среди следовых микроэлементов, после железа и цинка. В коже кремний действует как стабилизатор кератина, компонентов кожного барьера, он содействует укреплению ногтей и волос и утолщению волосяного стержня. Кремний включается в соединительную ткань, от которой зависят упругость нашей кожи, контуры тела, а значит, в определенной степени и количество морщин, проявлений целлюлита и растяжек.

Много кремния прячется в фасоли, зерновых (прежде всего в пшене), в пиве и минеральной воде. Как пищевая добавка он продается в форме водорастворимой кремниевой кислоты, кремнезема и кремниевых солей.

Железо. Общеизвестно, что железо необходимо для переноса кислорода и образования красящего вещества крови гемоглобина в красных кровяных тельцах. Люди, страдающие от недостатка железа, не только отличаются бледностью, испытывают усталость и подвержены инфекциям; еще у них может наблюдаться выпадение волос, ломкость ногтей, слабые соединительные ткани, трещины в уголках рта или красный «лаковый» язык. Железа часто не хватает, особенно женщинам с обильными менструациями, при кровотечениях из желудочно-кишечного тракта, при хронических воспалениях, а также при чрезмерном употреблении кофе и черного чая, поскольку эти напитки препятствуют усвоению железа организмом.

 Для усвоения железа из продуктов питания желательно присутствие витамина С, достаточно лишь пары глотков апельсинового сока.

Много железа содержится в печени, мясе, яйцах, лисичках, зелени, пшене, кунжуте, бобовых, льняном семени, какао… Впрочем, наш организм лучше перерабатывает железо, содержащееся в животной пище.

Жирные кислоты

Весь мир говорит о *жирных кислотах*, но мало кто толком знает, что это, собственно, такое. Сейчас мы изменим положение и поговорим об этом, ведь для нашей кожи они жизненно важны. Они буквально так и называются: «эссенциальные длинноцепочечные сложные ненасыщенные жирные кислоты». Именно их организм должен получать с пищей, потому что сам он не может их производить, а они необходимы для противодействия кожным воспалениям (например, трофической язве или чешуйчатому лишаю), участвуют в построении защитного барьера кожи и защищают от преждевременного старения хромосомы, то есть наш наследственный материал.

Но все по порядку. При комнатной температуре жиры могут иметь разную консистенцию. Твердые жиры содержат много длинных и насыщенных жирных кислот, между тем как жидкие масла — преимущественно простые или сложные ненасыщенные жирные кислоты. В растительных жирах много ненасыщенных жирных кислот, и потому они большей частью имеют маслянистую консистенцию.

Жиры различаются по длине своих жирных кислот. Жирные кислоты немного напоминают хвостики — это цепочки из углеродных атомов. У длинноцепочечных жирных кислот, так сказать, длинные хвосты — их цепочки составляют более двенадцати атомов углерода. Когда три из них присоединяются к молекуле глицерина, то вместе они образуют то, что мы называем жирами, липидами или триглицеридами («три» — из-за этих трех пристыкованных хвостиков).

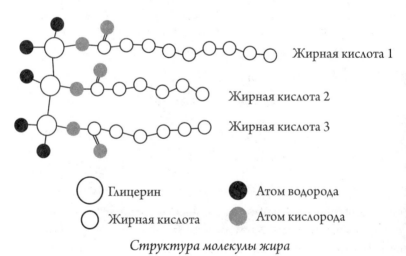

Структура молекулы жира

В коротких цепочках атомов углерода (С) меньше шести. Любопытно, что короткоцепочечные жирные кислоты активны в плане запахов — из них строятся эфирные масла, которые в качестве ароматических веществ содержатся в косметике. Впрочем, пукание и стул тоже пахнут короткоцепочечными жирными кислотами, плюс там еще примешивается запах других кишечных газов (смесь CO_2, метана, водорода, серосодержащих соединений и аммиака), которые возникают при бактериальном расщеплении пищи.

Если вы уже задавались вопросом, что бы значили эти определения «насыщенный», «ненасыщенный», то вот вам быстрый ответ: между хвостами с атомами С есть соединения, они могут быть однорукими или двурукими. Если атомы углерода крепко держатся друг за дружку двумя руками, такое соединение называют двойной связью. Если между хвостиками одна двойная связь, то это простая ненасыщенная жирная кислота, несколько двойных связей — сложная. А если вообще нет двойных связей, то это насыщенная жирная кислота. Большинство жирных кислот мы можем производить сами, кроме жирных кислот омега-3 и омега-6. Поскольку мы должны получать их с пищей, то их называют эссенциальными[1].

Обе длинноцепочечные ненасыщенные жирные кислоты, омега-3 и омега-6, играют для нашей кожи огромную роль. Они ценные составляющие наших клеточных мембран, они задействованы в кожном барьере, но важны также для иммунной системы. Там они действуют как исходное вещество для нейротрансмиттеров, передающих воспаления и боль.

---

[1] Здесь, возможно, игра слов: essenziell (эссенциальный) означает «существенный, важный», по отношению к жирным кислотам мы говорим «незаменимый». В то же время часть слова — Essen — это по-немецки «еда, питание, есть (в смысле кушать)». — *Примеч. пер.*

При нехватке этих жирных кислот кожа человека склонна к сухости и шелушению, нейродермитам и другим воспалительным кожным заболеваниям или инфекциям, к нарушениям кровоснабжения и чувствительности. По результатам последних исследований, омега-3 тормозит возникновение рака, а вот избыток омеги-6, напротив, способствует ему. Так что при большинстве кожных заболеваний имеет смысл сделать анализ жирных кислот в крови, чтобы понять, где какая из кислот присутствует.

Жирные кислоты омега-6 (линолевая и арахидоновая кислоты) способствуют образованию в организме нейротрансмиттеров воспалительных процессов, а омега-3 (альфа-линолевая кислота и кислоты DHA и EPA), наоборот, противовоспалительных нейротрансмиттеров. Эти два вида кислот соревнуются за одно и то же место в процессе выработки нейротрансмиттеров. Потребляя много омега-3, человек «отпугивает» омега-6, и у него меньше воспалительных процессов в организме и на коже.

В нашей стране нет дефицита жирных кислот омега-6, даже наоборот — их у нас в излишке. Растительный вариант омега-6 (линолевая кислота) присутствует в большинстве масел для салатов (в кукурузном, сафлоровом и подсолнечном), животный вариант (арахидоновая кислота) в больших количествах наличествует в мясе, колбасах и в сливочном масле.

В каменном веке соотношение кислот омега-3 и омега-6 было сбалансированным; предполагают, что оно было 1:1. В Японии и сегодня это соотношение все еще 1:4. Эксперты по питанию рекомендуют максимум 1:5. Однако в цивилизованном западном мире соотношение, к сожалению, отнюдь не цивилизованное: от 1:10 до 1:20 не в пользу омега-3. Вот мы и имеем болезни цивилизации и воспаления в тканях организма, в том числе и коже. У эскимосов, а также у японских или норвежских рыбаков в организме всего около трех граммов арахидоновой кислоты; а люди из индустриальных стран, где потребляется слишком много мяса, могут «гордиться» своими 30 граммами. Именно в этих регионах мира проблема с большим количеством заболеваний ревматизмом, раком и атеросклерозом.

Если вы не хотите принимать капсулы, вы найдете эти важные жирные кислоты в природных источниках: растительные жирные кислоты омега-3 (например, альфа-линолевая кислота) содержатся в льняном и рапсовом масле, семенах чиа и конопли, в масле грецкого ореха. А вот столь любимое всеми оливковое масло вообще не является значимым источником жирных кислот омега-3. Но у него столько других полезных для организма свойств, что оно всячески приветствуется. В так называемой средиземноморской диете, которая согласно статистике продлевает жизнь как минимум на два года, оливковое масло — это основной источник жира.

Еще одним поставщиком ценных жирных кислот омега-3 являются эйкозапентаеновая кислота (EPA) и докозагексаеновая кислота (DHA), содержащиеся в жирных сортах морской рыбы. По противовоспалительному и общему положительному воздействию на организм они более эффективны, чем растительные. Поскольку у организма есть ограничения по переработке жирных кислот омега-3 в EPA и DHA, то жирную морскую рыбу следует есть дважды в неделю; лучше всего сельдь, скумбрию, лососевые, тунец и сардины. Чтобы рыба действительно содержала много EPA и DHA, она по возможности должна быть выловлена из естественного водоема, а не выращена на специальной ферме. Потому что сами рыбы могут потреблять достаточное количество богатых EPA и DHA морских водорослей только в естественной среде обитания.

То же относится и к яйцам как источнику омега-3: только яйца от счастливых, свободно бегающих кур содержат жирные кислоты омега-3 в желаемых количествах, благодаря тому, что эти курочки питаются травой и семенами. Для повышения содержания EPA и DHA в яйцах кур иногда кормят водорослями или рыбьим жиром.

К сожалению, сегодня рыба часто перегружена метилртутью или диоксином и диоксиноподобными соединениями, поэтому в качестве растительной альтернативы приветствуется льняное масло. Многие также употребляют льняное семя для поддержания пищеварения. Но в чистом льняном семени нередко содержится слишком много кадмия, откладывавшегося в почвах с древних времен вследствие выветривания горных пород и извержений вулканов. Биосемена льна тоже могут быть отягощены из-за общего распространения кадмия. Согласно данным Федерального института оценки рисков, в день их можно употреблять не более 20 граммов, то есть примерно две чайные ложки. А чистое льняное масло не так отягощено, поскольку кадмий содержится скорее в оболочках семян. Льняное масло (и уж подавно рыбий жир) на самом деле помогают сэкономить на медикаментах и существенно улучшить общее состояние здоровья. В продаже также имеются масла и капсулы, которые проходят контроль на предмет вредных веществ, так что отнеситесь к покупке сознательно — проверьте.

Глава 12

КАК ПИТАНИЕ И ОБРАЗ ЖИЗНИ СКАЗЫВАЮТСЯ НА КОЖЕ

А не лучше ли перейти на вегетарианский или веганский вариант питания? Это очень часто обсуждаемый вопрос. Веганы едят только растения, никакого мяса и никаких продуктов животного происхождения — ни яиц, ни молока. Вегетарианцы же отказываются от мяса и рыбы, но большинство из них едят и яйца, и молочные продукты.

Для ответа на этот вопрос давайте взглянем на зубы: у хищников семейства кошачьих есть клыки и резцы, которыми они хватают свою жертву и, умертвив ее, могут отделить мясо от костей. У коров есть жевательные зубы, которыми они измельчают растения и волокна. У нас же смешанный зубной аппарат: за щеками жевательные зубы, впереди резцы и клыки по бокам.

Если судить по челюсти, то природа диктует нам смешанное питание, как и нашим в этом отношении родственникам — диким кабанам. Так что на нашем столе имеет право быть кусок мяса, пусть даже и не так часто, как это у многих бывает на практике.

Факт в том, что веганы и вегетарианцы в общем и целом живут более сознательно, они реже курят и, как правило, больше следят за своим организмом. В пище, которую они употребляют, много полезных балластных веществ и ценных фитонутриентов, поэтому приверженцы растительной пищи меньше рискуют заболеть недугами цивилизации. У них обычно нет лишнего веса, у них прекрасные показатели жиров в крови, и они реже страдают от диабета, заболеваний сердечно-сосудистой системы, деменции и рака кишечника. Зато у них чаще бывает остеопороз, кожные экземы, сухая кожа, они чаще теряют волосы, у них ломаются ногти, трескаются уголки губ и видоизменяются слизистые.

Проблема веганов в том, что им не хватает кальция из молочных продуктов и жирных кислот омега-3 из рыбы — этот недостаток можно лишь условно компенсировать растительным предшественником этих веществ, линоленовой кислотой. Им также часто не хватает витамина D из морской рыбы, яиц и молока, потому что солнечные лучи и растительные поставщики этого витамина (авокадо, лисички, шампиньоны) не справляются с задачей. А еще веганам недостает цинка и железа, поскольку человеческий организм значительно хуже принимает железо из растений.

Как вы уже поняли, **все дело в верном соотношении и в правильных количествах**. Любая форма ограничений, и тем более эксцессов, имеет свои последствия. Что-то тут же высыпает на коже, а о чем-то дерматолог может только догадываться. Ведь кожные симптомы всегда следствие многих факторов — генетики, окружающей среды, жизненных обстоятельств (возьмем стресс, к примеру), психики, питания. Важным аспектом является часть генетики, которую только начинают исследовать, — *эпигенетика*.

Эпигенетика описывает, как гены в нашем наследственном материале могут включаться и выключаться под воздействием внешних факторов. Это объясняет, почему некоторые существа, будучи генетически идентичными, могут все же развивать разнящиеся видимые признаки — цвет волос, размеры тела, а также и различные заболевания. Так, клоны мышей вследствие приема фолиевой кислоты полностью меняют цвет шерсти и упитанность тела. Они выглядят совершенно иначе, хотя наследственность та же.

 Первые важные факторы воздействия на наши гены уже открыты. Например, при развитии астмы или аллергий роль играет то, где вырос человек — в сельской местности или в городе. Влияние оказывают также медикаменты и продукты питания, равно как и бактериальный зоопарк внутри нас и снаружи — все это имеет доступ к нашему геному и манипулирует его содержимым.

Настораживает тот факт, что отец и мать передают будущему ребенку свою эпигенетическую информацию. Стиль жизни родителей непосредственно влияет на генный модулятор ребенка. Но радует тот факт, что неблагоприятные генные констелляции еще не обязательно означают неотвратимость судьбы. Ведя разумный образ жизни, включающий в себя здоровое питание, человек может сам во многом влиять на предполагаемую генетическую судьбу. И в той же мере дурным образом жизни человек может закрепить неудачно заложенную программу или испортить хорошие генетические предпосылки.

АКНЕ И ПРЫЩИ

В западном мире **около 80 процентов молодежи имеют предрасположенность к акне**. Напомню: речь идет о гиперактивности сальных желез, об излишнем ороговении пор и о размножении бактерий акне. Причины избыточной активности сальных желез могут быть связаны, в частности, с гормонами, с факторами роста и — с компонентами продуктов питания.

Большинство людей по старинке считают, что прыщи — это якобы типичная проблема подросткового возраста, но все-таки нельзя не заметить, что и у взрослых бывают те же проблемы, хотя для них половое созревание давно уже позади. Поэтому, рассматривая тему акне, важно говорить не только о сальных железах, но и о нашем питании.

Исследователи недавно установили, что ежедневный молочный допинг увеличивает сальные железы, способствует воспалительным процессам в организме, стимулирует риск диабета, деменции, а также предположительно и рака — по меньшей мере рака простаты.

Молоко — это особый продукт питания, у него есть определенная биологическая задача. Оно содержит сигнальные системы, запускающие процессы роста человека и животного. В зрелом возрасте рост завершен, и ученые считают, что на этом жизненном этапе употреблять молоко в больших количествах вредно, хотя оно в общем-то высококачественный поставщик эссенциальных аминокислот. Но они, увы, стимулируют гормон, вызывающий рост клеток, вплоть до разрастания до опухолей.

Прыщи — это болезнь цивилизации, симптомы массового потребления молока и поколения «латте-маккиато».

Наличие в крови этого инсулинового фактора роста 1 (ИФР-1 или IGF1) является наряду с мужскими гормонами значительным фактором возникновения акне: когда пройден подростковый этап, количество мужских гормонов остается на прежнем высоком уровне, а вот это вещество идет на убыль. Так что если у взрослого остаются акне или если прыщи вообще высыпали лишь в зрелые годы, значит, в крови этого человека, вне всяких сомнений, повышен уровень ИФР-1. Этот нейротрансмиттер увеличивает количество кожного сала и благоприятствует безудержному размножению любящих жир бактерий *Propionibacterium acnes*; так возникают и воспаляются угри.

Кроме того, именно в натуральном питьевом молоке содержится генный медиатор, который там именно затем, чтобы передавать от коровы к теленку информацию, связанную с ростом; в этом, собственно, и заключается сущность коровьего молока. Речь идет о микрочастицах РНК (рибонуклеиновой кислоты) — крошечных регуляторах, которые могут управлять генами и модифицировать их. Они настолько малы, что их можно сравнить с наночастицами. Несколько цифр для наглядности: наночастица меньше футбольного мяча во столько раз, во сколько футбольный мяч меньше земного шара. Толщина человеческого волоса 100 000 нанометров (нм). Размер бактерии — от 1000 до 10 000 нм, вирусы могут быть меньше 100 нм — и такие же размеры может иметь содержащаяся в молоке частичка РНК, способная манипулировать генами.

Матушка-природа едва ли создавала коровье молоко на потребу человеку, и уж точно не в количествах хоть залейся. **По последним данным, вместе со свежим коровьим молоком мы потребляем около 245 коровьих нейротрансмиттеров, которые могут оказывать воздействие на более чем 11 000 генов человека.** Согласно недавним исследованиям, эти манипуляции чреваты избыточным ростом тканей, повышенным риском рака и диабета, убыстрением процесса старения и набором лишнего веса. Даже если молоко пастеризовать, в нем все равно еще остается значительное количество биоактивных микрочастиц РНК.

Но некоторые научные исследования свидетельствуют и о полезных для здоровья свойствах молока. Оно хороший источник кальция и белка, и возможно, что защищает от рака кишечника. И все же последние научные данные вызывают тревогу. В связи с этим на данный момент допустимым считается употребление молока в объеме не более 200 мл в день для взрослых и до 500 мл в день для детей, находящихся в фазе роста. Верхние границы в настоящее время пока определить невозможно. Но эксперты едины в том, что, выпивая в день больше литра молока, взрослый человек получает однозначно избыточную дозу и должен учитывать, что в перспективе это нанесет ему вред. И в этом случае опять-таки, согласно высказыванию Парацельса, доза делает яд. Кстати, это видно на примере бодибилдеров, потребляющих коктейли с казеином, сывороточным белком и зачастую с очень большим количеством молока — все для того, чтобы нарастить мышцы. По бодибилдерам можно буквально воочию наблюдать, как одновременно «наращиваются» прыщи. И безлактозное молоко здесь не исключение.

Кстати о лактозе: есть люди, которые из-за нехватки или естественного снижения пищеварительного фермента лактазы не могут переваривать этот молочный сахар в простые сахара. Когда непереваренный молочный сахар начинает бродить в кишечнике, у этих людей быстро проявляются боли в животе, метеоризм и понос, поэтому они покупают себе безлактозное молоко. Причем это веяние становится популярным не только среди тех, кто не переносит лактозу. У любителей молока есть полезная для здоровья альтернатива: переключиться на овсяное, миндальное, рисовое, кокосовое или соевое молоко.

Ферментированные молочные продукты внушают гораздо меньше опасений, и все же за последние десятилетия как потребление сыра, так и параллельно с этим прирост болезней цивилизации выросли в пять раз. Не исключено, что здесь есть взаимосвязь. Но, по крайней мере, ферментированные молочные продукты, такие как йогурты, кефир, пахта, содержат много живых организмов, полезных для нашего кишечника, и меньше небезобидного молочного сахара.

ПРОМЫШЛЕННЫЕ ЖИРЫ: ДОЛГИЙ СРОК ХРАНЕНИЯ, ДЕШЕВИЗНА И СМЕРТЕЛЬНАЯ ОПАСНОСТЬ

Что касается акне (и многих прочих болезней цивилизации), то наука между тем нашла еще одного серьезного злоумышленника: *трансжирные кислоты*. Они очень нехороши и вредны и прячутся прежде всего в промышленно гидрогенизированных жирах: например, в пищевых жирах, применяющихся в фастфуде, в некоторых кремах с ореховой нугой, в чипсах, картошке фри, готовой пицце, фасованных тортах... И это лишь несколько примеров.

Трансжиры повышают риск сердечных инфарктов и инсультов, кровяное давление; им приписывают ответственность за рак, сахарный диабет 2-го типа, преждевременное старение кожи и аллергии. Они провоцируют акне, активизируя производство кожного сала и ороговение пор, из-за чего поры быстро закупориваются. Из-за всех этих эффектов в США трансжиры уже запрещены для применения в продуктах питания.

Трансжиры — это ненасыщенные жирные кислоты; своим названием они обязаны тому, что с точки зрения химии они отличаются от «нормальных», здоровых ненасыщенных жирных кислот. В каком-то месте цепочки «ножки» у них расположены по разные стороны от цепи, а не с одной стороны, как у «нормальных».

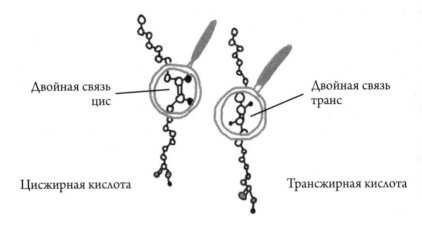

Двойная связь цис

Двойная связь транс

Цисжирная кислота

Трансжирная кислота

Структура цис- и трансжирных кислот[1]

Трансжиры возникают вследствие химического затвердевания масел или же из-за сильно разогретого пищевого масла, когда оно начинает дымиться. Так что масло для жарки обязательно должно быть устойчиво к разогреванию; здесь подойдут кокосовое, рапсовое или подсолнечное масло. Жарить на оливковом масле можно, только если оно рафинировано, то есть переработано, — тогда оно хорошо выносит температуру жарки. В своем полезном варианте, как масло холодного отжима, оно, наоборот, для жарки не годится, потому что начинает дымиться при относительно низких температурах, образуя при этом вредные трансжирные кислоты и к тому же еще теряя свои ценные качества. Так что приберегите его для заправки салатов.

В природе трансжиры существуют в очень незначительных количествах в желудках жвачных животных, где они воз-

---

[1] Приставки cis (по эту сторону) и trans (сквозь, через) означают расположение заместителей по одну сторону (цис) или по разные стороны (транс) линии, проходящей через связанные двойной связью атомы. — *Примеч. пер.*

никают под бактериальным воздействием. Следовательно, они в небольших количествах присутствуют в молоке и молочных продуктах, в жире жвачных и тем самым в колбасных и определенных мясных продуктах. Но эти количества не создают проблем.

Если у вас акне и вам удастся перенастроить свое питание с пользой для здоровья (то есть потреблять овощи и фрукты, злаки, орехи, чистую от вредных веществ рыбу вместо трансжиров, муки-крупчатки, сахара и больших порций молока), то вы в течение нескольких недель улучшите состояние кожи по меньшей мере на одну ступень.

ОСТОРОЖНО! ЯД ИЗ ТАБАКА И ОКРУЖАЮЩЕЙ СРЕДЫ

От сигарет и косячков тоже стоит держаться подальше. Разумеется, сигарета это не продукт питания. Это наркотик, вызывающий многочисленные побочные явления.

Кожа курильщика отличается плохим кровоснабжением, она серая и блеклая, потому что никотин сужает сосуды и даже надолго закупоривает те сосуды, что подают кровь, из-за чего до кожи доходит меньше кислорода и питательных веществ.

Как правило, кожный врач сразу распознает курильщика — по коже.

Поскольку содержащиеся в сигарете ядовитые вещества творят свои бесчинства глубоко в коже, в дерме и в подкожной клетчатке, то поддерживающие волокна, которые обычно аккуратно прижимают нашу кожу к черепу, сильно растягиваются. У курильщиков быстрее обвисают щеки, линия губ размывается, носогубная складка становится глубокой и резкой, на верхней губе появляются многочисленные складки, которые грубыми штрихами собираются у красной каймы губы. И кожа к тому же становится тоньше, потому что слабеют коллагеновые волокна, круги под глазами мерцают серо-голубым — внутренняя жизнь отчетливее просматривается сквозь истонченную кожу.

Курение может провоцировать воспаление в прыщах, и из прыщиков получаются угри акне. Кроме того, гарантировано негативное влияние на волосяные фолликулы и железы в области подмышек, генитальной и анальной областях, а также в паху. Здесь часто развивается так называемая *Akne inversa* с большими прыщами, нарывами, тяжелыми воспалениями и болями. Inversa (то есть «обратная») означает, что в этой картине болезни акне сидит в кожных складках и там вызывает нарывы и фурункулы.

Наряду с ядами, содержащимися в табаке или же в гашише, сильный ущерб нашей коже наносят также различные вредные вещества из окружающей среды. Исследования на эту тему пока скупы. Однако считается доказанным, что некоторые пациенты с кожными болезнями и аллергиями часто подвергаются скрытому воздействию тяжелых металлов, пластификаторов и прочих ядов.

Даже питьевая вода время от времени попадает в фокус зрения «следопытов», отслеживающих вредоносные вещества в окружающей среде. В воде все чаще находят остатки противозачаточных гормонов и медикаментов: они попадают в сточные воды вместе с мочой, и современные водоочистительные методы пока не в состоянии гарантировать их удаление, да и следят за этими отходами недостаточно тщательно. Их влияние на нашу кожу и общее состояние здоровья пока еще не известно, но врачи и экологи очень обеспокоены этой ситуацией.

ПШЕНИЦА И ГЛЮТЕН

Пшеница — это острая тема не только для людей с лишним весом. Чрезмерное употребление муки не только добавляет вес, но и может вызывать кожные заболевания и аллергии.

Пшеница не так давно вошла в рацион человека, всего-то 12 000 лет назад. 90 процентов людей вроде хорошо ее переносят и, употребляя ее в выпечке и как связывающий ингредиент в различных блюдах, не ощущают никаких последствий, если только они не склонны к избыточному весу. А этот эффект связан с тем, что пшеничная мука, как и вообще вся промышленно обработанная мука, подстегивает уровень холестерина в крови, провоцирует нехватку сахара, отчего человек испытывает голод.

Но большинство не жалуется ни на кишечник, ни на проблемы с кожей. А те, кто жалуется, подозревают в злодействе содержащийся в пшеничной муке определенный белок — глютен.

Продукты без глютена нынче в моде, но они прежде всего прибыльный бизнес для пищевой индустрии. «Безглютеновый» звучит так же заманчиво, как и «низкоуглеводный», но безглютеновые продукты целесообразны для небольшого количества людей. А именно для тех, кто на самом деле страдает от непереносимости глютена — глютеновой болезни. Для большинства прочих эта действительная или предполагаемая непереносимость вызвана не глютеном, а тем фактом, что из пшеничной муки убирают бо́льшую часть ее питательных микроэлементов — при промышленной обработке удаляются ценные оболочки пшеницы, и современные методы ее разведения не нравятся нашей иммунной системе.

Когда виновен глютен

Самое известное проявление непереносимости пшеницы — это *целиакия,* или *глютеновая болезнь.* Это очень серьезное аутоиммунное заболевание, от которого страдают от половины до одного процента населения Северной Америки и тех регионов Европы, где любят пшеницу. При этом заболевании иммунная система человека противостоит одному ферменту, участвующему в обменных процессах белка клейковины, глютену — он встречается в пшенице, полбе, ячмене и ржи. Глютен также добавляют во многие блюда как связывающий ингредиент.

Когда глютен поступает в организм, антитела мобилизуются и воспаляют слизистую оболочку тонкой кишки вместе с ее ворсинками (они увеличивают поверхность стенки кишечника). Вследствие этого питательные вещества из «питательной каши» не поступают в достаточном объеме в организм, дело может дойти до истощения. Изрешеченный вследствие воспаления барьер стенки кишечника не обеспечивает эффективной защиты против возбудителей и ядов. Страдает как кишечная флора, так и кожа. У больных повышенный риск рака и дальнейших аутоиммунных заболеваний, например диабета 1-го типа. Часто возникают серьезные нарушения пищеварения и понос. **У некоторых больных из-за активности антител наблюдается кожное заболевание с образованием пузырей.**

Аллергия на пшеницу

Как и другие продукты питания, пшеница может вызывать аллергические реакции — рвоту, нарушение пищеварения, сыпь, покраснения, зуд, экземы и отеки. Возможен даже анафилактический шок с затрудненным дыханием и сердечно-сосудистым коллапсом; чаще всего это случается при одновременных телесных нагрузках. Риск могут также усугубить алкоголь и таблетки от головной боли.

В пшенице, которая преимущественно используется в белом хлебе, выпечке и макаронах, содержатся сразу многие белки, способные вызывать аллергию. Наличие аллергии можно установить, пройдя кожные тесты или сдав анализ крови на аллергенные антитела.

Чувствительность к пшенице

Это не про аллергию! В картине этой болезни есть кое-что относительно новое: предполагают, что чувствительность вызвана современными способами разведения пшеницы. А именно тем, что для повышения урожайности в пшеницу генетически вводят один природный пестицид — ингибитор альфа-амилазы/трипсина (сокращенно АТИ).

В современной высокоурожайной пшенице АТИ в два-три раза больше, чем в первозданной пшенице или в полбе. На это «биологическое оружие» организм реагирует воспалением кишечника. **Ведутся даже дискуссии о том, не повинны ли такие видоизмененные зерна в участившихся случаях аутизма, шизофрении и рассеянного склероза. В любом случае от хронических воспалений человек быстрее стареет.**

Так что если не диагностированы ни глютеновая болезнь, ни аллергия, а воздержание от содержащих пшеницу продуктов снимает такие желудочно-кишечные симптомы, как боль в животе, газы и понос, то в этом случае верный диагноз скорее всего — «чувствительность к пшенице».

Глава 13

КОЖНЫЕ БОЛЕЗНИ И ПИТАНИЕ

НЕЙРОДЕРМИТ

Дурной славой пользуется *нейродермит* — так называемая *атопическая экзема*. Слово «атопия» происходит из греческого и означает «странный, неопределенный». То есть это экзема, причина которой не поддается идентификации: что-то происходит внутри, и что-то приходит снаружи. При нейродермите чувствительность кожи обусловлена генетически, прочие причины — вышедшая из-под контроля кишечная флора и психика.

Можно было бы предположить, что «нейро» в слове нейродермит указывает на то, что им болеют якобы какие-то психи. Типа нервные люди, которые не справляются со своими неврозами и сами виноваты, что у них экзема. Но это было бы абсолютным преувеличением и, по сути, несправедливо. Правильно так: если человек постоянно чешется, потому что зуд сводит его с ума, создается впечатление, что человек в состоянии стресса и напряжен. Верно также то, что стресс, выбрасывая определенные нервные сигнальные вещества, повышает чувствительность к зуду.

Но не у каждого человека стресс влечет за собой нейродермит. В индустриальных странах этот диагноз в различных степенях тяжести ставят примерно 15–20 процентам населения.

В этой «неопределимой» экземе решающим является взаимодействие нескольких факторов. Так все же, что такое нейродермит?

Здесь речь идет о генетически заложенном иммунологическом нарушении баланса, сопровождающемся сухостью кожи, зудящими экземами и аллергиями. Пыльца, шерсть животных, бытовые клещи из домашней пыли или продукты питания провоцируют аллергический ринит, астму, непереносимость продуктов питания и экземы.

У пациентов ослабленный кожный барьер, потому что их организм не может полноценно производить барьерные жиры. Часто страдают сгибы рук и подколенные впадины, потому что там скапливается пот и раздражающие микробы. Защитные бастионы подверженной нейродермиту кожи не особо эффективны. У больных слишком много бактерий *Staphylococcus aureus* и ослабленная защита от вирусов, из-за чего они заодно могут подхватить контагиозных моллюсков, вульгарные бородавки и герпес.

Стресс негативно влияет практически на все кожные болезни и ухудшает их течение. Такая уж страдалица наша кожа.

Иммунная система бросается в бой против активно размножающихся бактерий, но, к сожалению, получается, что одновременно она действует и против кожи, усугубляя воспаление. Поэтому при нейродермите стараются прибегать к антибактериальным мерам. Особенно популярны сейчас кремы и одежда с микрочастицами или волокнами серебра, они могут бороться с возбудителями без риска вызвать аллергию.

Важную роль играет и питание. Так, жирные кислоты влияют на кожу, а значит, и на нейродермит. Исследования доказали, что жирные кислоты омега-3 благодаря своему противовоспалительному воздействию существенно улучшают состояние кожи. Кроме того, ученые долгие годы изучали гамма-линоленовую кислоту (она относится к жирным кислотам омега-6). Из-за сбоев функциональности производящего фермента организм больного атопической экземой производит эту кислоту в недостаточных количествах; этому, в свою очередь, может способствовать дефицит витамина B$_6$, биотина, кальция, магния и цинка.

Нехватка гамма-линоленовой кислоты при нейродермите ведет к тому, что возбудители не встречают на коже достойного сопротивления, что дает возможность бактериям, грибкам и вирусам распространять инфекцию. Поэтому жертвы нейродермита охотно используют мази с содержанием гамма-линоленовой кислоты на основе семян примулы вечерней, черной смородины и огуречника лекарственного. Увы, это малоэффективно. Ученые надеялись, что прием этой жирной кислоты с пищевыми добавками будет эффективнее. И здесь надежды не оправдались. А другие жирные кислоты омега-6 не только не помогают, но, провоцируя воспаления, даже усугубляют атопическую экзему.

Несколько больше надежд вселяют исследования, свидетельствующие о том, что женщины-аллергики, вынашивая детей, а затем вскармливая их, могут посредством питания оказывать воздействие на будущую предрасположенность своих чад к аллергиям и нейродермитам. Так, в Швеции исследовали детей, рожденных матерями с сильными аллергиями, и было установлено, что регулярное потребление рыбы (это жирные кислоты омега-3) начиная с шестого месяца жизни на 25 процентов снижает вероятность нейродермита у ребенка.

Еще один способ профилактики аллергий — это кормление исключительно материнским молоком в течение минимум от четырех месяцев (это действующие в Германии рекомендации) до шести (по рекомендациям ВОЗ). Материнское молоко укрепляет кишечную флору и иммунную систему. Затем самое позднее через шесть месяцев надо начинать прикармливать, поскольку это тоже тренирует иммунную систему. И впоследствии тренировка полезна: расщепляемые бактериями балластные вещества делают кишечную флору содержательнее и разнообразнее, благодаря чему защитные бактерии могли распространяться и укреплять иммунную систему нейротрансмиттерами. Хорошая профилактика астмы и аллергий.

Ученые пока не достигли согласия в том, насколько прием детьми потенциальных аллергенов тренирует их иммунную систему. Есть данные, доказывающие, что если мать сильный аллергик, то прием ребенком с пищей очень рискованных аллергенов повышает риск заболевания ребенка. Но известен и так называемый «арахисовый феномен»: установив, что в Израиле практически не бывает аллергии на арахис, которая в других местах очень частое явление, ученые искали причину этого феномена.

Арахис может вызывать жестокую и опасную аллергию, чреватую смертельным анафилактическим шоком, и она, в отличие от других аллергий, с годами не проходит. Поэтому в наших широтах принято как можно дольше не кормить маленьких детей арахисом. А в Израиле детишкам с младенческого возраста дают малосоленые арахисовые хлопья, они называются «бамба». Израильские младенцы любят «бамбу», так же как и их немецкие сверстники с удовольствием жамкают рисовые вафли (в которых, к сожалению, содержится много мышьяка). Ученые обнаружили, что такое раннее знакомство с арахисовыми хлопьями «бамба» тренирует иммунную систему малышей и сдерживает или даже предотвращает развитие аллергии. Между тем у нас тоже ведутся дискуссии, не давать ли малышам, проявляющим явную склонность к аллергии, между четвертым и одиннадцатым месяцем жизни пищу с содержанием арахиса, если это столь эффективная профилактика аллергии.

В принципе, **любой продукт питания может быть аллергеном.** Но некоторые из них являются провоцирующим фактором именно для атопической экземы. Больше чем у половины всех детей, страдающих нейродермитом, наблюдается непереносимость каких-либо продуктов питания. Прежде всего это коровье молоко, яйца, пшеница, соя и арахис. Смогут ли хлопья, если предлагать их деткам с самого раннего возраста, купировать арахисовую аллергию, покажет будущее. Взрослые же чаще реагируют аллергией на лесные орехи, сельдерей, фрукты и рыбу, а в последнее время все чаще и на бобовые и сою.

При непереносимости продуктов питания атопическая экзема расцветает пышным цветом, поскольку иммунная система переводится как бы в состояние войны: она ведет боевые действия, расстреливает и бомбардирует злые аллергены. И тогда армии солдат и рыскающие повсюду нейротрансмиттеры превращают в поле боя и нашу кожу.

АЛЛЕРГИЧЕСКАЯ КРАПИВНИЦА

Крапивница характеризуется появлением на коже множественной и сильно зудящей сыпи или крупных красных папул. Слизистые оболочки тоже могут набухнуть. Крапивница может быть обусловлена аллергически.

Аллергии возникают из-за того, что иммунная система настраивается против каких-то в общем-то безобидных веществ. Предполагают, что она выходит из равновесия уже в детском возрасте, вследствие усиленных мер гигиены, прививок, употребления антибиотиков, недостаточного кормления грудью, кесаревых сечений и потери разнообразной флоры кишечника; таким образом возникает повышенная аллергическая чувствительность.

Симптомы проявляются локально на органе контакта (при аллергическом рините это нос и глаза) либо поражают весь организм (как при анафилактическом шоке). Типичные «сиюминутные» аллергии возникают вследствие контакта с пыльцой, бытовыми клещами, шерстью животных, плесневыми грибками, ядом насекомых, латексом, медикаментами и продуктами питания. «Сиюминутная» здесь означает, что аллергические антитела в течение секунд или минут разрывают в дерме клетки, хранящие гистамин.

Что происходит затем, я хочу рассказать на примере часто встречающейся *аллергии на яблоки*. Если организм когда-то решил, что ему следует отказаться от яблок и создал соответствующие антитела, он всегда будет помнить об этом. Человек с удовольствием надкусывает яблоко — и уже это приводит к высвобождению гистамина в слизистых рта. Во рту и в горле першит, возможно расширение сосудов, выделение жидкости из сосудов, из-за чего в тканях возникают отеки. Плюс еще зуд, боль в животе, понос, тошнота и рвота. Если дело идет дальше, то отекает язык, припухают слизистые дыхательных путей и носа, могут наступить астматический кашель и затрудненное дыхание. И тогда на коже где только можно появляется сыпь, которую и называют крапивницей. В худшем случае наступает анафилактический шок с отказом кровообращения, а это может закончиться смертью.

Некоторые из тех, у кого *аллергия на березовую пыльцу*, не переносят также и яблоки, потому что у пыльцы березы и яблок на поверхности схожие белковые структуры — антитела из предосторожности атакуют и то и другое. Такая перекрестная аллергия сохраняется в большинстве случаев на всю жизнь, хотя березовую аллергию можно поправить методами гипосенсибилизации.

ПСЕВДОАЛЛЕРГИЧЕСКАЯ КРАПИВНИЦА

У аллергии есть двойник — *псевдоаллергия*, — который выдает себя за аллергию, то есть у него идентичные симптомы, но иммунная система при этом не задействована. Разрешающие факторы псевдоаллергических реакций вероломны: это медикаменты, пищевые красители, консерванты, которые в списке ингредиентов на упаковках продуктов питания зашифрованы непонятными для потребителя обозначениями «Е», а также биогенные амины, то есть продукты распада белковых компонентов (аминокислот). Все они могут провоцировать псевдоаллергические симптомы. Эти вещества как бы походя дают пинка хранящим гистамин клеткам, так что те лопаются и выпускают свое содержимое в организм.

Помимо содержащихся в пище красителей и консервантов виновником псевдоаллергии иногда бывает богатое гистаминами питание. У некоторых людей в кишечнике понижена активность разрушающего гистамин фермента — *диаминооксидазы*. Это бывает при нарушениях желудочно-кишечной флоры или после желудочно-кишечных инфекций, но может быть вызвано и некоторыми медикаментами, такими как противокашлевые муколитические средства, антидепрессанты, антибиотики, желудочно-кишечные средства и лекарства для снижения давления. Если на этом фоне потреблять пищу, содержащую гистамины или подобные ей нейротрансмиттеры, то развиваются псевдоаллергические симптомы.

Я на практике наблюдала, что ферментная активность со временем восстанавливается, если принимать пробиотические бактерии. А до тех пор следует избегать продуктов питания с большим содержанием биогенных аминов. Так что воздержитесь от рыбных консервов, кислой капусты, зрелых сортов сыра и зрелого вина, сухой, копченой или просоленной колбасы, пива верхового брожения, уксуса и шоколада.

Поскольку наряду с продуктами питания за псевдокрапивницей могут скрываться медикаменты и инфекции, то так же, как и в случае настоящей крапивницы, рекомендуется провести детективное расследование. Поимка злодея может занять время, и пока он не найден, терапия будет направлена на облегчение симптомов. Производить розыск скрытых источников инфекции следует в носоглоточных миндалинах, околоносовых пазухах, в зубах и в корнях зубов, в нижней области живота, в мочевом пузыре, в желудке (здесь порой свирепствует возбудитель язвенной болезни *Helicobacter pylori*). Кроме того, пациента следует обследовать на предмет кишечных вирусов, грибков и паразитов.

Дело в том, что количество дрожжевого грибка *Candida albicans* в стуле у заболевшего может превышать допустимые значения. **Этот грибок подобен докучливому коллеге, который постоянно во все вмешивается, вальяжно располагается где захочет, одним мешает работать, а других стращает.** Некоторые врачи из других областей медицины скорчат здесь недовольную мину, поскольку не все верят в теорию о дрожжевых грибках. Однако мы, дерматологи, регулярно наблюдаем, что чрезмерному размножению кандиды сопутствует крапивница. У многих людей этот грибок присутствует, и при этом они не заболевают, однако именно у таких восприимчивых созданий, как атопики, его очень часто выявляют в больших количествах. Подавление *Candida albicans* обычно способствует выздоровлению. Так что анализ стула при крапивнице определенно целесообразен.

При острых состояниях помогают *противогрибковые таблетки*, в качестве профилактики годится кефир, поскольку в нем содержатся здоровые культуры дрожжевых грибков, которые вытесняют докучливых коллег-кандид. Ученые проводили исследование с группой здоровых людей, изучая результаты их анализов, и установили, что углеводы существенно повышают количество *Candida* в стуле, а пища, богатая белками и жирными кислотами, наоборот, снижает количество грибка. Аллергическую и псевдоаллергическую крапивницу в острой стадии лечат антигистаминными препаратами и иногда приемом кортизона внутрь.

РОЗАЦЕА

О «маленьких розочках» в этой книге уже много говорилось. Болезнь также известна как купероз, или «розовые угри». У светлокожих людей розацеа выступает на округлостях лица, прежде всего на щеках и на подбородке; там светятся красные сосудистые звездочки, кожа горит, становится слишком жирной или слишком сухой, но в любом случае она чрезмерно чувствительна. Могут появиться и прыщи, а в совсем уж прогрессивной стадии нос, подбородок или щеки становятся как клубни, или же клубень появляется между бровями. Бывает, что и мочки ушей становятся клубнями.

Розацеа сопровождается нарушенной моторикой сосудов в коже, то есть при переходе из тепла в холод и наоборот кожа внезапно краснеет; также наблюдаются лабильность вегетативной нервной системы, лимфатические отеки, увеличение сальных желез, непереносимость яркого солнца, стресса и многочисленных косметических средств. Ухудшение состояния кожи может быть также вызвано некоторыми продуктами питания и возбуждающими средствами, которые раздражают сосуды — это кофе, алкоголь, острые специи и сигареты.

Поскольку кожа лица, так же как и желудочно-кишечный тракт, снабжается через вегетативную нервную систему, то раздражения в этой области приводят к раздражениям на лице. У пациентов с розацеа я нередко сталкиваюсь с воспалением слизистой желудка, с синдромом раздраженного кишечника или с *дисбактериозом* — тяжелым нарушением баланса состава микрофлоры кишечника. Так что очищение кишечника и расселение там хороших, полезных для здоровья видов бактерий это очень благотворное мероприятие — как для пораженной розацеа кожи, так и для ее владельца. Для этого рекомендуются такие продукты питания, как цельное зерно, бобовые, семена, орехи, коренья, овощи и фрукты и пробиотические продукты — непастеризованная кислая капуста, йогурт, кефир и пахта. Дополнительный прием продающихся в аптеках кишечных бактерий из пакетиков отлично способствует расселению желательных микроорганизмов. Предварительный молекулярно-генетический анализ стула, который проводится в специальной лаборатории, даст точное представление о составе стула и позволит подобрать соответствующую комбинацию бактерий. Это в основном порошки без вкуса, обогащенные пребиотиками, то есть кормом для бактерий, призванным их активизировать. Эти продукты называют также синбиотиками — смесь из пре- и пробиотиков. Кожные врачи лечат розацеа кремами, таблетками и лазером.

ЧЕШУЙЧАТЫЙ ЛИШАЙ

Чешуйчатый лишай, или *псориаз*, — это генетически обусловленное заболевание, характеризующееся кожными воспалениями, утолщениями на коже, устойчивым серебристым шелушением и зачастую зудом. Оно появляется на всех тех местах, где кожа сильно натянута, находится под давлением либо подвергалась операциям или инфекциям. Типичные места — это локти, колени, голова и кожные складки, столь излюбленные многочисленными возбудителями. Иногда болезнь поражает ногти и суставы.

Алкоголь и лишний вес определенно ухудшают картину псориаза, а рыбий жир, наоборот, улучшает состояние кожи. У некоторых пациентов кожа улучшается в результате безглютенового питания, но только если у них в крови есть антитела к белкам пшеничной клейковины. Впрочем, глютен (клейковина) содержится не только в пшенице, но и в других злаковых — ржи, полбе, овсе и ячмене. Поэтому пациенту придется также обязательно воздерживаться от пива, ведь и в нем есть глютен.

При чешуйчатом лишае благотворно также лечебное голодание. Но голодать надо с умом: в результате диеты сокращается количество белка, а он нам необходим, и не в последнюю очередь для мускулатуры, которая функционирует как сжигатель жира. Наш организм сконструирован таким образом, что самое позднее через два-три дня его надо покормить.

Во время длительных периодов голодания организм полагает, что наступил голод. И он переключается в сберегающий режим и активизирует все резервы, чтобы обеспечить себя энергией, по крайней мере, для поиска чего-нибудь съедобного. Но он это делает отчасти за счет мускулатуры. Между прочим, не исключая и сердечную мышцу! Когда наконец есть пища, организм радостно компенсирует с излишками, и наступает печально известный эффект, когда человек набирает еще бо́льший вес, чем был до того, как он сел на диету.

Если голодание проводить правильно, то оно обостряет чувства (и вкусовые ощущения тоже) и разрывает порочный круг: волчий аппетит, поступление сахара в организм, секреция инсулина, набор веса, проблемы с кожей. Временный отказ от пищи может дать импульс к сознательному отношению к своему организму. Кожные врачи лечат псориаз мазями, растворами, таблетками, ультрафиолетом или уколами.

(НЕ) БОЙТЕСЬ КОРТИЗОНА

Разумеется, в остром состоянии кожную болезнь лечат прежде всего классическими дерматологическими средствами. При лечении многих видов кожных воспалений, кроме акне, розацеа и инфекций кожи, применяют кремы, содержащие кортизон. Это вещество, которое вырабатывается нашим организмом как гормон стресса, можно также принимать в виде таблеток, вводить инъекциями, использовать в форме спреев или капель.

Действие *кортизола* — нашего эндогенного кортизона — и его синтетически производимого собрата основано в частности на том, что он проникает в клетки и внутри их связывается с определенными рецепторами по принципу «ключа и замка». Там, фигурально выражаясь, его поджидают перевозчики, доставляющие гормон непосредственно в ядро клетки. Добравшись до ДНК, кортизол получает право лично активировать противовоспалительные белки. Так что у кортизола прекрасный и непосредственный контакт с нашим наследственным материалом.

Опасность возникает, когда этот контакт, эти отношения нарушены или вообще прерваны, то есть когда производство кортизола останавливается. На примере такой опасной болезни, как острая «недостаточность надпочечников», можно посмотреть, что происходит при неожиданной нехватке кортизола: тошнота, рвота, понос, боль в животе, температура, умственное расстройство, существенная потеря жидкости, сопровождающийся тахикардией сосудистый коллапс. Если не принять срочных мер, человек умирает.

Если же надпочечники сверхактивны, то есть вырабатывают слишком много кортизола, то наступает болезнь, именуемая *синдромом Кушинга*. Ее симптомы — красное, круглое, как луна, лицо, бычья шея, ожирение туловища. Возможно, звучит забавно, но на самом деле это катастрофа для организма, поскольку жир перераспределяется и оказывается в неправильных и нездоровых местах. Все это сопровождается высоким давлением, диабетом и падением уровня половых гормонов. Происходит своего рода внутренняя кастрация, процесс потери мужественности или, соответственно, процесс дефеминизации. За этим следует потеря мышечной массы, ослабление мышц, остеопороз, психические отклонения, нарушения сна и многочисленные изменения кожи. Кожа становится тонкой и хрупкой, покрыта многочисленными синими пятнами, потому что кровеносные сосуды теряют эластичность и, подобно изношенным садовым шлангам, могут лопаться от чего угодно, даже от нанесения крема. То тут, то там под кожей, в дерме, спонтанно происходят травмы с образованием рубцов. Они явно незаслуженно носят такое волшебное название как «псевдозвездчатый рубец», но тут дерматолог не преминет с важным лицом продемонстрировать свое знание французского и, скорее, скажет *Pseudocicatrices stellaires*. Слишком высокий уровень кортизола в крови к тому же вызывает на коже красные растяжки, прыщи, усиленный рост волос на классических мужских местах оволосения, то есть на лице и на теле, причем у женщин тоже. Именно эти симптомы могут быть вызваны долгим приемом таблеток, содержащих кортизон в высоких дозах; их прописывают в тяжелых, опасных для жизни ситуациях, когда иммунная система порождает такие серьезнейшие воспаления, как ревматизм, или другие аутоиммунные заболевания — они частично могут сказываться и на коже. Чтобы предупредить отек мозга, эти таблетки применяют также после серьезных травм или инсультов, а еще они помогают смягчать побочные явления, возникающие вследствие интенсивной химиотерапии, и усилить эффект противораковых лекарств.

Когда кортизон дают в течение нескольких дней, вреда в перспективе бояться не стоит. При анафилактическом шоке с острым удушьем, при астме, ложном крупе или сильной крапивнице кратковременное лечение ударными дозами быстро помогает и спасает жизнь. Никаких тяжелых последствий не будет, ну разве что одна неспокойная ночь и проблемы с сахаром в крови у диабетиков.

И снова все дело в дозе и в том, как принимать таблетки; в зависимости от этого результат будет положительным или отрицательным. Подвергся ли кортизол, это эндогенное природное вещество, химическим изменениям, и если да, то как — вот что важно. Так, кортизоновые кремы обрели дурную славу, когда выяснилось, что с помощью маленького химического трюка, а именно привязки одного или двух атомов фтора, можно улуч-

Продолжительный стресс — это естественный враг кожи.

шить его жирорастворимость; крем таким образом получает способность проникать глубоко во второй подземный этаж (в дерму), где находятся клетки соединительной ткани, и это препятствует их работе — вырабатывать соединительную ткань. Да, крем был сенсацией, позволявшей быстро вылечивать такие тяжелые кожные заболевания, как чешуйчатый лишай и нейродермит, но побочные явления он вызывал нешуточные. Уже через двенадцать дней применения концентрированного кортизонового крема замеры показывали, что кожа истончилась. Непроходящие повреждения наблюдались особенно часто у детей, у которых и без того кожа несколько тоньше. До тех пор пока эти побочные явления не стали известны, дерматологи и больные несказанно радовались этому действенному средству. Ведь до того в их распоряжении были лишь вонючие дегтярные мази, белые цинковые пасты и частично токсичные растворы красителей для нанесения кисточкой — лиловые, красные, розовые и зеленые.

По счастью, исследования были продолжены, и в 1990-е годы на рынке появилось совершенно новое поколение кортизоновых кремов. Они больше не содержали атомов фтора и все же оказывали очень хорошее противовоспалительное воздействие; при этом они быстро расщеплялись до эндогенного кортизола, не вызывая побочных эффектов, присущих прежним кортизонам. Современные, надежные кортизоновые кремы так называемого четвертого поколения можно применять при большинстве кожных воспалений. Вы можете попросить своего врача выписать вам кортизон самого последнего поколения, кроме тех случаев, когда ваша цель — сравнять келоидный рубец, уплотненную экзему или псориазную бляшку.

Отпускаемые без рецепта варианты кортизоновых кремов полезны при кожных экземах, контактных аллергиях и солнечных ожогах. Их действие можно усилить, наложив на больное место повязку — это создает эффект парника, и вещество проникает в более глубокие слои клеток.

Там, где кожа примыкает к коже, такой эффект присутствует естественным образом, поэтому в складках тела, на тонкой коже яичек и глазных век следует применять более слабый кортизон, и лучше не два раза в день, а один.

С особой осторожностью следует применять кортизон на лице. Уже после нескольких применений здесь могут появиться стойкие маленькие прыщики вокруг рта, на носу и на глазах, поскольку кортизон нарушает бактериальный баланс. Это та самая «болезнь стюардесс», которую вызывает избыток закупоривающих поры силиконовых масел и парафинов в косметике, только в данном случае виновниками будут кортизоновые кремы или спреи для носа. От всего этого не так просто избавиться. Кортизон, возможно, вызовет улучшение на один-два дня, а затем прыщики возвращаются, и становится хуже, чем раньше. В этом случае правило — нулевая диета для кожи: никакого крема, никаких тональных средств, отменить кортизон и дать всему этому спокойно высохнуть! Помочь процессу можно компрессами с крепким охлажденным черным чаем, специальными пудрами и прописанными врачом противовоспалительными таблетками.

Кортизон не рекомендуется применять при розацеа, акне и любых инфекционных заболеваниях, поскольку он снижает защиту от возбудителей. Именно по этой причине люди, хронически находящиеся в стрессовом состоянии, подвержены инфекциям. У них уровень кортизола в крови зашкаливает, а естественные защитные силы ниже плинтуса. **Продолжительный стресс приводит у мужчин к нарушениям потенции, а у женщин — к нарушениям цикла, выпадению волос и прыщам.** Это потому, что при росте уровня кортизола падает уровень регулирующих гормонов более высокого уровня, а они одновременно управляют и половыми гормонами.

ЧАСТЬ V

ЗЕРКАЛО ДУШИ

Глава 14

КАКИЕ ДУШЕВНЫЕ ТАЙНЫ ВЫДАЕТ КОЖА

Очень многое в жизни человека скрыто от его сознания. Влияние психических факторов огромно, равно как и влияние психики на телесные проявления. Когда мы контактируем с людьми из своего окружения, когда мы любим или ненавидим, мы обнаруживаем себя. Наружу прорывается как сознательное, так и бессознательное.

Проводя манипуляции над своей кожей — будь то косметикой, татуировками, пирсингом или же уколами ботокса, коррекцией морщин, пластическими операциями, — мы изменяем то, что наша кожа на самом деле имеет сказать внешнему миру.

Взаимосвязями измеримых неврологических явлений и большей частью трудно поддающихся измерениям психических процессов в медицине занимаются психосоматика и прикладные нейронауки. Факт в том, что зачастую кожа непосредственно отражает симптомы внутренней жизни, и в то же время окружающие видят, в чем причина столь обременительных для нас кожных болезней. Наша оболочка раскрывает наши тайны. А разве кому-то из нас этого хочется?

ЭМОЦИИ И НЕВРОЗЫ

В эмбриональной фазе они возникают из одной и той же ткани, так называемой эктодермы: верхний слой кожи (вместе с потовыми железами и волосяными фолликулами) и нервные ткани. Они тесно связаны, и потому эмоции зачастую проявляются непосредственно на коже. Вы помните про гусиную кожу, которая так же, как и краска стыда, никогда не бывает результатом сознательного процесса; эти симптомы проявляются в какие-то эмоциональные моменты сами по себе. Независимо от внешних погодных условий сосуды могут расшириться, и человек покраснеет, или у него выступят красные пятна — этому способствуют нервные импульсы, провоцируемые чувствами, когда мы, например, злы или возбуждены, когда чувствуем стыд или удовольствие. Всем этим управляет нерв под названием *симпатикус*, он часть вегетативной нервной системы, которая отвечает за стресс, суету, ускорение и потение.

Краска стыда и лихорадочные пятна на лице, шее и в области декольте особенно заметны у молодых женщин, если у них нежная и прозрачная кожа и если они смущены или чувствуют неуверенность. Мужчинам, кстати, нравится, когда женщины краснеют. Но каждому из нас знакомо чувство, когда горят уши, — значит, нас за чем-то застукали.

Над нашими глазами находится та часть мозга, которая отвечает за этику и мораль. Именно в этом месте совершенный человеком промах тут

Наша кожа как лист бумаги. Она выдает многие наши тайны — краснеет, бледнеет, покрывается мурашками или потеет.

же связывается с чувством стыда. С точки зрения биологической эволюции возникающее вслед за тем покраснение, возможно, связано с предупредительной функцией. Горящие уши злоумышленника могут свидетельствовать о том, что он покаянно дает обет исправиться и принять общественные правила игры, ибо иначе его могут изгнать из социальной группы. Для окружающих этот знак как красный тревожный

Йаэль Адлер

сигнал: ага, здесь что-то не так, тут надо приглядеться, не нарушает ли кое-кто правила.

В зависимости от ситуации и тяжести фактического или предполагаемого проступка, окружающий мир может отреагировать на столь явное проявление эмоции со своего рода пониманием и сочувствием. Иногда такая ситуация ставит зеркало и перед окружающими: раз кое-кто проявил здесь такую реакцию, то, возможно, ему стыдно за высказывание или поведение кого-то из присутствующих.

Покраснеть — это само по себе совершенно нормально. Кровоснабжение кожи усиливается во время физической работы, занятий спортом, при повышенной температуре или при климаксе, а также это может произойти из-за сосудорасширяющего воздействия алкоголя или после приема определенных медикаментов. Когда человек краснеет неожиданно, по-английски это называют «flush». Когда это вызвано психическими причинами, то говорят «blush». По психическим мотивам мы краснеем в радости, при высокой концентрации, возбуждении, гневе, стыде, страхе или сексуальном возбуждении («sex flush»).

Для некоторых людей покраснеть — хуже всякого наказания: мучительно до такой степени, что может развиться психическая болезнь, ее называют *Erythrophobie* (эритрофобия). В этом случае человек краснеет уже от самого страха покраснеть. Многие люди с этой болезнью очень тяжело страдают, чувствуя себя порой несчастными и больными. Голова раскалывается, из пор выступает холодный пот, человек испытывает слабость, ему нехорошо. В такие моменты в крови много гормона стресса кортизола и воспалительных нейротрансмиттеров; ученые говорят, состояние нейротрансмиттеров в этом случае похоже на то, что бывает при инфекциях.

И снова этот кортизол

Под воздействием стресса в организм выбрасывается гормон стресса кортизол, со всеми его разнообразными побочными эффектами. На коже выступают раздражения, прыщи, появляется склонность к кожным инфекциям, потому что иммунная система подавлена. Но все же кортизол при стрессе не только бич, но и важный помощник. Он помогает справляться с ситуациями «бей или беги»: раньше такое происходило при встрече человека с диким животным, а в нынешние времена «зверем» может оказаться докучливый шеф, налоговая декларация или сосед. В любом случае, **когда бы мы ни испытывали стресс, наша тончайшим образом настроенная гормональная система среагирует.** В качестве ответных мер на тяжелые заболевания, травмы или роды наш организм имеет в распоряжении дополнительные механизмы преодоления сложных ситуаций. И здесь тоже помогает наш природный гормон кортизол. День за днем производят его наши надпочечники — это маленькие гормональные железы, которые сидят на почках, как вязаные шапочки. Ежедневно мы производим примерно по 25 мг кортизола. Без него мы бы не выжили. В стрессовых ситуациях надпочечники выбрасывают гормоны стресса адреналин, норадреналин и кортизол, вследствие чего повышаются кровяное давление и уровень сахара в крови — все это для того, чтобы в случае необходимости бегства или боя у нас было хорошее кровоснабжение и достаточное количество энергии. Пищеварительные процессы в такой ситуации были бы обременительны, поэтому при стрессе они приостанавливаются.

Однако стресс мы испытываем не только от реальных угроз, но и от собственных страхов. Эти страхи зачастую глубоко укореняются в душе, и для окружающих они не всегда понятны и очевидны. Так, в частности, бывает при *дисмор-*

фофобии — страхе собственных недостатков, который столь часто овладевает людьми как раз приятной наружности. Такой человек зацикливается на любом имеющемся или просто кажущемся недостатке на своем теле, на коже или в волосах; об этом мы уже говорили. Подобная и тоже необоснованная фиксация наблюдается при *тактильном галлюцинозе* — надуманном поражении вредителями.

 Продолжительный хронический стресс опасен для нашего организма. Он создает нагрузку для сердечно-сосудистой системы и для психики, снижает сексуальное желание, уменьшает количество тестостерона и негативно влияет на боевой дух мужчин.

Здесь же можно отметить *болезненную страсть к умыванию*, когда кожа в результате становится сухой и выщелоченной, на гениталиях появляется зуд; здесь выражается, с одной стороны, представление человека, будто он грязный, а с другой — скрытое желание по возможности смыть с себя что-то гадкое. Это могут быть сексуальные мысли или какой-то душевный порыв, представляющийся ему аморальным.

Агрессия против самого себя

Дерматологу часто приходится наблюдать кожные болезни, имеющие психические причины: психика ищет выход наружу и оставляет следы на теле.

Этот феномен часто бывает у женщин. Например, у одной моей однокурсницы была *Acne excoriee des jeunes filles*, что означает «расчесанные угри молодых девушек». Когда мы готовились к экзаменам, на подготовительные занятия она всякий раз приходила похожая на пирог со сладкой посыпкой. При внимательном рассмотрении на ее коже можно было увидеть собственно не сами прыщи, а расчесанные, покрытые корочками покраснения. Каждый из нас мог знать об этом на собственном опыте, да и сама она признавалась: «Я просто не могу не трогать лицо». Ее руки находили каждую микроскопическую неровность, каждую пору — и расчесывали их. Разумеется, эти места потом заживали долго, потому что она постоянно продолжала их скрести. После каждой ранки на месяцы оставались коричневые пятна.

Будучи под стрессом, девушка пыталась «отвести», перенаправить напряжение — но не против окружающих, а против самой себя. Кстати, грызть ногти попадает в ту же категорию снятия напряжения, но этот способ встречается, конечно, и у юношей.

Еще одно очень непростое заболевание может иметь невротические причины, а именно некая *особая форма облысения*. Для некоторых жизнь в прямом смысле слова — хоть волосы на голове рви: они выдергивают волосы у себя на голове, пока не облысеют. Иногда только на отдельных местах, поэтому на первый взгляд это можно принять за круговую плешивость вследствие воспалительного процесса. Но присмотревшись внимательно, можно увидеть, что на проплешинах пробиваются короткие здоровые и сильные волосы. Только-только подросшие, но (еще) слишком короткие, чтобы их выдергивать. Так что здесь вовсе не воспаление корней волос с последующим их выпадением, а одна из форм самоистязания. Ее называют *трихотилломанией* — манией вырывания собственного волосяного покрова.

Особенно печальна еще одна форма самоистязаний — насечки: острыми бритвами кожу на запястьях режут себе чаще всего молодые женщины. Девушки бывают склонны к аутоагрессии и мазохизму, потому что с биологической точки зрения они скорее принимающий тип, в то время как юноши и мужчины в своих аффектах преследуют чаще агрессивную стратегию, направленную вовне, то есть, скорее, мучают кого-то другого. После такого акта аутоагрессии навсегда остаются заметные шрамы. Одна из моих пациенток резала себе не только кожу, но и мясо, вплоть до мышц. Тому, кто не является психологом или психиатром, трудно понять, почему человек сам себя столь жестоко калечит. От четырех до 19 процентов молодых людей когда-то резали себе запястья, один или несколько раз, в большинстве своем это девушки, но иногда и гомосексуальные юноши.

Бывает, что это «всего лишь» подражание, своего рода «проверка тренда» — нечто, что человек видел у других и хочет попробовать на себе. Но, как правило, насечки являются выражением душевного расстройства, вызванного событиями в детстве. Может, кто-то ребенком чувствовал себя отвергнутым, или его на самом деле отвергали, и из-за недостатка любви и внимания у человека развилась низкая самооценка. Травмирующим опытом могли стать сексуальное надругательство, душевная жестокость, потеря кого-то из родителей или конфликтный родительский развод; все это может привести к нанесению насечек. Ребенок чувствует себя жертвой, и ему не удается избавиться от страхов и внутреннего напряжения. Тогда насечки дают краткосрочное облегчение.

Часто такие больные чувствуют себя так, будто они стояли рядом с самим собой, будто они были немного не в себе. И только акт нанесения травмы дает им возможность вновь себя ощутить и вернуться в собственное тело. Испытав боль, они пытаются выйти из состояния ступора. Так что боль приобретает позитивный гедонический аспект. Существует предположение, что при этом выбрасываются эндорфины, что могло бы объяснить возникновение некоей зависимости от самопорезов. Ведь многие снова и снова прибегают к этому средству снятия напряжения, порой все в более жесткой форме, и при этом нарушается также и общее восприятие боли.

Нанесение насечек удовлетворяет одновременно две потребности: с одной стороны, тело снова чувствует себя живым, с другой стороны — эмоциональная боль, рассеянная и свободно флотирующая по организму, а потому неуправляемая, вездесущая и мучительная, ограничивает себя одним местом. Так боль позволяет неким образом манипулировать собой, поскольку начинает концентрироваться именно на месте пореза.

Это порочный круг, как правило, порвать его может только психотерапия. В ходе бесед можно отследить свою реальную боль и научиться другим путям обращения с ней.

Влюбленность и счастье

Кожа отражает, однако, не только душевные страдания и стресс, но и прекрасные эмоции. Любовь дарит нам румяные щеки и приводит в движение гормоны. У мужчин это тестостерон, у женщин эстроген. Вследствие влюбленности со всеми ее сексуальными аспектами у мужчин усиливается рост бороды, волосяного покрова тела, а также выпадают волосы на залысинах и вокруг ушей. У женщин увлажняются ткани, улучшается состояние кожи и блестят волосы. Замедляется образование морщин. У счастливого человека к тому же низкий уровень гормонов стресса, а значит, и чистая ровная кожа. Гормон окситоцин, вырабатываемый при прикосновениях к коже, создает прекрасное настроение. Так что, когда у человека все хорошо, он это излучает, и окружающие это видят. Причем светиться здоровьем можно в любом возрасте.

ПОСЛЕСЛОВИЕ

Вот и закончилось наше с вами путешествие по чудесному миру кожи.

С поверхности кожи мы спустились на три этажа ниже и поднялись обратно, на свежий воздух.

Вы наверняка заметили, что эта книжка не сборник советов в классическом смысле. Из нее вы не смогли много узнать о том, какую терапию и при каком диагнозе применять, какими кремами лечить разные болезни, как навечно сохранить молодость и что делать, чтобы никогда не умереть.

Это и не сборник фокусов, который открыл бы вам магические тайны суперзвезд — тайны их иллюзорной красоты. На эту тему уместно было бы руководство по фотошопу.

Эта книга — скорее, рассказ о таком чудесном явлении, как кожа, обо всем том, из чего она состоит, о ее душе, ее задачах, ее запахах.

Так что же мы узнали из этой книги?

Если вы хотите сделать что-то действительно полезное для своей кожи, вам не стоит в этом переусердствовать.

Дело в том, что **кожа очень даже неплохо может позаботиться о себе сама**. Вполне достаточно пары шлепок в сауне, умеренного обращения с мылом, хорошего и сбалансированного питания, а также в самом лучшем смысле соблюдать меру, когда речь идет о нездоровых привычках, и не знать меры в том, когда дело касается любви и поцелуев.

Но есть несколько вещей, от которых следует сознательно отказаться. К ним относится посещение солярия. Под его лучами вы наносите коже непоправимый ущерб.

Татуировки тоже опасны для вашего здоровья. Краски, в большинстве своем ядовитые, остаются в коже и в теле навсегда, а выводить их — дело затратное и чаще всего бесполезное. Так что лучше всего воздержитесь!

Я несколько менее категорична в том, что касается ботулотоксина и гиалуроновой кислоты. Оба эти вещества наш организм через какое-то время разлагает сам, к тому же они не только служат красоте, но применяются и в медицинских целях. Здесь я выступаю за лояльность и разъяснительную работу.

Все больше людей в мире, мужчины и женщины, пытаются повлиять на то, как естественным образом стареет их кожа, и прибегают к инъекциям красоты, а порой и к оперативному вмешательству. Этим можно восхищаться, а можно считать достойным сожаления или представлять в черном свете. Задача ответственного врача — дать разъяснения о всех возможных рисках и побочных эффектах и противостоять неумеренному использованию этих методов. Я хочу выступить против ханжества и двойной морали, звучащих в общественных дебатах на эту тему. Я знаю многих людей, которым подкалывали совсем немного ботокса — так мало, что это едва заметно. Но открыто они в этом никогда не признаются. Они даже оспаривают, что прибегли к ботоксу, чтобы подправить себя. А собственно, почему?

И разумеется, я от всего сердца приветствую тех, кто обладает чувством собственного достоинства и находит в себе мужество давать своей коже стареть естественным путем. Такая кожа может восхитительным образом много чего рассказать о жизни.

В конце концов мы сами решаем, как должна жить наша кожа.

Слава богу, здоровье — это не религия, хотя о нем столь же страстно спорят. **Своей книгой я хотела вам помочь принимать ваши собственные решения, и делать это информированно и компетентно.** Однако ответы на вопросы не всегда однозначны, бывают и за, и против. Нужно быть терпимыми к порой экстравагантным решениям своих близких. Ну да, есть женщины, которые не пользуются парфюмом, но убирают инъекциями межбровную морщину; бывают с ног до головы татуированные веганы; или вот бывают люди, которые едят собственные козявки, но при этом брезгуют сесть на стульчак в чужом туалете. Ну и что ж?

А если наша кожа когда-то почувствует себя нехорошо, то существует много возможностей ее вылечить. Надеюсь, что эта книга рассказала вам и об этом.

Мы, дерматологи, в таком случае всегда вас поддержим, изучим следы на вашей коже и прислушаемся к тому, что она нам расскажет.

Я хочу, чтобы вы чувствовали себя в своей коже хорошо. Самое позднее — начиная с этого самого момента, и лучше всего навсегда!

БЛАГОДАРНОСТИ

Благодарю своего мужа Элио за любовь, без него я бы не смогла написать эту книгу. Он всегда был мне прекрасным советчиком и вдохновлял меня. Я благодарна своим детям, Ноа и Лиаму, за их терпение по отношению к маме, которая долгие месяцы занималась темой кожи, и за их детские затеи, связанные с этой темой. Благодарю своих родителей за корректуру и советы по тексту — и с точки зрения литературоведения, и просто из родительской любви. Благодарю свою свекровь за ее ободряющие и поддерживающие идеи и за постоянную готовность помочь.

Благодарю своего друга Уве Манделя, который со всей чуткостью и всем своим журналистским опытом сопровождал написание моей книги с самого начала, чем очень ее обогатил.

Спасибо психоаналитику, дипломированному психиатру Франку Вернеру Пилграму за наши экспертные беседы и за все, что он мне поведал на тему кожи и психики; терапевту и специалисту по питанию доктору Оливеру Бирнштилю и врачу-лаборанту, приват-доценту доктору Хансу Гюнтеру Валю за исключительно полезные дискуссии на темы, относящиеся к их областям медицины.

И я также благодарю Катрин Кролль, Хайке Гронемайер и Штефана Ульриха Майера, которые на всех этапах создания книги помогали мне столь увлеченно, профессионально и в то же время дружелюбно.

Катя Шпитцер, креативный художник с превосходным чувством юмора, спасибо за выразительные иллюстрации и особый стиль!

Спасибо всем друзьям, которые помогали мне, делясь советами и идеями.

ПОЛЕЗНОЕ ПРИЛОЖЕНИЕ: ДОМАШНИЕ СРЕДСТВА ДЛЯ КОЖИ

Домашнее средство	Область применения	Комментарий
Резаный лук	• Против зуда от укусов насекомых • Против инфекций: антибактериальное действие • Препятствует уплотнению соединительной ткани при рубцах	• Сильный запах из-за серосодержащих соединений, эфирные масла
Охлажденный черный чай	• Влажные компрессы, сидячие ванны, промывания как терапевтическое средство для кожи и слизистых • Против мокнущих экзем и ран • Против афт и ран во рту • Раны на анальной складке, сечение промежности, воспаления в области промежности • Солнечный ожог • Укусы насекомых • Успокаивающее средство после лечения лазером • Против «болезни стюардесс»	• Пропитать хлопчатобумажную салфетку или марлю • Содержит горькие и дубильные вещества, которые осаждают белки; таким образом, затягивает раны и подсушивает сочащуюся влагу • Чай залить небольшим количеством воды, настоять 10 минут и дать остыть, концентрированную заварку наложить на 10 минут, повторять несколько раз в день

Домашнее средство	Область применения	Комментарий
Алоэ вера (Aloe barbadensis)	• При травмах, ссадинах, солнечных ожогах • Против чешуйчатого лишая — подмешивать к мази	• Надрезать листик и использовать свежий желеобразный растительный сок • Продается в отделах садоводства • Не все содержащиеся вещества известны, возможны контактные аллергии
Масло ши	• При сухой коже губ и рук • Предотвращает трещины на грудных сосках при кормлении грудью и помогает лечению трещин • Против растрескавшейся роговицы • Против сухих и секущихся кончиков волос • Содержит жиры, регенерирующие кожные барьеры, и витамин Е, поэтому обладает антивозрастными свойствами • Защищает кожу при частом мытье рук, устойчиво против мыла, и на руках даже после мытья остается защитная пленка • Успокаивает зуд при сухой коже • Защищает кожу от холода	• Продается в лавках африканских товаров, добывается из орехов дерева карите, оптимально, если экстрагируется вручную горячей водой • Не наносить на угревую кожу — слишком жирно • При комнатной температуре твердое, становится пластичным после нагревания в руках или на батарее • Я рекомендую нерафинированный жир, поскольку он содержит много защитного бета-каротина. Это можно распознать по ореховому цвету и специфическому запаху. Если масло белого цвета, то оно рафинировано, и значит, к сожалению, в нем нет бета-каротина • Выгодная цена

Домашнее средство	Область применения	Комментарий
Кокосовое масло	• По функциям подобно кожному салу: действует против бактерий, вирусов и грибков • Предупреждает трещины на грудных сосках при кормлении грудью • Лечит секущиеся кончики волос • Защищает кожу от холода	• При комнатной температуре твердое, при температуре тела маслянистое • BIO-качества и холодного отжима, нерафинированное, негидрогенизированное, неосветленное • Можно употреблять в пищу • Не наносить на угревую кожу — слишком жирное
Мед	• Антибактериален • Проводит влагу в роговой слой и смягчает его • Мед более кислотный, чем кожа, и потому эффективен против возбудителей, а заодно стабилизирует кислотную мантию кожи • Уменьшает воспаления • Против потрескавшихся губ • Мед давно уже используют для ухода за хроническими ранами. С недавних пор в аптеках можно по рецепту купить «медицинский мед». Очищает раны, подсасывая влагу, ферментативно удаляет налеты на ранах, убивает многочисленные бактерии, что большое подспорье при невосприимчивости антибиотиков. Погибают даже проблемные микробы и мультирезистентные возбудители	• «Ванна Клеопатры» из молока и меда уже тогда заложила основы для использования меда в качестве домашнего средства ухода • Мед, смешанный с морской солью крупного помола, — это излюбленная оздоровительная процедура в сауне • Он вкусный

АЛФАВИТНЫЙ УКАЗАТЕЛЬ

Научно-популярное издание

СЕНСАЦИЯ В МЕДИЦИНЕ

Йаэль Адлер

ЧТО СКРЫВАЕТ КОЖА
2 квадратных метра, которые диктуют, как нам жить

Директор редакции *Е. Капьёв*
Руководитель направления *Т. Решетник*
Ответственные редакторы *Ю. Бобылева, Н. Румянцева*
Младший редактор *О. Степанянц*
Художественный редактор *П. Петров*
Технический редактор *О. Куликова*
Компьютерная верстка *Л. Кузьминова*
Корректор *Е. Будаева*

Во внутреннем оформлении использована иллюстрация:
logika600 / Shutterstock.com
Используется по лицензии от Shutterstock.com

ООО «Издательство «Э»
123308, Москва, ул. Зорге, д. 1. Тел.: 8 (495) 411-68-86.
Өндіруші: «Э» АҚБ Баспасы, 123308, Мәскеу, Ресей, Зорге көшесі, 1 үй.
Тел.: 8 (495) 411-68-86.
Тауар белгісі: «Э»
Қазақстан Республикасында дистрибьютор және өнім бойынша арыз-талаптарды қабылдаушының
өкілі «РДЦ-Алматы» ЖШС, Алматы қ., Домбровский көш., 3-а», литер Б, офис 1.
Тел.: 8 (727) 251-59-89/90/91/92, факс: 8 (727) 251-58-12 вн. 107.
Өнімнің жарамдылық мерзімі шектелмеген. Сертификация туралы ақпарат сайты Өндіруші «Э»

Оптовая торговля книгами Издательства «Э»:
142700, Московская обл., Ленинский р-н, г. Видное,
Белокаменное ш., д. 1, многоканальный тел.: 411-50-74.
По вопросам приобретения книг Издательства «Э» зарубежными оптовыми
покупателями обращаться в отдел зарубежных продаж
International Sales: International wholesale customers should contact
Foreign Sales Department for their orders.

Сведения о подтверждении соответствия издания согласно законодательству РФ
о техническом регулировании можно получить по адресу: на сайте издательства «Э»
Өндірген мемлекет: Ресей
Сертификация қарастырылмаған

Подписано в печать 31.10.2017. Формат 60x90 $^1/_{16}$.
Гарнитура «Arno Pro». Печать офсетная. Усл. печ. л. 22,0.
Доп. тираж 15 000 экз. Заказ 5647/17.

Отпечатано в соответствии с предоставленными материалами
в ООО «ИПК Парето-Принт», 170546, Тверская область,
Промышленная зона Боровлево-1, комплекс №3А, www.pareto-print.ru

ISBN 978-5-699-93449-2

В электронном виде книги издательства вы можете
купить на www.litres.ru

ЛитРес:
один клик до книг